Un pas de géant

Michelle Tremblay-Lacoursière

Révision : Nancy Coulombe, Cécile Rolland

Correction : Joanne Chicoine
Typographie et mise en page : François Doucet
Graphisme : Carl Lemyre
ISBN 2-921892-62-6
Première impression : Février 1999

Éditions AdA Inc.
172, des Censitaires
Varennes, Québec, Canada, J3X 2C5
Téléphone: 450-929-0296
Télécopieur: 450-929-0220
www.ADA-INC.com
INFO@ADA-INC.COM

Diffusion

Canada : Éditions AdA Inc.
Téléphone: 450-929-0296
Télécopieur: 450-929-0220
www.ADA-INC.com
INFO@ADA-INC.COM
France : D.G. Diffusion
6, rue Jeanbernat
31000 Toulouse
Tél : 05-61-62-63-41
Belgique : Rabelais- 22.42.77.40
Suisse : Transat- 23.42.77.40

Imprimé au Canada

Dédicace

À Marie-Marthe, ma mère, pour sa joie de vivre
À mes amours, Antoine, Jean, Luc
À mes proches, à mes amis(es)
À mes élèves qui m'ont beaucoup appris
À tous ceux et celles qui m'ont accompagnés,
le temps d'une belle balade, sur le chemin de la vie

Chapitre 1

Carole vivait un cauchemar. Bernard, son fils unique, avait été happé de plein fouet par un fardier. Sur sa motocyclette neuve, il avait pris la route des vacances. La veille, il avait terminé sa deuxième année en sciences au cégep de Sainte-Foy et, avant de débuter son emploi d'été comme guide touristique, il avait projeté, avec deux copains, une randonnée aux États-Unis.

De nature inquiète, Carole s'était d'abord objectée, appréhendant cette aventure sans planification, sans itinéraire précis. Son insistance ne l'avait pas ébranlé. Se contenter de courtes balades aux environs de son village était dénué d'intérêt. La fougue de sa jeunesse le propulsait vers de nouveaux et plus vastes horizons. La veille du départ, Bernard, Louis et Yves s'étaient réunis au sous-sol et avaient semblé fomenter d'inquiétants projets. Une musique tonitruante avait envahi la pièce, empêchant Carole de saisir la teneur de leur entretien. Entre deux pièces instrumentales, elle avait entendu Bernard parler de délivrance, d'aventure, d'évasion. Sa fébrilité, son insouciance l'avait angoissée. Elle avait tenté de chasser les peurs qui la tenaillaient en attribuant cette excitation au soulagement d'avoir terminé le travail acharné que son fils s'était imposé pour réussir ses examens avec brio. Avant son départ, elle avait multiplié les recommandations qu'il avait écoutées d'une oreille distraite. « L'avenir m'appartient! » Ses derniers mots, percutants, avaient coloré l'imagination fébrile de la mère de sombres teintes.

Comme un automate, elle avait assisté au défilé des visiteurs venus compatir à sa douleur: Luce, l'amie de Bernard, des compagnes et compagnons de cégep, la parenté, le principal de son école, ses consoeurs et confrères de travail, ses amies, une dizaine d'élèves à qui elle enseignait, des curieux... Les yeux bouffis, le regard éteint, elle avait fait des efforts surhumains pour contenir le flot de larmes qui voulaient surgir à tout moment. Elle n'osait engager le dialogue craignant d'enclencher le torrent. Par dignité ou fierté, elle avait refusé de se donner en spectacle.

À l'église, une demi-heure avant la cérémonie des funérailles, Philippe, son ex-conjoint, le père de Bernard, était apparu accompagné d'une jolie jeune femme. Elle ne l'avait pas revu depuis cinq ans. Tel un boulet au pied, jamais sa solitude ne lui avait paru si lourde à traîner. La vision de s'être sentie comme une épave avait refait surface. Non, elle n'avait pas oublié les tromperies, les humiliations, les injures, les réconciliations, les scènes virulentes qui s'étaient déroulées, l'ultimatum qui avait suivi et, finalement, la fuite précipitée de Philippe pour Atlanta. Il s'était agenouillé au prie-Dieu, regardant son fils, sa copie conforme d'il y avait quelque vingt ans. L'image de ce visage basané aux traits réguliers que le temps semblait avoir épargné avait ému Carole au plus haut point. L'espace d'un instant, elle aurait voulu se jeter dans ses bras. Elle aurait voulu se dégager de l'armure dont elle s'était bardée. Elle aurait voulu aussi pardonner et oublier, mais c'était au-delà de ses forces. Et puis, il y avait cette jeune femme qui l'accompagnait. Il s'était levé, le regard embué, s'était avancé vers elle. Elle attendait de la compassion, il l'avait invectivée de reproches. Comment avait-elle pu lui permettre d'acheter cette moto, d'entreprendre cette escapade? Elle n'avait pas répondu, incapable d'émettre le moindre son, figée dans son malheur. À l'affliction, la solitude, la détresse, il avait ajouté les remords qu'elle avait tenté en vain de chasser.

Après les funérailles, Lyne, l'amie de Carole, l'avait invitée chez elle. Celle-ci avait prétexté recevoir André, son frère et Lise, sa belle-soeur, qui, en réalité, avaient dû quitter tout de suite après la cérémonie. Non, elle voulait être seule, seule pour pleurer, déverser le trop-plein, penser à Bernard, imaginer Bernard déambulant chez elle. Pendant trois jours, trois nuits, elle avait revécu le passé. Sa raison de vivre l'avait quittée et sa raison tout court chancelait. Elle se complaisait dans son malheur, se surprenant à parler à son fils dans un au-delà auquel elle voulait bien croire.

Une semaine s'était passée et elle devait reprendre le collier. Elle téléphona à l'école pour dire qu'elle était incapable d'aller travailler, qu'elle prendrait une autre semaine de repos. Lyne revint à la charge, lui offrit son aide, lui proposa une sortie au centre commercial. Carole refusa. Elle ne pouvait que penser à Bernard. Toute son attention devait lui être consacrée. Elle s'était agrippée à cette idée comme à un velcro. C'était sa façon à elle de lui prouver son affection. Nul n'avait le droit de la distraire de ses pensées. Un soir, elle avait ouvert le téléviseur et un humoriste débitait un monologue. Elle l'avait refermé aussitôt. Elle se refusait à sourire. Rire l'aurait remplie de remords. Son esprit en déroute vacillait. « À quoi bon vivre? » se disait-elle.

Ce soir-là, torturée, épuisée, le sommeil la gagna. Une scène indescriptible s'offrit à ses yeux. Bernard était là, béat, un sourire radieux accroché aux lèvres. Une grande quiétude l'envahit, un bien-être indicible, un apaisement sans bornes. Plus qu'une communication visuelle et auditive, c'était une communion de pensée concrétisée en un bonheur extraordinaire. Absence de mots, abondance d'union, d'amour filial et maternel. Elle se sentit rassérénée, aimée, pardonnée. Elle s'éveilla alors en pleine nuit, alerte et dispose comme après une longue nuit gavée d'un sommeil bienfaisant, se souvenant de tout ce qu'elle venait de vivre si intensément. Morphée la reprit jusqu'au petit matin. Elle s'éveilla avec le même sentiment de bonheur, de paix, se rappelant sa vision de la nuit. Un l'instant, elle eut la certitude, au fond d'elle-même, pour la première fois de sa vie, que ce n'était pas qu'un rêve. Mais l'instant d'après, le doute se pointa. L'intensité du tourment subi avait-il provoqué cette hallucination? Avait-il eu raison de son âme torturée? Une grande paix chassa de nouveau l'angoisse, l'incompréhension.

Pour la première fois depuis dix jours, Carole eut le goût de prendre un bon déjeuner, de ranger, d'ouvrir son courrier. Une carte de sympathie provenant d'Albert Matte, l'aumônier de la première école où elle avait enseigné au début de sa carrière pendant plus de dix ans, attira son attention. Il lui souhaitait ses plus sincères condoléances. Il avait tenté à quelques reprises de la joindre par téléphone, sans résultat. À l'école où elle enseignait maintenant, on l'avait informé qu'elle avait prolongé son congé d'une semaine. Il la priait instamment de retourner son appel.

Une multitude de souvenirs resurgirent. Quel joyeux quatuor elles formaient depuis des années! Lyne, professeur d'art dramatique, Denise qui enseignait les arts plastiques et Louise, la férue de mathématique, se retrouvaient tous les midis à la cuisinette de l'école. D'interminables palabres s'engageaient, coupées par la sonnerie qui annonçait le début des cours. Tous les sujets y passaient: les espiègleries des élèves, les récriminations faites à la direction, baume de défoulement, la complexité de la tâche, les plus récentes histoires grivoises entendues, le coût de la vie, la politique, la discrimination faite aux femmes, la mode, les téléromans...

Occasionnellement, Albert Matte se joignait au groupe quand il n'était pas retenu par des réunions d'élèves ou par une célébration eucharistique. Sa venue changeait la teneur des discussions. Comme on parle de maladie à un médecin, Albert devenait le bouc émissaire de ce mal à l'âme qu'elles éprouvaient, vestige de certaines idées véhiculées par l'Église de leur enfance. Lyne et Louise avaient abandonné la pratique religieuse à l'adolescence, fortes d'affirmer leur marginalité et leur indépendance, tandis que Denise n'avait jamais osé. Très émotive et soucieuse des qu'en-dira-t-on, elle avait craint de subir les foudres de ses parents, puis la désapprobation muette de son milieu de travail et plus tard, les questions de ses enfants. Peut-être trouvait-elle en ces lieux la force dont elle avait besoin pour surnager dans l'océan de la vie? Quant à Carole, elle ne s'était jamais libérée complètement de la culpabilité qui l'avait assaillie lorsque, affranchie de la tutelle de ses parents, elle avait négligé, à l'instar de Philippe, son mari, ses devoirs dominicaux.

Les reproches fusaient devant le prêtre, l'homme écoutait, attentif, conciliant. Elles puisaient dans l'histoire de leur courte vie la matière à discussion. Carole se rappelait n'avoir jamais accepté d'être traitée d'objet de concupiscence parce qu'elle portait un short collant à mi-cuisse. Lyne se gaussait de la décision de l'Église d'accepter dorénavant des petites filles dans son sanctuaire, alors que la plupart des petits garçons n'étaient pratiquement plus intéressés à aider aux cérémonies liturgiques. « Quelle condescendance! Quelle faveur on faisait aux filles! » disait-elle d'un ton moqueur. Leurs grands-mères leur avaient narré avec force détails la vie des femmes de leur époque. Obnubilées par leur devoir, elles se soumettaient à leur mari, elles l'avaient juré à l'autel le jour de leur mariage. Le devoir d'enfanter au risque d'y laisser leur santé et leur vie, le refus du pardon au confessionnal, la résignation devant la violence du conjoint et l'abus des boissons alcooliques, leur mutisme devant l'inceste, la honte d'enfanter hors des liens du mariage, la peur d'être bannie du foyer, bref, toute leur vie avait pris les couleurs de la peur. Non, elles n'avaient que faire de ce Dieu impitoyable, vindicatif qu'il fallait craindre. Albert faisait cesser la litanie parfois et leur reprochait de trop généraliser. « Autres temps, autres moeurs! » ajoutait-il. Devant leur tiédeur religieuse, il arguait du besoin qu'on a, lorsqu'on a un ami, de le rencontrer pour communiquer avec lui. Carole rétorquait qu'on ne pouvait attribuer à Dieu un sentiment humain. Dieu ne pouvait être possessif et exiger de ses enfants une visite hebdomadaire, en les menaçant sinon d'encourir le châtiment éternel. La sonnerie marquant le début des cours arrêtait momentanément le débat qui reprenait de plus belle lors d'une rencontre ultérieure. Albert ne s'offusquait jamais, pressentant leur recherche intérieure, leur soif de vérité.

Depuis le terrible accident de Bernard, Carole était rentrée dans sa coquille, sa coquille d'oursin couverte de piquants. Elle avait éloigné ses amies, s'était soustraite à la sonnerie du téléphone, avait fait taire la radio, la télévision, ignoré les journaux, verrouillé les portes, avait voulu vivre anonyme, effacée jusqu'à disparaître.

Son rêve de la nuit précédente ayant apaisé quelque peu son tourment, elle sentit le besoin de partager sa grande affliction. Elle avait aussi besoin de comprendre. L'injustice de cette mort prématurée qu'elle refusait d'accepter la révoltait amèrement. Elle décrocha le combiné et composa le numéro d'Albert Matte. Elle reconnut tout de suite la voix amicale d'Albert.

— C'est Carole. Je te remercie pour ta carte, dit-elle d'une voix hésitante.

— Écoute Carole, je veux te voir. Tes amies s'inquiètent de toi. Je peux aller chez toi cet après-midi?

— Je t'attends.

Animée de sentiments ambivalents, elle nageait dans la joie de partager sa peine, de raconter sa vision de Bernard et la quasi-certitude que les paroles d'Albert ne sauraient apaiser sa révolte. Elle termina le rangement et, en se dirigeant vers la salle de bains, sa vue se heurta à la glace du couloir qui lui réfléchit l'image d'une femme méconnaissable. Les paupières gonflées, les yeux ternes et rougis, le teint blafard, échevelée, elle semblait s'étioler.

Qu'était devenue la femme qu'on disait ravissante, distinguée, qu'on regardait avec envie? Elle se souvint inopinément qu'elle fêterait bientôt son quarantième anniversaire de naissance. « Cette fois-ci, le mot fêter est superflu », pensa-t-elle. Triste ironie du sort, alors que la mort la hantait, elle se rappela le vieil adage: « La vie commence à quarante ans. » Comme ce dicton lui paraissait fallacieux et discordant maintenant! Elle reprit le rituel abandonné: douche, maquillage, coiffure et y ressentit un certain bien-être. Ensuite, elle plongea à nouveau dans ses pensées en attendant Albert. Elle ne savait pas ce que le prêtre allait lui dire, mais elle savait ce qu'elle ne voulait pas entendre. Elle refuserait les sempiternelles phrases qui jettent l'huile sur le feu en attisant les flammes. Elle souhaitait un baume sur sa plaie béante. La venue d'une voiture dans l'allée, face à l'entrée latérale, la sortit de sa torpeur. Elle accueillit Albert comme un frère; il était l'aurore de sa nuit.

— Carole, je suis content de te voir. Comment vas-tu? Lyne m'a téléphoné tout énervée. Excuse-moi, je n'ai pu assister aux obsèques, j'avais une cérémonie à officier.

— Je comprends. Ça va... c'est un dur coup, tu sais.

— Je sais.

— Non ! Tu ne peux pas le savoir! Tant qu'on ne l'a pas vécu...

Elle l'invita à s'asseoir dans la salle de séjour. Albert n'avait pas changé. Il écouta les doléances, les vociférations de Carole clamant l'injustice. Après avoir craché sa rage comme un venin, elle se sentit soulagée et demanda d'un ton moins acerbe:

— Pourquoi, Albert? Pourquoi?

— Je ne sais pas Carole. Les voies de Dieu sont impénétrables.

— Tiens! Encore la phrase passe-partout!

— Je ne sais pas quoi te dire, Carole... Peut-être Bernard est-il venu dans ta vie pour que toi, tu apprennes quelque chose?

— Tu sais, Albert, il m'est arrivé quelque chose d'extraordinaire la nuit dernière.

Elle lui raconta avec beaucoup d'enthousiasme la vision de Bernard. Il écouta religieusement le récit et pensa qu'il était urgent que Carole reprenne son travail, sinon elle s'enliserait dans un état neurasthénique inquiétant. Au risque de la choquer, il lui dit:

— Tu vois que Bernard est heureux! Quand des êtres chers décèdent, on ne pleure que sur soi-même.

— Facile à dire pour toi! Tu n'as jamais perdu un fils unique!

— D'accord, mais tu devrais reprendre ton travail au plus vite. Il te ferait oublier ton chagrin.

— Je ne veux pas oublier mon chagrin, comprends-tu ça?

— Je ne te dis pas d'oublier Bernard, je te dis d'oublier ta peine. Tu n'as pas le droit de te faire souffrir comme ça. Ce n'est pas ce que Bernard aurait voulu...

Pour toute réponse, elle afficha un visage ruisselant de larmes. Il la prit dans ses bras et la laissa épancher sa peine. Carole savait que les larmes étaient inutiles, mais elle était impuissante à les contenir. Albert lui parla doucement, lui rappelant son amitié, l'inquiétude de ses amies, l'affection de ses élèves, le courage dont elle avait fait preuve lorsque Philippe l'avait quittée, sa force morale suite à la soudaine paralysie de sa mère et à la mort de son père. Ce rappel accentua son sentiment de solitude et elle fondit en larmes de nouveau. Il avait commis une gaffe monumentale et il devait réparer, mais il ne savait pas comment. Devant son désarroi et son silence, elle lui dit :

— Ne t'en fais pas, tu n'y es pour rien. Tu as raison, je retourne à l'école lundi.

Il se sentit rassuré. Ne voulant pas s'embourber, il engagea la discussion sur un autre terrain. Il lui parla de son nouveau ministère dans la paroisse Saint-Michel, des joies et des difficultés qu'il rencontrait, de certains faits cocasses rapportés par ses ouailles... Il savoura le plaisir de la voir sourire. Elle enchaîna avec les espiègleries de Bernard et, finalement, il la laissa calmée lui faisant promettre de lui téléphoner dans quelques jours.

Elle choisit alors d'ouvrir ses fenêtres à la vie, d'entrouvrir la porte de son coeur. Elle communiqua avec sa mère, qui habitait à la résidence Saint-Jean, dissipa ses craintes et lui promit une visite pour vingt heures. Elle téléphona à Lyne pour la rassurer. La malheureuse! Elle était affolée.

Lyne intercéda en faveur de René pour qu'elle accepte de le rencontrer. Celui-ci, ajouta-t-elle, avait tenté de la rejoindre à plusieurs reprises. Carole éluda la requête. Elle appréhendait que la relation amicale qu'elle entretenait avec le policier ne se transforme en une liaison plus sérieuse et elle n'était pas prête à y consentir.

Carole avait connu René Martin un mois plus tôt. Il travaillait pour la Sûreté du Québec comme enquêteur à la brigade des stupéfiants. Il avait demandé à la rencontrer afin d'obtenir des renseignements concernant un élève d'une de ses classes de français. Frisant la quarantaine, élancé, vêtu d'un élégant complet gris perle, il l'avait d'abord abordée d'un ton autoritaire. Éclipsé sous des dehors impressionnants, elle avait découvert un être sensible, doux, simple, clément. Ils s'étaient liés d'amitié dès leur première rencontre. Sa verve et son humour lui avaient plu. Il l'avait invitée à deux reprises au restaurant et malheureusement, chaque fois, son attitude avait réveillé en elle le souvenir d'avoir vécu la même situation avec Philippe : son intérêt pour la gent féminine était manifeste. Au coeur d'une intéressante discussion, la venue d'une jolie cliente l'avait distrait passablement. Et son intérêt s'était prolongé jusqu'à épier le moindre de ses gestes. Il lui était arrivé de pousser l'inconvenance à lui lancer furtivement une oeillade. Carole avait assez vécu de telles situations gênantes avec Philippe pour ne pas vouloir s'y laisser prendre et depuis, elle avait décliné ses invitations.

Après avoir téléphoné à Lyne, elle endossa un tricot et sortit. Une bonne brise balançait la haie de myriques baumiers sur la rive du lac et dessinait des vagues crêtées. Un jeune véliplanchiste inexpérimenté attira son attention. S'acharnant à défier les lois de la nature, il naviguait vent debout. Cette scène lui rappelant Bernard à ses débuts, alors qu'il avait à peine neuf ans, accentua son sentiment de solitude. Toute la beauté de son monde s'était affadie comme une sauce insipide qu'on déglutit avec effort. Son oreille perçut soudain le ramage du jaseur des cèdres et elle se dirigea d'un pas lent vers le boisé. Son habituel enthousiasme pour l'observation des oiseaux l'avait quittée. Une hirondelle bicolore avait niché dans le tronc d'un arbre partiellement pourri et les petits mendiaient leur pitance en trissant bruyamment. Elle envia son rôle de nourricière. Ses oisillons avaient tellement besoin d'elle! L'extraordinaire agilité du vol d'un colibri à gorge rubis qui l'avait toujours fascinée l'indifféra. Elle qui affectionnait particulièrement ces oiseaux pouvant voler dans toutes les directions à une vitesse inouïe! Au loin, un grand héron perça le ciel, battant puissamment des ailes, le cou arqué, les pattes traînant en arrière comme si l'effort exigé était trop intense. Dans sa nuit, tout se fusionnait en une lourde grisaille. Puis, la vue du vinaigrier éclaircit ses sombres pensées. Elle lui rappela la plaisanterie que Bernard avait imaginée pour s'amuser aux dépens de l'oncle André. Il lui avait fait croire qu'à tous les printemps, ils entaillaient l'arbre et qu'ils y récoltaient leur provision annuelle de vinaigre. Auparavant, il avait pris soin de transvider du vinaigre dans un contenant de verre et du colorant alimentaire lui avait donné une très légère teinte jaunâtre. Une dégustation l'avait convaincu. Il avait même prétendu que le goût du vinaigre nature surpassait de beaucoup celui du vinaigre vendu dans les supermarchés. De retour à Montréal, il avait fait goûter sa trouvaille à ses amis qui s'étaient bien moqués de lui. Depuis ce temps, l'oncle André s'était méfié de Bernard et avait considérablement espacé ses visites.

Tout à coup, Mimi, la fillette de Marielle et de Jean, ses voisins, la héla. Elle s'approcha et vit dans ses bras un magnifique chaton angora issu de la dernière portée. Ses menottes le tenaient comme on étreint le plus précieux des trésors. Le bébé félin avait mis en marche la machine à ronrons, infaillibles détecteurs d'émotions. « Si les humains pouvaient ronronner! » pensa-t-elle. Il lui aurait été plus facile de détecter les sentiments profonds de Bernard. Elle imagina un concert de ronrons se répercutant en écho sur sa route.

Sur l'îlot, en face de sa maison, le mannequin attira son attention. Fabriqué de bois, vêtu d'un ciré jaune et coiffé d'une vadrouille en guise de perruque, il imitait parfaitement un chasseur pointant un fusil. Bernard lui avait raconté qu'un résidant du lac demeurant tout près de l'îlot, exaspéré par l'odeur nauséabonde de la fiente de goélands qui s'y dégageait, avait décidé de berner les centaines d'oiseaux qui avaient l'habitude d'y élire domicile à la fonte des glaces. Pendant une dizaine de jours, vêtu d'un même ciré jaune, il avait accosté l'île et avait tiré quelques coups de fusil pour les effrayer. L'artifice s'était avéré efficace quelque temps puisqu'on n'y voyait plus la gent ailée, puis les goélands étaient revenus défier le chasseur.

Carole avait toujours été contente de vivre dans un si bel environnement, mais elle se sentait maintenant si seule, si seule pour l'apprécier. La ramure des thuyas dégageait une bonne odeur fraîche et les nouvelles pousses des érables exhibaient leur vert tendre. Elle se dit qu'elle devait sarcler sa rocaille, planter ses géraniums et ses bégonias, tondre la pelouse. Il faudrait qu'elle plante quelques rosiers à tige supplémentaires cette année, mais toutes ses phrases, lourdes et sans enthousiasme, commençaient par des « il faudrait que ». Comme Bernard lui manquait! L'année précédente, il l'avait considérablement aidée. Elle souriait encore à ses reproches de vouloir transporter la ville à la campagne. Il aurait préféré, disait-il, qu'elle eût laissé le terrain en friche. Il avait toujours détesté tondre la pelouse.

Soudain, son estomac gargouillant l'invita à rentrer. Carole se surprit à manger avec un certain appétit. Ce soir-là, après s'être glissée dans son lit, elle engagea une longue conversation unidirectionnelle avec son fils. Elle le suppliait de revenir habiter son rêve, lui demandait de l'aider à reprendre goût à la vie, le priait comme on prie Dieu ou un saint. Au petit matin, un vague bruit de pétarade la fit sursauter dans son sommeil. Confondait-elle le rêve et la réalité? Non, elle était bien réveillée. Elle sortit à pas feutrés et vit qu'un pic à touffe de plumes rouges derrière le crâne avait jeté son dévolu sur la gouttière et marquait son territoire en tambourinant à coups de bec rapides. D'un claquement des doigts, elle le fit déguerpir. Cette visite matinale et inopportune l'avait irritée. Elle reprit ses esprits et la réalité lui apparut impitoyablement. Elle devait se rendre à l'évidence, Bernard n'avait pas répondu à sa prière. Elle se sentit vidée, comme si elle tombait dans un trou noir duquel aucun rayonnement ne pût sortir. Elle poursuivit son monologue intérieur avec Bernard durant toute la matinée.

Ses pensées erraient de son rôle de mère à celui de professeure. Depuis quelques années, Carole considérait son travail très exigeant et de plus en plus stressant. La lourdeur, la complexité et la variété de la tâche d'enseignante au secondaire lui pesaient. La flamme vive de ses dix premières années vacillait quelque peu. Perfectionniste et entêtée, elle se butait à l'indifférence de bon nombre d'élèves pour qui les études étaient reléguées au second plan quand ce n'était pas au dernier. Elle menait un combat de titan contre l'apathie, l'arrogance, la négligence et le désordre. S'y soustraire aurait équivalu pour elle à une démission et son professionnalisme le lui interdisait. Mais cette bataille prenait toutes ses énergies et elle se demandait si elle allait pouvoir encore tenir longtemps.

Son congé tirait à sa fin. Elle rejoignit son professeur suppléant et s'informa du déroulement des cours durant son absence. Elle ne fut pas très étonnée quand il lui fit part de la piètre motivation de ses élèves. En mai et juin, elle était toujours déroutée devant leur indolence alors qu'ils auraient dû, à son avis, redoubler d'efforts. Même si le coeur n'y était pas, elle devait terminer son année scolaire 1995. L'obligation de réviser en vue des examens du ministère de l'Éducation se faisait pressante. Sa préoccupation pour ses élèves eut pour effet de la centrer sur sa routine. Elle s'assura que ses coordonnés étaient propres et fraîchement repassés, ses souliers astiqués, ses copies corrigées, son temps planifié. Son train-train la mena dans la chambre de Bernard. Depuis son absence, pas un iota n'avait été déplacé. Se départir de la moindre de ses choses aurait alors signifié pour elle se résigner à sa mort et c'était au-delà de ses forces.

Sa vue se porta sur son lit où la couette résistait encore à l'ordre qu'elle avait tenté à maintes reprises de rétablir. L'ordinateur trônait en maître sur sa table de travail. Sur les murs, deux posters, l'un évoquant la sensualité par la représentation d'un couple nu enlacé et l'autre symbolisant la rage de vivre personnifiée par James Dean fonçant en voiture à toute allure dans le vide, défiant la mort. Des livres, disséminés sur le tapis et sur la commode, attendaient d'être rangés. Un tiroir à demi ouvert lui permit de jeter un coup d'oeil sur le fouillis qui y régnait. La vue du pantin démantibulé qu'il avait fabriqué en cinquième année et qu'il voulait toujours réparer l'émut.

Inéluctablement, la vision du Bernard radieux de son rêve revint la hanter et elle eut la sensation qu'il lui insufflait l'idée de partager ses effets personnels et ses plus beaux vêtements avec ses amis. Elle téléphona à Louis et Yves, ses copains de collège et compagnons de son dernier voyage, à Luce, son amie, et les invita à venir la rencontrer. Ce soir-là, elle leur offrit de prendre tout ce qu'ils désiraient. Devant leur gêne, elle ajouta que Bernard l'aurait voulu ainsi.

Timidement, Louis exprima le désir d'utiliser la raquette de tennis de Bernard. Carole offrit à Luce l'ordinateur. Yves choisit son système de son. Devant leur réticence à en prendre davantage, elle leur dit qu'elle irait donner tous ces biens au Comptoir du coeur le lendemain. Ils acceptèrent avec une joie non dissimulée les skis alpins, l'équipement de hockey, les vêtements qui leur convenaient.

L'émotion qui les étreignit était intense. Carole avait regretté de ne pas avoir partagé sa peine plus tôt avec les amis de son fils. L'amitié qui avait lié ces jeunes à Bernard la toucha profondément et elle exprima le désir de les revoir afin de poursuivre la longue discussion durant laquelle on avait fait l'éloge de Bernard, où elle avait découvert d'autres facettes de sa personnalité. Une grande paix l'envahit à la pensée du soulagement exprimé par Louis et Yves lorsqu'elle avait brisé le mur du silence qu'ils avaient interprété comme une réprobation à leur endroit. Ils s'étaient sentis coupables d'avoir projeté avec Bernard l'excursion fatale. Carole était heureuse d'avoir réparé les accrocs et d'avoir tissé un réseau de tendresse et d'amitié.

Elle songea que le garage recelait encore les trésors de son fils : son dériveur, sa planche à voile, ses clubs de golf, son banc d'exercices, son ski nautique, son yacht, son avion téléguidé. Elle se demanda si elle devait remercier le ciel d'avoir pu offrir à son fils tout ce dont il rêvait. Le père de

Carole lui avait légué, à son décès, une somme rondelette que sa mère avait placée et qui lui avait permis plus tard de régler l'hypothèque de la maison, de s'offrir une voiture neuve et d'effectuer des rénovations majeures à la cuisine et à la salle de bains. De plus, Philippe lui avait fait parvenir régulièrement de quoi subvenir aux études de son fils. Aussi, après maintes tergiversations, elle avait consenti à satisfaire son dernier caprice, sa rutilante motocyclette.

Le lendemain, elle se procura des boîtes de carton et, péniblement, elle entreprit de libérer la chambre de Bernard des traces de sa présence, non pas qu'elle veuille l'effacer de sa mémoire, mais respecter sa volonté. Elle rangeait un manuel de philosophie dans une boîte lorsqu'elle vit une feuille qui excédait de la tranche. Froissée, elle avait été pliée et repliée, annotée dans les marges, manuscrite par Bernard. Il avait souligné des mots au crayon-feutre. Elle hésita avant d'en amorcer la lecture se sentant comme une voyeuse faisant une intrusion dans la vie personnelle de quelqu'un. La curiosité l'emporta. Elle lut et relut ce qui avait intéressé son fils et s'y passionna :

1. « Les événements ne troublent pas les hommes, mais l'idée qu'ils se font des événements. »
(Épictète)

2. « Le hasard n'existe pas. »

3. « Demandez et vous recevrez. » (Jésus-Christ)
(Avec la confiance d'un enfant. Et l'insistance!)

4. « Ton subconscient a tout enregistré depuis ta naissance. Chasse les idées négatives qui surviennent à tout moment, car elles vont créer sur l'écran multidimensionnel de ta vie un film d'horreur. SI TU AIMES LES FILMS D'HORREUR, PAS DE PROBLÈME MAN. SUPER ! »

Bernard Dion.

La griffe de Bernard la fit s'attarder à la dernière sentence. La méconnaissance de son fils la rendit perplexe. Elle se sentait comme une aveugle qui pouvait ressentir la chaleur du soleil sur sa peau, mais qui ne pouvait saisir la dimension de l'astre. Et commença alors pour elle un long voyage intérieur en quête de vérité.

Chapitre 2

Carole appréhendait le lendemain, car elle aurait à affronter une cinquantaine de professeurs. Elle voyait des yeux qui épiaient, des mains et des visages qui se tendaient, des lèvres qui balbutiaient des paroles qu'elle entendait : « Mes sympathies, Carole », « Mes condoléances, Carole », « Je m'excuse, je n'ai pas pu aller au salon, mais j'ai beaucoup pensé à toi », « Comment c'est arrivé, Carole? » « Est-il mort sur le coup? », « A-t-il beaucoup souffert? », « Comment l'as-tu su, Carole? » « C'est injuste! Mourir à cet âge! » et elle ne voulait pas raconter les détails macabres. Elle aurait voulu que personne ne lui parle de Bernard, car elle avait peur d'éclater de nouveau. Elle partagerait avec ses amies, mais pas avec tout le monde. Elle songea alors qu'en visualisant sa journée du lendemain d'une façon aussi négative, elle était en train de créer sur l'écran de sa vie un film d'horreur, comme avait écrit Bernard, mais elle était impuissante à chasser ces idées.

Le lendemain, tout se déroula comme elle l'avait imaginé, sauf qu'elle réussit à esquiver les narrations redoutées par des réponses succinctes se résumant par l'affirmative ou la négative. En fin de journée, elle se retrouva à la cuisinette avec Lyne, Denise et Louise. Lyne proposa au groupe une sortie au centre commercial pour le jeudi.

Les courses au centre commercial se transformaient souvent pour le quatuor en une hilarante incursion au pays de la fantaisie et de l'humour. Carole esquissa un sourire à la pensée de la dernière insolence de Lyne. Le groupe était entré dans une boutique et furetait devant les étalages de vêtements. Une vendeuse s'était approchée et avait demandé à Lyne, avec son plus beau sourire :

— On vous as-tu répond?

Innocemment et le plus sérieusement du monde, elle avait répondu :

— Non, on m'a pas questionne.

Immanquablement, Denise s'était esclaffée pendant que Louise, qui souffrait occasionnellement d'incontinence urinaire depuis sa dernière grossesse, avait croisé les jambes, ce qui avait fait éclater Carole. Aussi, chaque fois que Louise se rendait au centre commercial avec ses amies, elle avait pris l'habitude de porter une serviette hygiénique. Louise, Carole et Denise étaient parfois en désaccord avec les idées saugrenues et l'impudence de Lyne; toutefois ces sorties désopilantes leur faisaient oublier tous leurs soucis et elles avaient l'impression de revivre un peu leur adolescence.

Quand Lyne proposa au groupe de changer de centre commercial pour faire leurs courses, elles devinèrent tout de suite ses intentions et menacèrent de décliner son invitation si elle ne leur promettait pas de se comporter comme une cliente normale. « Je vous invite à souper à La lune bleue », proposa Lyne. Les trois amies s'esclaffèrent se souvenant qu'elle les y avait emmenées l'année précédente et qu'imperceptiblement, elle avait habilement inséré dans son gâteau une mouche qu'elle avait préalablement tuée chez elle. Courroucée, elle avait exigé de parler au patron qui s'était confondu en excuses. Pour la faire taire, il avait refusé que les quatre clientes règlent l'addition. À leur sortie, Lyne avait raconté la supercherie et les trois copines s'étaient d'abord montrées scandalisées de sa fraude, protestant qu'elles avaient passé l'âge de commettre une telle bêtise, mais finalement, elles avaient ri à en avoir mal au ventre.

D'un commun accord, elles acceptèrent la proposition de Lyne d'aller flâner dans les magasins le jeudi après les classes. Cette fois-là, Lyne se contenta de tester une dizaine de variétés de parfums, ce qui fit fuir tous les passants qui l'approchaient de trop près et elle profita d'un maquillage de soirée gratuit qui ombrait l'iris sous des fards violets lui donnant un air aguichant qu'elle accentuait par une démarche provocante en roulant des hanches. Devant la scène, Carole, Louise et Denise bifurquèrent dans une autre direction, se demandant qui allait être sa prochaine proie et ne voulant pas être complices de sa blague de mauvais goût. Sans son public, Lyne redevint anonyme dans la foule et retrouva ses compagnes. Elle avait réussi à faire rire Carole et c'est tout ce qui importait.

À la fermeture des boutiques, le groupe se rendit dans une rôtisserie pour se restaurer. Après le drame que vivait Carole, Denise, Louise et Lyne pressentaient que leur bavardage habituel se convertirait en un entretien qui risquait d'ouvrir une plaie béante. Néanmoins elles pensaient que le moment était peut-être opportun pour Carole de se confier, ce qui atténuerait sûrement sa douleur. Elles avaient tenté en vain de briser les barrières que Carole avait érigées et qui la minaient, mais devant sa réserve, elles avaient convenu de respecter son silence. Après qu'elles eurent mentionné à la serveuse leur choix au menu, Carole sortit de son sac à main la précieuse feuille qu'elle avait trouvée dans le livre de philosophie de Bernard et qui l'intriguait beaucoup. Elle leur montra, en révéla la provenance et leur demanda d'en prendre connaissance.

— C'est un aspect de mon gars que je ne connaissais pas du tout, dit-elle. Vous avez lu la dernière phrase? Où a-t-il pris tout ça? À part ses manuels scolaires, je ne l'ai jamais vu lire autre chose que la section des sports du quotidien et des bandes dessinées.

— En as-tu parlé avec Luce, Louis et Yves quand tu les as rencontrés? demanda Louise.

— Non, quand je les ai vus, je n'avais pas découvert cette feuille, mais je me promets bien de les revoir et de leur en parler. Qu'est-ce que vous en pensez? demanda Carole.

— La phrase de Bernard me fait penser à un livre que j'ai déjà lu, dit Denise. C'est un livre de Richard Bach. Vous savez, celui qui a écrit Jonathan Livingston le goéland. Le titre, c'est Illusions, je crois. Il comparait notre vie à un film où nous serions le scénariste, l'acteur, le réalisateur, le projectionniste, enfin tout. Que ce film-là, nous l'avons choisi avant de naître et que nous sommes toujours libres d'en changer le scénario.

— Tu veux dire que Bernard avait choisi de mourir à cet âge? demanda Carole, la voix chargée de colère.

— Balivernes! Ça n'a pas de sens, ajouta Louise. Pourquoi le petit Pierre Maltais aurait-il choisi de passer sa vie déficient intellectuel? Et Stéphanie Lecours avec la dystrophie musculaire? Et Denis Moisan, vous savez, celui qui vient d'arriver dans ma classe et qu'on a placé en famille d'accueil, pourquoi aurait-il choisi de naître dans une famille où on le battait?

L'esprit cartésien de Louise, la mathématicienne, se révoltait devant pareil raisonnement. Elle ajouta :

— Vous posez une épineuse question existentielle à laquelle personne n'a jamais été capable de donner une réponse basée sur des arguments scientifiques. Qu'est-ce qu'on vient faire sur cette terre? Moi, je ne sais pas.

— Qu'est-ce que tu en penses, toi Denise? demanda Carole.

— Moi, je me pose des questions et je ne suis pas sûre des réponses. Peut-être certaines personnes ont-elles choisi des missions périlleuses ou simplement plus difficiles que d'autres? Les difficultés qu'elles ont rencontrées dans leur enfance, comme Denis, par exemple, vont les aguerrir et elles vont développer une force morale plus grande que la majorité d'entre nous et ça leur servira plus tard. Quant à Pierre Maltais et à Stéphanie Lecours, ils ont peut-être choisi une mission altruiste pour que nous apprenions d'eux, pour que nous réalisions notre chance, pour que nous comblions notre besoin d'aimer, de rendre service. Bernard a raison, on choisit d'être triste parfois et on se complaît dans notre tristesse en l'alimentant de nos idées négatives. On est comme les enfants : dans leur jeu, ils choisissent d'être bandits un jour, justiciers le lendemain... ils changent de rôle au gré de leur fantaisie.

— Moi, je sais ce que je suis venue faire ici, dit Lyne. Avoir du plaisir!

Denise avait en main la feuille de Bernard et dit :

— Écoutez ça, les filles. « Les événements ne troublent pas les hommes, mais l'idée qu'ils se font des événements.»

— C'est curieux ce que tu dis là. Albert Matte m'a dit la même chose en d'autres mots. Il m'a dit : « Tu pleures sur toi-même, Carole. Bernard est heureux.»

Elle leur raconta la vision du Bernard radieux de son rêve et demanda à Denise si elle avait vécu cela à la mort de sa mère. L'expérience lui était inconnue.

— Tout cela est bien beau à la condition qu'on croie qu'après la mort, tout n'est pas fini. Qui peut en être sûr? demanda Louise.

— As-tu déjà lu des livres qui traitent de la vie après la mort? demanda Denise. On dit que les gens considérés cliniquement décédés qui reviennent à la vie racontent qu'ils se sont retrouvés séparés de leur corps dans un long tunnel au bout duquel il y a de la lumière. Ces témoignages sont presque tous identiques. Ils ressentent une paix, un amour indescriptible, paraît-il. Tu sais, Carole, ça me fait penser à la paix dont tu parlais dans ton rêve.

— Je ne veux pas vous décevoir, interrompit Louise, mais j'ai entendu à la télévision, il n'y a pas très longtemps, un scientifique, un médecin, je pense, qui disait qu'au moment de la mort, le cerveau, privé d'oxygène, produisait ces hallucinations.

— Comment peux-tu expliquer alors que bien des gens ont vécu délibérément des expériences de décorporation? Ils ont vécu le même phénomène que les gens à l'article de la mort. On ne peut pas dire que leur cerveau a été privé d'oxygène puisque ça leur est arrivé dans un état de détente ou de méditation, dit Denise.

— Je ne sais que penser de tout cela, dit Carole. C'est un monde que je ne connais pas. Denise, pourquoi ne nous as-tu pas parlé de tout cela avant?

— J'ai fait une tentative, il y a deux ans et vous aviez toutes ri de moi. Plus particulièrement toi, Louise.

— Je ne me rappelle plus. Denise, d'après toi, pourquoi Bernard aurait-il choisi de mourir à dix-huit ans? implora Carole.

— Je ne sais pas et personne ne le saura jamais, répondit Denise. Peut-être avant de naître avait-il choisi cette mission de vivre dix-huit ans sur cette terre, suffisamment pour que toi, tu t'ouvres à ces réalités.

— Comment peux-tu dire des absurdités pareilles! ajouta Louise. Il était là au mauvais moment. C'est un malencontreux hasard, un point, c'est tout.

— Toi, Lyne, tu ne dis rien? demanda Carole.

— Heu... heu...

Telle une funambule sur son fil entre ciel et terre, dans une situation précaire, Lyne s'était immobilisée sur la corde oscillante. Dotée d'un équilibre naturel, elle savait garder les deux pieds sur terre, mais dans cette discussion, elle n'était pas dans son élément, comme un poisson hors de l'eau. Elle choisit donc la fuite et, astucieusement, les ramena à la réalité leur rappelant qu'il était presque vingt-trois heures, qu'elles avaient trente minutes de route à faire avant d'être de retour à la maison, qu'elles travaillaient toutes le lendemain et que, si elles se dépêchaient, la fin de semaine arriverait beaucoup plus rapidement. Pour l'instant, elle avait réussi avec humour à désamorcer un conflit idéologique. Unanimement, elles décidèrent de partir, se promettant toutefois de poursuivre cette discussion une autre fois.

Le vendredi avait été particulièrement éprouvant. L'ardeur au travail avait été indirectement proportionnelle à l'ardeur du soleil. L'astre avait dardé ses chauds rayons toute la journée et l'échelle de Beaufort marquait sûrement le degré zéro. Au dernier cours, la piètre concentration des élèves et la turbulence de certains durant l'écoute d'une entrevue avaient fortement contrarié Carole qui s'était impatientée et avait invectivé les chahuteurs, les menaçant d'un dossier disciplinaire et d'un travail supplémentaire à effectuer, lequel travail occuperait une bonne partie de leur fin de semaine. Ce dernier argument avait eu raison de leur bravade.

De retour à la maison, elle trempa ses pieds enflés dans l'eau fraîche du lac et elle ressentit un bien-être qui irradia dans tout son corps. Perdue dans ses pensées, elle ne vit pas l'urgence de se presser, vu l'absence de Bernard. Ses rêveries l'entraînèrent dans son enfance marquée par une carence affective dont elle était bien consciente. Comme sa mère avait fait, elle avait tout donné à Bernard, sauf l'essentiel. Bien sûr, elle lui avait consacré tout son temps contrairement à ses parents, mais elle regrettait tellement de n'avoir pas su établir une véritable communication avec son fils. Elle regretta surtout de ne pas lui avoir exprimé suffisamment son affection par des gestes tendres et chaleureux. Pire encore, elle se demandait pourquoi les mots « je t'aime » restaient bloqués dans sa gorge. Un groupe d'alevins s'approcha de son gros orteil. Elle s'entendit dire au plus effronté : « Je t'aime! » juste pour pratiquer. Le sourire aux lèvres, elle tourna la tête pour s'assurer que personne n'avait entendu ses saugrenues marques de tendresse. La sonnerie du téléphone interrompit la scène insolite. Albert Matte, le nouveau curé de la paroisse Saint-Michel, lui reprochait gentiment de ne pas l'avoir rappelé et s'informait du déroulement de sa première semaine de travail. Elle le rassura, lui disant que tout allait bien, refusant d'engager une conversation qu'elle n'avait pas le goût d'entreprendre. Elle avait horreur de discourir au téléphone, faisant partie de ces gens pour qui le téléphone était relégué au rang de service utilitaire. Une deuxième sonnerie la fit sursauter. Elle reconnut la voix chaude et sensuelle de René Martin. Il s'enquit d'elle, lui exprima son désarroi devant son refus de le revoir, mais ajouta qu'il comprenait dans les circonstances, lui apprit qu'il avait eu une semaine éreintante à Seattle, lui avoua qu'elle lui avait manqué et l'invita à souper. Désarmée devant tant de gentillesse, elle déclina son invitation au restaurant, mais lui proposa de venir chez elle en soirée.

Comme elle avait terminé de sécher ses cheveux, Carole entendit le roulement de son véhicule dans l'allée. L'air détendu, les cheveux de jais bouclés comme elle les aimait, les yeux azur, le nez droit, le menton volontaire, elle vit René descendre, prendre délicatement dans ses mains le chaton de Mimi et le caresser. Ce geste tendre la remua et lui permit de l'observer davantage. Une chemise de soie coquille d'oeuf enjolivée de hiéroglyphes égyptiens violets et un pantalon de lin écru lui seyant à merveille dénotaient son élégance. Il posa délicatement le chaton sur l'herbe et ouvrit la portière pour prendre une gerbe de roses pêche. L'image des héros d'Arlequin surgit à son esprit et elle eut la désagréable sensation de ne pas cadrer dans le décor. Elle avait deux fois l'âge des héroïnes de romans et avait l'impression que sa détresse morale avait creusé des sillons sur son visage et dans son coeur. Dans sa tête, elle entendit Bernard lui dire : « Chasse ces idées négatives, maman. T'es la plus belle.»

Après les salutations d'usage et les baisers de convenance, elle huma le parfum capiteux des roses et les déposa dans un vase sur le buffet de la salle à manger. Elle lui offrit une boisson désaltérante, il opta pour une bière. Il se laissa entraîner dans le kiosque muni d'une moustiquaire qu'elle avait fait ériger l'année précédente pour se prémunir de la voracité des maringouins de juin. Comme elle détestait la bière, elle s'offrit exceptionnellement un riesling dont le bouquet racé lui plut. Le soleil couchant nimbait de rose le ciel floconneux de cumulus et une très légère brise les rafraîchissait. La compagnie de René, qu'elle avait rencontré à trois reprises, était agréable, car sa conversation était passionnante. Son travail l'avait amené à frayer avec le monde interlope de la drogue et il savait jusqu'où la déchéance humaine pouvait aller. Son rêve d'être doté de pouvoirs magiques et de dématérialiser la boîte de Pandore fit sourire Carole. Plein de compassion pour les enfants et les adolescents accrochés à ce terrible fléau, il pourfendait les têtes de réseaux, ceux qui s'enrichissaient aux dépens des pauvres innocents. Puis, elle lui raconta comment elle avait vécu son drame et il l'écouta sans mot dire, le regard chargé de bonté et de compréhension. Comme elle n'était pas une adepte de Bacchus, une coupe avait suffi à la rendre volubile.

Était-ce la fascination qu'exerçait cet homme sur elle, la noblesse de son idéal, la douceur de sa voix, son écoute attentive, la grande solitude qu'elle ressentait depuis la mort de son fils ou simplement la griserie du vin, tout contribuait à décupler son désir d'être touchée, caressée. Toutes les fibres de son corps mendiaient de la tendresse. Sa tête lui disait de sublimer ses pulsions; son corps, subjugué par Aphrodite, désirait donner libre cours à ses élans.

Elle proposa alors de rentrer. La conversation se poursuivit très tard et comme les mots s'enchevêtraient pour communiquer son désir, elle laissa son corps s'exprimer par un baiser passionné et de tendres caresses. Comme il était loin le jour où elle avait connu pareille frénésie! Puis, l'eau vivifiante caressa et purifia les corps enlacés qui se mouvaient en un ballet harmonieux et sensuel, prélude à une fusion totale.

À l'aube, le gazouillis des hirondelles les réveilla. René la salua d'une étreinte et d'un baiser sur la joue. Il lui interdit formellement de se lever avant qu'il ne revienne dans la chambre. Elle entendit le jet d'eau de la salle de bains, puis un cafouillis dans la cuisine. Son remue-ménage leva le voile sur ses intentions. Elle entendit le grésillement des oeufs dans la poêle et flaira l'arôme délectable du bacon et des effluves de café. Quelque quinze minutes plus tard, une serviette nouée sur les hanches, l'air pompeux, il poussait la desserte sur laquelle une rose pêche accompagnait ce qui ressemblait à un copieux et succulent petit déjeuner. Sa mise en scène l'amusa.

— Madame est servie.

— Pince-moi pour être sûre que je ne rêve pas, dit-elle.

— À vos ordres, madame, ajouta-t-il cérémonieusement.

Comme un des pieds de Carole émergeait du drap, il pinça le gros orteil et, délibérément, effleura la plante de son pied de sorte que le chatouillement la fit réagir par des cris implorant une trêve. Recroquevillée, elle lui offrit son plus beau sourire. Il ne put résister à l'envie de revenir au lit et, quand leurs corps alanguis réclamèrent leur ration matinale, le petit déjeuner était froid.

Carole se leva, se rafraîchit et prépara un nouveau repas qu'ils dégustèrent sur le patio. Il se proposa pour tondre la pelouse. Elle en profita pour sarcler son jardin. Il partit vers seize heures, disant qu'il était attendu pour un souper de famille avec Hélène, sa cadette de quatorze ans, et Luc, son aîné de dix-sept ans. Carole lui demanda s'il conservait sur lui des photos d'eux. Il ironisa en disant qu'il avait bien assez de les voir régulièrement, qu'ils étaient maintenant trop âgés pour les traîner continuellement avec lui. Il lui promit cependant d'en apporter la prochaine fois.

— Quand? demanda-t-elle.

— Je te téléphone demain, répondit-il.

Il la salua de sa voiture en lui soufflant un baiser.

Cette femme impressionnait René. Une force émanait d'elle et en même temps, elle était si vulnérable. Il avait tout de suite été attiré par sa démarche et sa taille de mannequin. Elle ne correspondait pas à l'image qu'il s'était faite des enseignantes. Ses cheveux blonds, tantôt attachés, tantôt droits, encadraient un visage angélique. Ses grands yeux noirs, vifs et perçants, étaient très expressifs : tristes ou rieurs, ils étaient fascinants. Sa dignité, sa fierté, son indépendance l'avaient charmé. Il avait connu beaucoup de femmes, mais son instinct de chasseur lui avait révélé que celle-ci constituait une proie de choix. Comme il aurait aimé se laisser prendre à son propre jeu et vivre avec elle une union stable, étant toujours en quête de la perle rare.

Carole téléphona à l'amie de Bernard, Luce, pour en savoir davantage sur le contenu de la feuille qui l'intriguait. La jeune fille, qui ne demeurait pas très loin de chez elle, accourut. Bernard ne lui avait jamais parlé des idées véhiculées sur cette feuille. Elle réussit à rejoindre Yves et Louis qui lui confirmèrent que Bernard était un être introverti qui n'exprimait pratiquement jamais ses sentiments profonds. Ce soir-là, elle s'endormit sur ses interrogations et trouva le lit grand et froid.

Le lendemain, en après-midi, elle visita sa mère, jeta ensuite un coup d'oeil sur la compréhension écrite d'un conte qu'elle devait utiliser le lendemain et s'attabla afin de poursuivre la correction des productions écrites du ministère de l'Éducation. Elle y oeuvra pendant trois heures d'affilée, ne réussissant qu'à corriger dix copies. Cette tâche astreignante demandait beaucoup de concentration, car la grille d'évaluation comptait six critères qui se subdivisaient en quatre autres. Fatiguée, elle se rasséréna en songeant que la semaine qui commençait le lendemain était la dernière avant la période des examens.

Elle se demanda si René avait téléphoné durant son absence. Elle ne connaissait ni son adresse ni son numéro de téléphone. Curieuse, elle ouvrit le bottin de Québec et y lut trois René Martin et dix-neuf R. Martin. Elle fut tentée de risquer un appel, mais se ravisa. Elle n'était pas femme à s'imposer. Ayant déjà été trahie, elle était restée soupçonneuse et doutait parfois de son pouvoir de séduction. Avant de s'endormir, elle visualisa point par point sa merveilleuse rencontre avec René et engagea son monologue intérieur avec Bernard. « Bernard, si tu m'entends, aide-moi à être positive. Je ne veux pas que ma vie ressemble à un film d'horreur. Tiens ma main, guide-moi ». Il lui sembla que s'il lui avait répondu, il lui aurait dit ceci : « Maman, ce n'est pas après un événement que tu dois visualiser, mais avant. » Mais elle savait bien que la réponse venait d'elle-même.

L'habituelle torpeur des lundis matin, accentuée par un ciel gris et pluvieux, alourdit et étira le temps. Le conte merveilleux que Carole proposa à ses élèves ne suscita aucun intérêt. Elle se demanda sérieusement si ce genre littéraire convenait encore à ces adolescents désabusés. Elle n'arrivait pas à capter leur attention. Chacune des questions qu'elle posait attendait interminablement une réponse qui ne venait pas. Elle dut user d'autorité et exiger d'eux qu'ils recherchent dans le dictionnaire le sens de certains mots difficiles comme dahu, phénix... Leur langueur intensifia son irritation à la pensée des examens de fin d'année qui arrivaient à grands pas. Comme elle faisait des efforts surhumains pour contenir son humeur irascible, un cri poussé par une voix de stentor fit sursauter toute la classe. Une guêpe s'était introduite par la fenêtre ouverte privée de moustiquaire. La panique qui s'ensuivit déclencha une guérilla qui n'eut de trêve qu'après la mort de l'ennemi. Décontenancée par le chahut, Carole exigea un travail personnel qui devait obligatoirement être terminé le lendemain.

À la sortie de l'école, cet après-midi-là, survinrent deux incidents qui déclenchèrent dans son esprit tout un chambardement. De prime abord banals et anodins, ils prirent des proportions gigantesques dans sa tête. Sur la banquette arrière de sa voiture bourdonnait une abeille, un taon ou une guêpe en furie qui réclamait à cor et à cri sa liberté. Carole fit évacuer l'intrus de l'habitacle en ouvrant les portières avant et en ventilant avec son cartable. Elle prit place dans son véhicule, inséra la clé de contact et, à la radio, un critique littéraire dénigrait le recueil de nouvelles d'un écrivain qui lui était inconnu. Comme elle allait changer de poste, elle entendit le mot dahu. Comme un éclair fulgurant zébrant le ciel, les neurones de son cerveau établirent une connexion entre ces deux incidents et ce qu'elle avait vécu durant la matinée. Elle figea sur place. Elle eut d'abord l'impression que son esprit basculait puis, reprenant sa position d'équilibre, de l'enchevêtrement de ses pensées, éclata crûment, dans toute sa globalité, la lumière sur la phrase de Bernard. De façon tangible, elle venait de réaliser que le film dont il avait parlé n'était peut-être pas une image, mais une réalité. Elle visualisa alors ses pensées projetées et diffusées dans l'atmosphère comme des ondes magnétiques qui avaient la propriété d'attirer et de convertir dans son cadre de vie cette énergie en créant des événements qu'on appelait fortuits. L'énormité de ce concept lui fit l'effet d'un choc. Elle crut jouer une scène dans un film de science-fiction. On pouvait donc vivre sur cette planète des parcelles de paradis ou des lambeaux d'enfer où le hasard était un mot pour expliquer l'incompréhension.

De retour à la maison, elle ouvrit son Petit Larousse 1994 et apprit qu'il s'enorgueillissait de contenir 84 200 articles. Elle se demanda quelle était la probabilité que le mot dahu, pourtant rarement usité dans le langage courant, revienne dans sa vie à cinq heures d'intervalle. Comme un robot, elle vaqua à ses tâches coutumières pendant que son esprit en ébullition raisonnait et déraisonnait. À un rythme effarant, moult questions la tourmentaient. Avait-elle, à son insu, provoqué le départ de Philippe? La mort de Bernard découlait-elle de ses propres angoisses? La perception négative qu'elle avait de ses élèves engendrait-elle leur attitude désobligeante? Le silence de René était-il le résultat de son manque de confiance en elle quant à sa capacité de vivre un amour durable? Assaillie par le doute, elle s'insurgeait contre cette hypothèse selon laquelle elle devait porter toutes les responsabilités et envisagea les incidents de la guêpe et du mot dahu comme étant le fruit du hasard. La connaissance ne découlait-elle pas d'observations rigoureuses de phénomènes naturels? Si l'observateur faussait continuellement les résultats en influant par sa pensée sur les données pour confirmer ses hypothèses, il fallait nier la science!

Mais le doute, comme un ennemi à l'affût, rôdait et l'ambivalence de Carole, tantôt intransigeance, tantôt nuance, la tiraillait. Elle songeait au malade à qui on administre un placebo et qui guérit à la certitude de l'efficacité du médicament. Où était la vérité? À quelle loi régissant l'univers venait se greffer son aberrante découverte? La correction des copies des élèves la ramènerait peut-être à la réalité? Elle amorça son travail en tentant de toutes ses forces d'y fixer son attention, mais son esprit errait, distrait par le téléphone qui resta muet.

Chapitre 3

René Martin avait bien tenté, le dimanche après-midi et le lundi soir, de joindre Carole, mais il s'était buté à l'inopérante sonnerie du téléphone. Le lendemain, une amazone du quartier Saint-Henri à Montréal lui refila une information privilégiée qui l'obligea à se rendre à Montréal et à prendre en filature un caïd de la drogue qui attendait sous peu, selon les dires de la prostituée, un chargement de la Colombie. Il tenait à vérifier ses allégations.

En route pour la métropole, une chanson à la radio intitulée « Les femmes », orienta ses pensées dans un décor familier où il vit défiler les femmes de sa vie. Hélène, son adolescente enjouée et excentrique de quatorze ans, ouvrit le bal, assurément. Elle avait le don de faire fondre ses acrimonies avec son sourire enjôleur et son humour persiflant. La copie originelle, sa mère, apparut à peine plus âgée que sa fille. Maryse avait chamboulé sa vie. Il aurait traversé les galaxies pour la rejoindre. Elle était l'étoile la plus scintillante de son univers. Le ciel avait été témoin de leur symbiose durant cinq ans, le temps que les yeux de sa nymphe se posent sur lui avec admiration. Puis, les nébulosités et les turbulences ayant affadi et éteint cet éblouissement, comme une éclipse, il avait disparu momentanément, puis définitivement.

Il se rappela clairement l'événement qui avait déclenché cette fuite. Durant une fin de semaine, il avait consenti à sacrifier un tournoi de hockey auquel il se faisait une joie de participer pour permettre à Maryse d'aller visiter son père malade qui résidait à deux cent cinquante kilomètres de Québec. Le samedi, Luc avait été particulièrement turbulent et Hélène, qui devait avoir un an à l'époque, s'était époumonée toute la nuit. Le lendemain, à la clinique, on avait diagnostiqué une otite aiguë. Fatigué et stressé, il s'était quand même assuré que l'ordre règne dans la maison avant le retour de Maryse. À son arrivée, elle avait provoqué une scène parce que le bébé était couché avec ses bottines. C'était la goutte qui devait faire déborder le vase. Il était revenu au petit matin dans un état d'ébriété assez avancé. Les reproches continuels avaient éteint sa flamme et, inconsciemment, il avait recherché dans d'autres yeux cette admiration dont il avait un besoin vital.

D'autres femmes avaient joué des rôles de figurantes ou de soutien l'espace de quelques nuits ou de quelques mois, puis il y avait eu Nicole avec qui il vivait depuis six ans. Cette resplendissante rousse affichait la beauté des automnes enflammés. Il la regardait comme on regarde un tableau de Rubens. Elle l'écoutait comme on écoute une symphonie de Brahms. Il était son ami, son confident, son amant, son héros. Après quelques années, les divergences de vue, les observations amènes, les blâmes courtois firent place aux critiques hargneuses, aux reproches acerbes. Comme son halo blafard s'éteignait graduellement et ne diffusait plus cette lumière qui avait ébloui Nicole, son vague à l'âme revint le hanter. Faute de s'aimer lui-même, il repartit à la conquête de l'amour, n'ayant toutefois pas le courage de révéler ses sentiments à Nicole.

Il avait ensuite rencontré la fière et mystérieuse Carole, celle pour qui le plaisir de la victoire se mesurait à l'ardeur du combat. Il lui semblait de prime abord que le charme avait opéré et escomptait que cette liaison ne serait pas une aventure passagère. L'image de Nicole, furieuse, se superposait à celle de Carole et venait amoindrir le plaisir qu'il anticipait à la pensée de la revoir. Un bruit de klaxon à l'arrière l'avertit d'accélérer au feu vert où il constata qu'il était presque arrivé à destination.

Il planifia mentalement son emploi du temps pour la journée. Impérativement, il devait vérifier les sources de Linda, la péripatéticienne et moyennant une somme d'argent, car c'était une pratique courante dans ce métier, tenter de lui soutirer des renseignements supplémentaires. Si l'affaire s'avérait virtuellement sérieuse, comme il le pressentait, il devait se rendre au bureau rencontrer son supérieur immédiat, obtenir son autorisation pour l'organisation de l'éventuelle mission, choisir judicieusement ses coéquipiers et en déterminer préalablement le nombre, planifier dans les moindres détails les opérations à mener, se munir d'un mandat de perquisition si nécessaire, bref il se demanda s'il avait le temps de tout coordonner avant l'arrivée du chargement prévu deux jours plus tard.

Le conseil étudiant avait insisté auprès de la direction de l'école pour qu'elle accepte que l'hypnotiseur Le Grand Albert donne un spectacle à l'agora de l'école secondaire. Les élèves adoraient ce genre de divertissement où ils pouvaient participer et s'amuser follement des facéties des participants. Lorsqu'on avait annoncé le spectacle à l'interphone, un élève de la classe de Carole lui avait demandé si elle venait, lui assurant qu'elle ne le regretterait sûrement pas. Carole avait prétexté qu'elle était débordée de corrections et qu'elle n'aimait pas sortir en semaine. Les élèves lui rappelèrent la journée d'activités du lendemain et, comme elle avait choisi l'activité « Fabrication d'un cerf-volant », animée par un spécialiste, elle se laissa tenter par l'expérience.

À dix-neuf heures, Lyne, Denise, Louise et Carole s'étaient donné rendez-vous à l'agora de l'école. Des élèves de leurs classes assis près d'elles insistèrent pour qu'elles acceptent de monter sur la scène tenter cette expérience unique, disaient-ils. Par pudeur ou par orgueil, Carole et Louise prétendirent qu'elles étaient de très mauvais sujets et refusèrent catégoriquement tandis que Lyne, sans inhibitions, consentit avec enthousiasme. Quant à Denise, qui avait de la difficulté à refuser le moindre désir de ses élèves, elle accepta de mauvaise grâce et avec beaucoup d'appréhension.

Une salle en délire applaudit le numéro où la scène fut convertie en zoo. Lyne meuglait comme une vache, Denise barrissait comme un éléphant, sa main droite imitant une trompe, bref une variété d'attitudes cocasses et une cacophonie de cris désopilants. Le comble de la drôlerie fut atteint durant le numéro où les participants, suite aux suggestions de l'hypnotiseur, arpentèrent la salle de long en large en criant de toutes leurs forces et à tour de rôle : « Je suis le Père Noël » ou « Je suis François, l'abominable homme des neiges. » Les élèves s'esclaffèrent lorsque Lyne cria à tue-tête, chevauchant un imaginaire balai : « Je suis Lyne, la sorcière de Salem. » Puis, le petit René Belleau, de première secondaire, qui mesurait à peine plus d'un mètre, s'écria de sa voix fluette : « Je suis René, le caïd de la drogue. » Stupéfaite, Carole demanda à Louise de répéter ce qu'il venait de dire et celle-ci confirma ce qu'elle avait bien entendu. Carole se demanda encore si elle devait attribuer ce fait à une coïncidence ou si son cerveau, ayant projeté le prénom de celui qui habitait ses pensées et sa fonction en rapport avec les drogues, n'avait pas créé cet événement. Quand Louise lui demanda pourquoi elle avait un air aussi ahuri, elle répondit que ce petit René l'avait considérablement étonnée, n'osant avouer à son amie sa préoccupation, se demandant si son imagination débridée ne la rendait pas complètement déséquilibrée. Louise demanda à Carole :

— Que penses-tu de l'hypnotiseur?

— Un beau huit de coeur, deux de trèfle, coeur atout, répondit Carole.

— Et toi?

— Cinq de coeur, cinq de trèfle, sans atout, dit Louise en s'esclaffant.

Les quatre amies qui aimaient bien, à l'occasion, se taquiner et s'amuser aux dépens des autres, avaient emprunté au jeu de cartes des sobriquets pour se qualifier. Quand les sarcasmes éhontés de Louise les irritaient, elles lui attribuaient volontiers le nom de Dame de pique. Lyne, avec ses débordements de bouffonnerie, était surnommée le Joker. La douce Denise, qui ne savait que donner, avait été baptisée Dame de coeur. Quant à Carole, elle héritait de l'appellation de Blanche, la carte la plus forte du jeu, lorsqu'il lui arrivait d'abuser de son autorité. Lyne, toujours célibataire, et Carole, vivant seule depuis une dizaine d'années malgré son statut de femme mariée, parlaient d'éventuels prétendants en termes d'atouts, de rois, de valets, de couleurs, bref toutes les cartes du jeu y passaient. Elles avaient convenu que le coeur indiquait la beauté, le pique l'intelligence, le trèfle le savoir-vivre, le carreau la culture et l'atout ce qui primait sur les quatre attributs. Ce jeu amusant était réservé à leur petit cercle et les messieurs, médusés, devant qui elles osaient parfois impudemment utiliser cette terminologie, se perdaient en conjectures, ayant l'impression de se retrouver en une sorte de tour de Babel. Elles s'étaient juré de ne dévoiler à quiconque leur code secret présumant combien il pouvait être offensant d'être ainsi catalogué.

Selon leur habitude, après le spectacle, le quatuor se retrouva au restaurant, sirotant un café et s'amusant encore des grotesques exploits de la Dame de coeur et du Joker. Mi-figue, mi-raisin, Lyne déclara que des cours d'hypnotisme devraient être obligatoires pour l'obtention d'un baccalauréat en enseignement.

— Génial! s'écria Louise. Au début du cours, tu hypnotises les élèves et au son de la cloche, tu les réveilles après leur avoir dit qu'ils vont se souvenir de tout ce dont tu as parlé.

— À la condition qu'ils acceptent, renchérit Denise.

— Pourquoi refuseraient-ils puisqu'ils apprendraient sans faire d'efforts? rétorqua Louise.

— On devrait demander au Grand Albert de nous donner des leçons. C'est peut-être pas si difficile d'apprendre ces techniques de suggestion, dit Lyne.

— Il existe des cours, des livres, des cassettes pour apprendre, ajouta Denise. Certains chirurgiens-dentistes et médecins utilisent l'hypnose, mais ils sont sûrement rares. C'est peut-être moins nocif pour la santé que de provoquer un sommeil artificiel avec des sédatifs.

— Tu te vois, toi, te réveiller au beau milieu d'une intervention chirurgicale, les viscères et les boyaux à découvert, ressentant d'atroces douleurs? Non, merci pour moi, dit Louise.

— C'est quand même fascinant les possibilités de l'hypnose! s'exclama Lyne.

— Il y a belle lurette que les agences de publicité ont compris ça. Elles nous martèlent la tête de suggestions pour que nous adoptions leurs produits, poursuivit Denise.

— Louise, je ne veux pas être indiscrète, mais quand j'ai téléphoné chez toi ce soir, ton chum avait l'air en furie. Je l'entendais crier au bout du fil. Ce n'était pas grave, j'espère? demanda Denise.

— Non, rassure-toi. Le voisin lui avait emprunté un livre auquel il tenait beaucoup et il ne le retrouve plus. Chaque fois qu'il prête quelque chose, ça revient éraflé, brisé ou ça ne revient pas. Tu l'as entendu sacrer? Il prête rarement quelque chose et s'il le fait, c'est avec beaucoup de réticence. J'ai encore entendu les sempiternelles phrases : « Je le savais! » ou « Ma mère me l'a toujours dit qu'un livre, ça ne se prête pas.»

La suite de la discussion, pourtant animée, n'avait pas réussi à intéresser Carole, obnubilée par la direction que pouvait prendre sa vie grâce à la découverte de la puissance de ses pensées. Son regard s'était allumé à la narration de l'anecdote du livre prêté. La théorie de Bernard venait encore d'être confirmée. Le mari de Louise, s'attendant au bris ou à la perte des objets prêtés, avait projeté cette hantise inculquée depuis sa plus tendre enfance par sa mère et ses pensées avaient créé des situations conformes à ses croyances.

— Carole, réveille-toi, j'ai une proposition intéressante à te faire, dit Lyne.

— Laquelle? demanda Carole.

— Qu'est-ce que tu dirais d'un petit voyage en juillet?

— Où?

— Rien de moins que Paris!

Sa solitude l'incita à écouter attentivement la proposition de Lyne. Le silence de René lui pesait et son orgueil blessé par ce qu'elle ressentait comme un rejet l'exhorta à chercher un exutoire par où s'épancheraient ses angoisses.

— Ça m'intéresse, dit Carole.

— Demain, on ira à l'agence de voyages, dit Lyne.

— D'accord.

Le petit groupe se démembra, ravi d'avoir passé une soirée aussi amusante. Carole songea que ce voyage l'empêcherait peut-être de s'enliser dans la morosité et, mentalement, interrogea Bernard sur l'opportunité d'entreprendre ce périple. Au petit matin, une autre déception l'attendait : ses rêves ne lui avaient pas apporté la réponse escomptée.

Chapitre 4

La métropole étendait ses tentacules au loin et René songea qu'il était l'heure de contacter Linda. Comme le feu de signalisation tournait au rouge, il prit son cellulaire. L'arrivée inopinée d'un client obligea la prostituée à écourter le dialogue. Ils convinrent de se rencontrer à quatorze heures dans un restaurant familier de René au centre-ville, appelé Le Bistro, situé à proximité d'une bouche de métro. Il réalisa après coup que son manque de précaution pouvait aboutir à un impair énorme dont les conséquences le firent frissonner. Il savait pourtant combien la loi du silence était implacable dans ce milieu. Pourquoi n'avait-il pas pensé que la ligne téléphonique de Linda pouvait être sous écoute? « J'aurais dû lui donner rendez-vous dans un motel où il lui arrive d'exercer son métier », pensa-t-il. Il ne se pardonnait pas d'avoir travaillé en dilettante.

Assis à une table en retrait, à l'heure fixée, l'attention de René fut attirée par une femme de la même taille que Linda qui franchissait le seuil de la porte d'un pas saccadé. Elle jeta un coup d'oeil furtif dans la salle à manger. Vêtue d'un tailleur gris ardoise, maquillée légèrement, les cheveux châtain clair, elle portait des lunettes d'écaille et tenait à la main un porte-documents. « Mais, c'est Linda! » pensa-t-il, surpris. Il avait reconnu la bouche dont les commissures se tordaient nerveusement quand le besoin de drogue se faisait sentir. La métamorphose l'avait totalement confondu. Linda était l'incarnation parfaite de la femme d'affaire des années 80. Il se leva et l'accueillit d'un « madame » cérémonieux et d'une poignée de main. « Je pense que je suis filée, dit-elle, crispée. Regarde de l'autre côté de la rue le grand barbu blond! » Elle s'assit et, nerveusement, ouvrit le porte-documents. Elle y sortit une chemise qu'elle lui présenta. René ouvrit la chemise qui contenait une feuille blanche et, simulant une étude approfondie d'un dossier, lui dit calmement : « Ne t'énerve pas. Je vais faire venir le serveur que je connais bien. Tu te dirigeras vers les toilettes en arrière et il te fera sortir par les cuisines. Prends un taxi, ne t'en va pas chez toi. » Il fit signe au garçon, lui glissa un billet de cinq dollars et lui demanda de faire sortir la dame par la porte arrière dans cinq secondes.

— À seize heures, à l'entrée du jardin botanique, j'aurai une perruque blonde, je serai en jeans, avec un chandail noir. Je te laisse le porte-documents. J'ai besoin de cent piastres tout de suite.

— D'accord. Vas-y, dit-il, en lui remettant les billets discrètement.

René jeta un coup d'oeil à la porte où le barbu au regard suspicieux entrait. Il se dirigea vers le comptoir et s'assit sur un tabouret. Il balaya du regard la salle à manger bondée de clients et sa figure se crispa, ne reconnaissant probablement pas parmi tous ces visages inconnus celle qu'il avait pour mission de suivre. Son regard se porta alors vers la salle de bains des dames. « C'est le moment d'intervenir », se dit René. Il se leva, prit son verre plein d'eau et se dirigea vers le comptoir. Rendu tout près de l'homme, il fit mine de vaciller sur ses jambes et renversa le contenu de son verre sur l'épaule du barbu. La réaction fut immédiate. Il entendit une cascade de jurons qui auraient scandalisé une dame patronnesse. Avec des gestes incohérents et les propos confus d'un gars soûl, René tenta d'éponger avec la manche de son veston le t-shirt trempé, mais l'homme l'empoigna avec une force herculéenne et l'assit sur un tabouret à deux mètres du sien. Il regarda de nouveau vers la salle de bains des dames et, après quelques secondes, il déguerpit en vitesse. René se dit qu'il avait sûrement flairé la supercherie et craignit que Linda ne tombe dans un guêpier avant d'avoir eu le temps de filer en taxi. Au bout d'une minute, le barbu réapparut et se dirigea carrément vers la salle de bains des dames. Il ouvrit la porte, simula une erreur, s'excusa, non sans s'apercevoir que la pièce était occupée par une dame âgée, seule. Il sortit et René le vit se diriger vers la cabine téléphonique. Il en profita pour s'enfuir d'un pas feutré en laissant le porte-documents sous la table.

René se rendit au studio qu'il partageait avec son ami Charles, revêtit un jean et son chandail de coton ouaté dont la poche manchon lui permettait de camoufler un magnétophone miniature. Il mit ses lunettes, prit ses fausses cartes d'identité, une forte somme d'argent et sortit, non sans avoir préalablement vérifié s'il n'avait pas été suivi. En cours de route, il s'arrêta devant une cabine téléphonique et informa son supérieur immédiat du danger qui guettait son informatrice. Celui-ci lui promit d'envoyer Charles, son ami et coéquipier préféré, au deuxième point de rencontre à seize heures.

À l'heure convenue, Linda arriva, plus détendue cette fois. Il pensa qu'elle avait sûrement profité de son montant d'argent pour tirer une ligne de coke. Ils entrèrent au jardin botanique et se dirigèrent vers la roseraie. René pensa qu'il aimerait revenir sur ce site enchanteur avec Carole. Imperceptiblement, il enclencha le mécanisme de l'enregistreuse.

— J'ai été chanceuse tantôt. Un vieux sortait de l'appartement à côté du restaurant. J'ai entré en faisant semblant que j'étais pour perdre connaissance. Sa vieille m'a aidée à m'étendre sur le divan du salon, pis il m'a mis une serviette d'eau froide sur le front. J'ai dit que j'avais juste besoin de me reposer quinze minutes. Ensuite je leur ai demandé d'appeler un taxi.

— Où es-tu allée ensuite?

— Chez mon amie Lisette. Mon appartement doit être surveillé.

— Alors Linda, tes sources sont sûres? Quand est-ce que ça va se passer?

— Pas si vite, mon minou. Parlons affaire d'abord.

— Combien ?

— Dix mille dollars.

— Es-tu folle? C'est impossible!

— Huit kilos, 175 000 $. Je te demande même pas 6% de la valeur du stock.

— Tu oublies qu'on la vend pas la marchandise, on la brûle. Tu es trop gourmande, Linda. Je t'offre la moitié si tes informations sont exactes et si on récupère la marchandise.

— Non, c'est 7 000 $ ou rien. Stefano Rossi vaut mille fois ce que je te demande. Oublie pas que c'est le chef de la gang de l'Est.

— Attends, je vais téléphoner.

René trouva un téléphone à proximité et revint lui faire une autre proposition.

— Mille dollars tout de suite et 4 000 $ si on réussit à les coffrer. Je peux pas faire mieux.

Après quelques secondes de réflexion, elle lui signifia son accord.

— Demain, La Fouine, avec une femme enceinte et une petite fille de huit ans reviennent de Plattsburgh avec une tente-roulotte. À dix-huit heures, ils vont passer la frontière à Lacolle. Au bon moment, si c'est nécessaire, la petite fille va être malade. Elle a été entraînée à vomir. La coke va être dans un petit canot soufflé et dans un ballon de plage.

— Pourquoi fais-tu ça, Linda?

— La petite fille de huit ans, c'est la fille de ma soeur.

— La femme enceinte, c'est ta soeur?

— Non. Demandes-en pas plus.

— Ce soir et demain, tu bouges pas. Apprends ce numéro de téléphone par coeur. Demain, à onze heures précises, tu me contactes.

Conformément à leur entente, il lui remit dix billets de cent dollars dans une enveloppe et ils sortirent. René reconnut à la sortie Charles, qui suivait Linda. Connaissant le sort de ceux qui transgressent l'omerta, il craignit pour la vie de Linda, mais soupira d'aise en pensant que son ami la protégeait, pour quelque temps au moins.

Pressé par l'urgence de la situation, l'affluence de circulation l'indisposa plus qu'à l'accoutumée. En cours de route, un bouchon causé par des travaux de réfection excita sa sensibilité à fleur de peau. Il crut résoudre le problème en empruntant un autre chemin où un dédale inextricable de rues le retarda davantage. Absorbé dans ses réflexions, il évita de justesse un garçonnet à bicyclette. Tant de questions auxquelles il ne pouvait répondre se pressaient dans sa tête. Pourquoi Stefano Rossi, alias La Fouine, ne se fiait-il plus à ses acolytes pour le transport de sa drogue? Le chef du redoutable « Gang de l'Est » était connu des milieux policiers. Il avait mis sur pied un important réseau de trafiquants de cocaïne et dirigeait une association criminelle dans laquelle on infligeait aux traîtres de cruels supplices avant qu'ils ne meurent dans d'atroces douleurs, dépecés comme des animaux de boucherie. Quelle relation y avait-il entre Linda et la femme qui devait accompagner La Fouine? Depuis quand se servait-il d'enfants pour assurer le succès de ses activités criminelles? Quel sort était réservé à Linda si on découvrait sa trahison? Elle savait pourtant que la délation était passible de mort. Pourquoi avait-elle recours à cet ultime moyen afin de se procurer de l'argent pour assouvir ses besoins de drogue? Était-elle à la solde de La Fouine pour piéger une bande rivale? Avait-elle été contrainte par Stefano Rossi? Il craignit qu'une lutte de gangs n'entraîne des bains de sang à répétition.

Rendu au bureau, René informa son directeur du déroulement de sa rencontre avec Linda, lui fit part de ses inquiétudes et celui-ci convoqua une réunion urgente où trois des collaborateurs avec qui il avait réussi de beaux coups de filet, Jim Gagné, Jean Piché et Lise Côté, assistèrent. Sans tergiverser, ils planifièrent l'opération à mener. Ils convinrent de se rendre au petit poste frontalier de Lacolle le lendemain à quinze heures. Un homme de leur brigade, spécialiste des télécommunications, remplacerait un douanier pour installer sous le pare-chocs du véhicule qui tirait la tente-roulotte un appareil émetteur et un microphone à l'intérieur de l'habitacle. Un autre, avec une caméra miniaturisée, prendrait des images des pseudo-vacanciers. René, accompagné de Lise, les prendraient en filature et, dans un autre véhicule, Jim et Jean suivraient au cas où des difficultés surviendraient. Ils s'étaient entendus pour procéder aux fouilles une fois la marchandise rendue à destination. La réunion se prolongea jusqu'à vingt-trois heures et René considéra avec regret qu'il était inconvenant de téléphoner à Carole à une heure aussi tardive. Comme la faim le tenaillait, il s'arrêta dans un restaurant avant de retourner chez lui.

De retour chez lui, il vérifia s'il avait reçu des appels sur son répondeur. Charles lui faisait rapport qu'après sa rencontre au jardin botanique, Linda s'était rendue à la « piquerie » de la rue Saint-Paul, de là au bar La Lichette où un petit gros aux cheveux blancs était venu à sa rencontre. Ils avaient échangé quelques mots, puis elle avait réintégré son appartement. Charles le priait instamment de le rappeler à onze heures précises au numéro mentionné. René consulta son bracelet-montre et le cadran marquait onze heures et quinze minutes. Il risqua quand même un appel. Il entendit à l'autre bout du fil une voix masculine demander Charles et, après quelques secondes, son interlocuteur lui dit qu'il n'était pas là. « Ainsi, Linda ne s'est pas rendue chez son amie Lisette. L'hypothèse qu'elle soit à la solde de Stefano Rossi pour piéger une bande rivale s'avère toujours plausible », pensa René. Il revit la scène du restaurant et réalisa après coup qu'il avait trouvé bizarre que le gorille tarde quelque peu à entrer.

Il sortit précipitamment, se rendit à un téléphone public et composa le numéro de Linda afin de s'assurer qu'elle était toujours chez elle. « Si elle est aussi futée que je le pense, elle ne répondra pas », se dit René. Effectivement, malgré la sonnerie répétée, aucune réponse ne vint. Il composa de nouveau le numéro donné par Charles et on lui confirma encore l'absence de Charles. Comme il connaissait l'adresse de Linda, il décida de s'y rendre dans l'espoir de voir Charles.

En arrivant sur sa rue, une ambulance dont les gyrophares éblouissants étaient allumés et deux voitures de police étaient immobilisées devant l'immeuble où résidait Linda. Il stationna son véhicule en vitesse et vit sortir de l'immeuble deux brancardiers portant une personne enroulée dans une couverture rouge de laquelle émergeait une touffe de cheveux blond filasse. « Ouf! » soupira René. Il avait craint pour la vie de Charles. La distance et la demi-obscurité l'empêchaient de distinguer nettement le visage de la personne. Il s'approcha et reconnut Linda. Un policier s'efforçait de disperser le petit attroupement qui s'amassait devant l'immeuble. Un badaud bien renseigné lui apprit que Linda Dumont, une femme d'une trentaine d'années, venait d'être poignardée à plusieurs reprises et, inconsciente, luttait contre la mort.

Il chercha Charles aux alentours et le retrouva dans l'appartement de Linda avec quatre autres policiers. Charles lui raconta qu'il avait vu un grand barbu blond entrer dans l'immeuble, qu'il l'avait suivi et qu'il avait ensuite perdu sa trace. Subitement, il avait entendu un cri qui lui semblait parvenir de l'étage au-dessus, puis un gémissement l'avait conduit à l'appartement de Linda, dont la porte était restée ouverte.

— L'assassin a probablement rebroussé chemin lorsqu'il m'a vu et il est parti par la porte qui mène à l'escalier arrière de l'immeuble. J'ai abandonné l'idée de le poursuivre quand j'ai vu Linda consciente. Elle baignait dans une mare de sang. La suite, tu la devines. J'ai fait venir les ambulanciers et les policiers.

— Pourquoi voulais-tu que je te rappelle à vingt-trois heures précisément? demanda René.

— C'est le numéro du restaurant là-bas. Je m'y suis rendu à vingt-trois heures et ensuite je suis revenu faire le guet. Je voulais te dire qu'il était inutile de surveiller toute la nuit, que je m'en allais me coucher et que je reprendrais mon poste à sept heures demain matin.

— À quel hôpital l'ont-ils emmenée?

— Maisonneuve.

Ils décidèrent de s'y rendre au cas où elle aurait révélé le nom de son agresseur, mais ils apprirent qu'elle était morte dans l'ambulance qui l'avait conduite à l'hôpital.

— Stefano Rossi a probablement ordonné à son gorille de la faire taire à jamais. Il avait sûrement peur d'être doublé par Linda et craignait par la suite les représailles de la bande rivale. Ne t'en fais pas, je reconnaîtrais l'assassin entre mille, dit René. Je l'ai déjà arrosé pas mal.

— Moi aussi, je l'ai vu rentrer dans l'immeuble de Linda.

— Tu ne dois surtout pas oublier que lui t'a vu. Tu devras avoir des yeux tout autour de la tête, ajouta René. Linda m'a manipulé comme un débutant. On peut dire qu'elle m'a monté un beau bateau. Je me demande quelle surprise nous attend demain à Lacolle.

Il était déjà trois heures du matin lorsqu'ils regagnèrent leur studio. Le lendemain, ils se dirigèrent au poste consulter le fichier central des criminels où ils ne retrouvèrent pas la photo du grand barbu blond. Ensuite, ils se rendirent à l'appartement de Linda où on s'affairait à détecter des empreintes et où les spécialistes leur confirmèrent que l'assassin portait des gants. Toutefois, deux cheveux d'un blond moyen et d'une longueur respective de neuf et de treize centimètres avaient été retrouvés près de l'emplacement du corps de la victime et constituaient d'intéressantes pièces à conviction.

L'heure était maintenant venue de se rendre à la frontière. René intervint auprès de son directeur pour qu'il permette à Charles d'accompagner les six policiers de la brigade spéciale chargée de l'opération Lacolle. Non seulement il accepta, mais il lui proposa de leur adjoindre d'autres agents, étant donné l'ampleur qu'avait prise l'affaire depuis la veille. René préféra mener l'opération à sept telle qu'ils l'avaient planifiée plutôt qu'avec un groupe plus nombreux non préparé.

Vers dix-sept heures, l'attente débuta. Les véhicules, peu nombreux, s'arrêtaient, et les passagers se prêtaient volontiers aux fouilles sommaires effectuées par les douaniers. À dix-sept heures trente-deux minutes, une familiale noire tirant une tente-roulotte se présenta. Le nombre de passagers ne correspondait pas à l'information qu'avait donnée Linda puisqu'un couple sans enfant occupait la banquette avant. Le spécialiste des télécommunications sortit pendant que l'autre, caché par les rideaux de la fenêtre du poste, filmait les occupants du véhicule. René, vêtu de l'uniforme des douaniers, s'approcha du conducteur et reconnut Stefano Rossi. Il remarqua que la femme était enceinte. Sur la banquette arrière, emmaillotée dans une couverture, une fillette semblait dormir. Il fit signe à Jim d'opérer. Celui-ci demanda au conducteur d'ouvrir la remorque et René vit au fond, presque caché complètement par un tas de bagages, le petit canot soufflé et le ballon de plage. À ce moment précis, il entendit les pleurs de la fillette que la femme faisait sortir de la voiture. L'enfant au teint blafard se rapprocha du conducteur et de René en pleurant et se mit à vomir après avoir mis un doigt dans sa gorge. Elle éclaboussa les pantalons et les souliers de René qui n'avait pas eu le temps de s'éloigner. Pendant que la femme s'occupait de l'enfant, René demanda au conducteur d'entrer au poste signer un formulaire, ce qui laissa libre cours au spécialiste d'installer le microphone sous le tableau de bord en faisant mine de fouiller sommairement, et l'émetteur sous le pare-chocs. Pendant ce temps, Jim avait offert à la femme et à la fillette un verre d'eau et les pseudo-vacanciers reprirent la route.

Avec une rapidité étonnante, René et Jim enlevèrent leur uniforme et endossèrent un chandail pendant que Jean Piché et Lise Côté sortirent les deux voitures banalisées cachées à l'arrière du poste. René sortit, prit le volant de la première voiture dans laquelle étaient montés Lise et Charles. Jim, flanqué de Jean, conduisit la seconde. L'émetteur faisait entendre son signal sonore régulièrement. Croyant que leur manège avait réussi à berner les douaniers, les trafiquants se dirigeaient vers Montréal à la vitesse réglementaire. Malheureusement, René n'entendait pas la conversation du couple puisque la radio, très forte, diffusait une musique western.

Rendue dans l'ouest de Montréal, la voiture emprunta une rue résidentielle. Tout à coup, le clignotant indiqua un virage à droite. La familiale s'engagea à reculons dans l'allée latérale d'une spacieuse résidence de pierre grise très cossue dont le jardin baroque, orné de grottes, de rocailles et de cascades éclairées, conférait au décor une beauté pittoresque.

Le conducteur sonna à l'entrée latérale et, peu de temps après, la porte du garage s'ouvrit. Il décrocha la tente-roulotte, l'entra et la porte se referma. Le couple quitta ensuite les lieux, suivi de Jim et Jean. René se posta à l'arrière, Charles à l'avant pendant que Lise alla téléphoner à leur supérieur qui, après quelques recherches, lui apprit que la maison sise au 325, rue Wolf, appartenait à John Davis, un éminent professeur de sciences politiques à l'Université McGill et conseiller politique du ministre des Affaires intergouvernementales. Il lui dit que René était sûrement victime d'une énorme supercherie et exigea que Lise vienne chercher un mandat de perquisition avant de procéder aux fouilles. Il ajouta qu'il ne pouvait vraiment pas se permettre d'agir dans l'illégalité avec une telle personne, sinon il aurait tout le cabinet sur le dos. Il ajouta qu'il leur enverrait une équipe de renfort.

Une heure plus tard, ils sonnèrent à la porte munis d'un mandat pendant que huit autres agents surveillaient les alentours de la maison. Un quinquagénaire à l'air digne et calme ouvrit. René, Charles et Lise s'identifièrent et expliquèrent le but de leur visite. L'homme sourit et dit : « Une autre blague de mes étudiants! Ils ne sont pas très originaux! C'est la deuxième fois qu'on me fait le coup dans un an. » Il ajouta en riant : « Allez-y, Madame, Messieurs, la maison est à votre disposition, mais je vous en prie, pas de désordre.»

L'équipe, suivie du professeur, se rendit au garage et René ouvrit la fermeture de la tente-roulotte. Le petit canot et la ballon de plage étaient toujours là, mais René remarqua qu'ils avaient été déplacés. L'intérieur était vide, mais quelques gouttelettes d'eau dégoulinaient encore.

— Comme il a reçu la marchandise depuis une heure, il a eu amplement le temps de la dissimuler, dit Charles tout bas.

— Va chercher les hommes à l'extérieur et on fouille de fond en comble, ordonna René.

— Messieurs, vous exagérez. Si vous poursuivez, je vous garantis que vous allez être la risée de la presse demain. Téléphonez à un de mes confrères et il vous confirmera qu'il m'est arrivé le même désagrément durant le festival étudiant.

Il sortit un stylo de sa poche et nota sur une feuille un nom et un numéro de téléphone. René fit la sourde oreille et se dit qu'on n'avait pas poignardé Linda pour rien. Charles mit la feuille dans sa poche. La maison fut retournée en tous sens pendant que John Davis bougonnait, rouspétait de rage, les menaçant de payer très cher le fouillis qu'ils engendraient.

Après une trentaine de minutes de recherche intensive, René commença à s'impatienter et il demanda à un agent d'aller chercher Koke, l'un des chiens entraînés à détecter la drogue. Il perçut alors un rictus de colère sur le visage renfrogné du professeur. Au bout d'environ une heure, le chien arriva avec son maître déconcerté d'avoir dû sortir à une heure pareille. L'animal, bien dressé, flaira dans chacune des pièces sans manifester aucun signe apparent de détection. Tout à coup, il se dirigea vers la penderie de la cuisine. René l'ouvrit pour constater que les vêtements et les objets pêle-mêle prouvaient qu'un sérieux travail de recherche avait déjà été effectué. Le chien insista, jappa et avec sa gueule, happa le tuyau flexible de l'aspirateur. René avait tout saisi. Il délivra son mandat d'arrêt et demanda au professeur de se préparer pour venir au poste. Celui-ci prit son veston, l'endossa et tout à coup, il sortit de sa poche à rabat un pistolet qu'il braqua sur les policiers, leur interdisant de poser le moindre geste. Charles, qui était placé devant un interrupteur, réussit avec une légère pression de son omoplate à couper le courant électrique. Les policiers se plaquèrent au sol et l'homme recula vers la porte arrière en tirant confusément dans la pièce. René, qui était le plus près, réussit à l'accrocher au passage par la jambe. La surprise eut pour effet de le faire tomber. Il le désarma et, au signal de René, les autres le tinrent facilement en joue après que Lise eut pressé le commutateur. La lumière artificielle démasqua un visage prostré et penaud. Ils lui passèrent les menottes et trois agents le surveillèrent pendant que René, Charles et Lise descendirent au sous-sol avec le chien et son maître. Ils déclenchèrent le mécanisme qui ouvrit l'aspirateur central et découvrirent à l'intérieur la précieuse neige qui avait aiguisé les papilles olfactives du fin limier. Les trois agents firent monter le prévenu dans un véhicule et le conduisirent au poste de police pendant que René demanda à un photographe de la brigade d'effectuer son travail.

Pendant que le photographe tirait des épreuves de l'aspirateur chargé de cocaïne, Jean et Jim arrivèrent. Ils racontèrent qu'ils avaient suivi le couple de la familiale jusqu'à un chalet dans le nord de Montréal et qu'ils avaient procédé à l'arrestation de l'homme et de la femme qui avait simulé une grossesse. Moyennant la possibilité d'une peine réduite, la femme avait révélé l'identité et l'adresse de la fillette qui les accompagnait. Finalement, les cinq amis se retrouvèrent au studio de René et Charles pour se détendre, manger et surtout se raconter les péripéties de leur journée respective. René apprit à Jean et à Jim que l'homme qu'ils avaient conduit au poste était bien Stefano Rossi bardé de fausses cartes. René téléphona aux surveillants pour leur demander d'exercer une surveillance particulière sur l'homme. Personne ne comprenait pourquoi Rossi avait pris le risque d'aller lui-même chercher la marchandise.

— Peut-être juste le goût du risque. Le goût de l'action. Prouver aux autres qu'il n'a pas perdu la main, dit Charles.

— Quelqu'un a mal fait son travail, dit René. Linda a eu le temps de m'avertir avant que le grand barbu blond la tue! Moi, je ne donnerais pas cher de la peau de ce gars-là.

Et la discussion se poursuivit jusqu'à l'aube.

René se coucha, satisfait du travail accompli, mais encore excité par les événements qu'il venait de vivre. Le sommeil tardait à venir. Il pensa au métier passionnant qu'il exerçait et remercia le ciel d'avoir pu réaliser son idéal. Depuis sa plus tendre enfance, il avait toujours rêvé de pourfendre les brigands. Pour faire plaisir à ses parents, il avait consenti à s'inscrire à la faculté de droit. Étudiant brillant et sérieux, il était arrivé le premier de sa promotion. Pendant son stage, il avait été confiné à un bureau où le champ du droit du travail occupait ses longues journées. Il avait vite été ennuyé par les conventions collectives, les syndicats, les arbitrages, les réglementations du travail... Barboter dans des mares de rapports entassés les uns sur les autres l'agaçait au plus haut point. Pire encore, ce travail de gratte-papier l'écoeurait. Il était un homme de défis et surtout d'action. Après avoir été admis au barreau, il avait alors rencontré un agent de recrutement de la Sûreté de Québec et lui avait signifié son intérêt pour les services secrets, la brigade des moeurs et des stupéfiants. C'était sa façon à lui de défendre la veuve et l'orphelin et depuis, malgré les difficultés et les dangers du métier, il n'avait jamais regretté son choix. Aussi lui avait-on assigné des missions de plus en plus périlleuses et ses succès répétés justifiaient bien ses promotions. Il était devenu un as dans son domaine, une sorte de James Bond québécois. Il réussit finalement à s'endormir et à récupérer ainsi tout le sommeil qu'il avait perdu depuis deux jours.

Lorsqu'il s'éveilla à seize heures et quinze minutes, il se buta encore à l'inopérante sonnerie du téléphone de Carole. Le lendemain, le vendredi, il retourna au bureau rédiger les rapports concernant l'arrestation de la veille. Au début de l'après-midi, il reprit la route de Québec, se surprenant à dépasser considérablement la limite de vitesse permise tellement il avait hâte de revoir Carole. Auparavant, il devait se rendre chez lui et inventer un prétexte que goberait Nicole, qui devenait de plus en plus soupçonneuse. La hantise de s'empêtrer dans des mensonges et la colère de Nicole si elle découvrait la vérité vinrent ternir la joie du retour. Il ouvrit alors la radio qui diffusait une musique rock et tenta de chasser ses idées noires qui le harcelèrent finalement jusqu'à Québec, distrait seulement par la vue dans son rétroviseur de quelques conducteurs blonds et barbus qui le pressaient à l'arrière.

Chapitre 5

La dernière journée de classe avant la session des examens s'était déroulée merveilleusement. Délivrée des responsabilités d'animer un groupe, Carole avait particulièrement apprécié la compétence du spécialiste des cerfs-volants qui avait su captiver les élèves inscrits à cet atelier. Aliforme, cruciforme ou de forme rhomboïdale, chacun avait fabriqué le sien et lorsqu'ils avaient traversé l'air, quarante yeux éblouis avaient admiré les papillons géants multicolores et dentelés valser dans le ciel tandis que Carole y avait vu des avions s'envoler, présage de son voyage à Paris.

De retour à la maison, elle ne sut comment peupler sa solitude accentuée par le silence de René. Une longue semaine s'était écoulée depuis leur dernière rencontre où elle avait été enivrée par le charme de cet homme si séduisant et depuis, elle ruminait de discordantes pensées, partagée entre l'espoir et l'abattement. La force qu'elle affichait et l'assurance qui émanait d'elle, nourries par sa fierté et sa réticence à se livrer totalement, étaient une terrible comédie pour dissimuler sa vulnérabilité. Quand elle reculait l'horloge du temps, elle percevait son passé comme une interminable errance ponctuée de quelques escales apaisantes. Elle avait navigué, tel un fragile esquif, sans gouvernail ni dérive contre vents et marées. Bien sûr, il y avait eu des périodes d'accalmie et d'autres où elle avait eu le vent en poupe, mais combien de fois s'était-elle sentie ballottée sur cette mer agitée de la vie, assoiffée d'attention et d'amour. Dans son imagination débridée, elle entendait Bernard lui dire : « Maman, mène ta barque, tiens le gouvernail et laisse le vent gémir. De toute façon, il disperse toujours les nuages.»

Au début de la soirée, Lyne était venue la chercher pour aller dans une agence de voyages. Ce projet représentait pour Carole un moyen de s'évader de la réalité qui l'opprimait. La marchande de rêves pouvait satisfaire, moyennant des sommes qui pouvaient être faramineuses, tous les désirs inassouvis. Des dizaines de dépliants invitaient les amoureux de voyages à la découverte, au dépaysement, au luxe, à la dolce vita. Elles avaient opté pour Paris, vu l'absence de barrières linguistiques et la vogue dont jouissait cette destination auprès des voyageurs outre-Atlantique. Au bout d'une demi-heure, elles avaient donné un acompte de deux cents dollars, s'étaient entendues sur les modalités de paiement du solde, avaient retenu les dates et, dans un état d'agitation fébrile, avaient sélectionné un luxueux hôtel quatre étoiles. Dans trois semaines, elles mettraient les pieds sur la terre de leurs ancêtres, au pays des pains baguettes. Lyne conclut la transaction par une réplique qui amusa la vendeuse : « Préparez-vous les mecs, les nanas arrivent. » Une seule ombre assombrissait le tableau imaginaire de Carole : la silhouette de René qu'elle aurait aimé voir au premier plan de la toile s'estompait dans un clair-obscur, esquissée de demi-teintes livides et fantomatiques.

Le reste de la soirée fut consacré à l'achat de guides touristiques, de cartes de Paris à grande et à petite échelle et à la prise de photos d'identité de Carole dont le passeport était échu. Elles se laissèrent après avoir ébauché des projets loufoques et extravagants à la mesure de l'originalité de Lyne.

Lorsque René arriva chez lui, il fut surpris de se buter à une porte verrouillée, mais son bracelet-montre marquait seulement quinze heures et quarante-cinq minutes. Sa hâte de parler à Carole était telle qu'il avait eu l'impression que le temps s'était étiré comme des nuages qui s'effilochent. Nicole, toujours débordée de travail à sa clinique d'optométrie, arriverait probablement à la maison vers dix-huit heures. Son fils Luc terminait son travail de vacances à la station-service Shell à dix-huit heures et Hélène, son bébé, qui avait choisi comme activité le tennis, devait être encore au Club Mailloux. Curieux, il fut tenté d'aller observer ses services, histoire de savoir si ses conseils du samedi précédent s'étaient avérés fructueux, mais il n'était pas sûr qu'elle apprécierait sa visite lors de ses joyeuses rencontres amicales.

Après être entré, une feuille mobile bien en évidence sur l'îlot de la cuisine attira son attention. Un message de Nicole écrit en caractères d'au moins sept centimètres de hauteur lui annonçait qu'elle était à l'hôpital Saint-Sacrement au chevet d'Hélène. René resta abasourdi comme s'il avait reçu une décharge électrique et, en même temps, une tempête se déchaîna dans sa tête et dans son coeur. Qu'était-il arrivé à sa petite fille? Lui, habituellement calme, bondit dans sa voiture, tourmenté par la douleur et l'inquiétude.

À l'hôpital, il s'emporta devant la lenteur du préposé à l'accueil à lui fournir le numéro de sa chambre. Du fond du couloir, Nicole accourut vers lui. Devant son désarroi, elle lui dit :

— Elle s'en tirera.

— Qu'est-ce qui est arrivé? demanda-t-il avec angoisse.

— On l'a trouvée vers treize heures dans un fossé du rang Saint-Jacques, à vingt kilomètres de chez nous. C'est un garçon qui se promenait à bicyclette qui l'a vue.

— Quoi! Qu'est-ce qu'elle a? Je veux la voir.

— Les médecins lui ont mis une plaque métallique et un enclouage au fémur droit. Tu peux entrer, mais il faut la laisser dormir.

Délicatement, il ouvrit la porte et son coeur tressaillit comme s'il avait reçu un terrible coup de poing inattendu à l'estomac. Toute menue dans son lit, son visage couvert d'ecchymoses intensifiait la blancheur de sa peau. Sous le drap blanc, on devinait du genou à la hanche l'intervention chirurgicale récente. Il la regarda dormir et contint difficilement son envie de lui prendre la main, de l'embrasser, de la serrer dans ses bras. Un médecin entra et l'invita à sortir de la chambre.

— Monsieur Martin, je suppose.

— Oui.

— Ne vous inquiétez pas. Ce que vous avez vu ne sont que des blessures sans gravité.

— Quoi? Y a-t-il autre chose de plus grave?

— Madame, vous ne lui avez rien dit encore?

— Non, il vient d'arriver.

— Monsieur Martin, votre fille a été violée et cette blessure-là est plus longue à cicatriser. Considérez-vous chanceux qu'elle soit encore en vie.

Fou de rage, René sentit tous les muscles de son corps se contracter, ses poings se serrer, même ses orteils se crisper. S'il avait eu l'agresseur sous les yeux, il lui aurait asséné des coups jusqu'à ce qu'il s'écroule. Il se promit qu'il remuerait ciel et terre pour le retrouver.

— Qu'est-ce qui s'est passé? demanda-t-il avec rage.

— Votre femme vous racontera. Demain, une psychiatre viendra la voir. Tout ce que je peux vous dire, c'est qu'elle aura besoin de l'aide de sa famille pour lui faire oublier tout ça. Il n'est pas nécessaire que vous restiez, elle a besoin de se reposer. Nous lui administrerons un sédatif lorsqu'elle se réveillera tout à l'heure. Je vous verrai demain.

René écouta, les dents serrées, le récit de Nicole qui lui avoua qu'après son travail, la veille, comme elle était rompue de fatigue et qu'il était tard, elle s'était rendue directement dans la salle de bains pour ensuite se coucher sans voir le petit mot qu'Hélène avait laissé sur la table du salon lui signifiant qu'elle allait coucher chez son amie Nathalie. Malheureusement et exceptionnellement, elle n'avait pas écouté le journal télévisé au salon.

— T'es pas allée dans sa chambre pour voir si elle était entrée? demanda-t-il agressivement.

— Non.

— Continue.

— Ce matin, je me suis levée à huit heures et trente minutes et comme à cette heure, elle est toujours partie pour l'école, je ne m'en suis pas préoccupée. Il y avait encore le grille-pain et les céréales sur le comptoir quand je me suis apprêtée à déjeuner. J'ai pensé qu'Hélène était déjà partie comme d'habitude, mais c'était Luc qui s'était levé plus tôt. À midi et trente, Nathalie m'a téléphoné. Elle me demandait si Hélène était malade vu qu'elle n'était pas venue à la journée d'activités en avant-midi. Je ne comprenais rien. Ce n'est pas son genre de manquer le tennis. Nathalie non plus ne comprenait pas pourquoi. La veille, elles devaient se rencontrer en soirée. Nathalie l'avait invitée à coucher chez elle et elle n'était pas venue. Comme elle n'arrivait pas, elle a téléphoné et elle n'a pas eu de réponse. Elle a alors supposé qu'Hélène était en route. Au bout de quinze minutes, comme elle n'était toujours pas arrivée, elle a rappelé en vain. Elle a supposé qu'elle était venue me voir à la clinique et que je lui avais interdit d'aller coucher chez elle. Elle n'a plus osé appeler Hélène, sachant qu'elle devait être dans une colère bleue.

— Puis?

— Après le téléphone de Nathalie, je suis retournée à la maison et je suis allée voir dans sa chambre. Rien ne m'indiquait qu'elle n'était pas venue coucher. Son lit était encore défait. En sortant de sa chambre, j'ai vu le petit mot sur la table du salon.

— Pourquoi tu ne m'as pas téléphoné quand tu as découvert ça? demanda-t-il avec véhémence.

— J'ai téléphoné à ton bureau, au studio, sans succès. À deux reprises, j'ai laissé le message à la réceptionniste. J'ai composé le numéro de ton cellulaire : rien.

René se rappela qu'effectivement vers cette heure, il était parti dîner avec ses collègues et qu'il n'était pas retourné au bureau. Il avait fermé son cellulaire, ne voulant plus être dérangé.

— Puis j'ai téléphoné à Luc pour voir s'il savait quelque chose. Ensuite j'ai téléphoné au poste de police. Vers une heure quinze, un agent m'a téléphoné pour me demander de me rendre à l'hôpital. Comme Hélène souffrait beaucoup, ils l'ont conduite tout de suite au bloc opératoire et ce n'était pas le temps de lui poser des questions. Le reste, c'est Hélène qui le sait.

— As-tu téléphoné à Luc pour lui donner des nouvelles? À sa mère Maryse?

— J'ai téléphoné à Luc pour ne pas qu'il s'inquiète. Je lui ai juste dit qu'elle avait une fracture au fémur droit. Pour Maryse, j'attendais que tu arrives. Alors, tu t'en viens?

— Non, moi je reste. Je veux être là quand elle va se réveiller. Je t'interdis de parler du viol à Luc.

— À ce soir.

La salutation de Nicole resta lettre morte. Il retourna à la chambre et s'assit à côté d'Hélène, la regardant dormir et invoquant le ciel pour que sa petite fille ne subisse pas des séquelles psychologiques profondes suite à cet attentat. Il se demanda si on n'avait pas tenté de l'atteindre, lui, à travers Hélène et cette pensée le fit frémir. Il se dit qu'il ne pardonnerait jamais à celui qui avait pris Hélène en otage. Où s'arrêterait-il? Quel danger couraient Luc et Nicole?

Luc arriva vers dix-huit heures trente. René lui apprit ce qu'il savait, sauf le viol, car il était incapable d'en parler, ne voulant surtout pas le blesser davantage. Pendant que Luc veillait Hélène, il prit son courage à deux mains et téléphona à Maryse. Encore une fois, il omit volontairement le pire, impuissant à meurtrir davantage une mère éplorée et ne voulant pas subir le blâme sévère qu'elle ferait à Nicole par personne interposée. Il éluda certaines questions, disant qu'il ne savait rien de plus pour l'instant.

De Trois-Rivières où elle habitait, Maryse arriva à vingt heures quinze. Le père, la mère et l'aîné, tristes et muets, veillaient la cadette, à la fois impatients de lui témoigner leur affection et appréhendant sa réaction à son réveil. Une heure plus tard, elle poussa un gémissement et ouvrit les yeux. René sonna l'infirmière qui lui administra un sédatif. Il n'était pas question pour lui qu'elle souffre. Ils profitèrent de ces quelques minutes pour la rassurer et tenter de chasser ses peurs, mais elle ferma les yeux et sanglota désespérément. Au bout de quelque temps, elle s'assoupit. L'infirmière leur conseilla de se retirer parce que le médicament agirait jusqu'au lendemain, qu'elle se portait bien dans les circonstances, qu'elle était hors de danger et qu'il serait préférable qu'ils reviennent le lendemain. Après maintes hésitations, ils obtempérèrent à sa demande. René et Luc retournèrent à la maison tandis que Maryse allait coucher chez sa soeur qui demeurait à Québec.

Nicole les attendait, désespérée. Elle reçut deux hommes emmurés dans un silence glacial. René se retira dans sa chambre en proie aux affres de la vengeance. Il avait réussi à faire emprisonner tant de criminels qu'il n'était pas impossible que l'un d'eux obéisse à la loi du talion. Même

Chapitre 5

René et Maryse, son ex-femme, longèrent le couloir, muets. René se demanda comment Maryse et lui pouvaient refléter l'amour tendresse, l'amour douceur. Même si leur séparation datait de près de douze ans, le temps n'avait pas liquidé toutes les rancoeurs de Maryse et presque chaque fois où il l'avait rencontrée, ses yeux lui avaient dardé des regards chargés d'amertume. De la savoir malheureuse s'ajouta à sa peine et il se demanda comment il ferait pour poser le même geste et avouer à Nicole qu'il était amoureux de Carole, la rendant aussi malheureuse à son tour.

René et Maryse pénétrèrent dans la chambre d'Hélène à pas feutrés. Après quelque temps où chacun des parents se disputa l'attention et l'affection données à leur fille, René risqua :

— Veux-tu nous en parler de ce qui s'est passé?

Hélène hocha la tête en signe d'assentiment.

— Jeudi après-midi, Nathalie m'a demandé d'aller coucher chez elle. Au souper, j'ai oublié d'en parler à Nicole. Je lui ai mis un petit mot sur la table du salon. Je me suis dit que je lui téléphonerais après son travail. Je suis sortie vers vingt heures J'ai pris l'avenue Demers comme d'habitude. Tout à coup, une auto est arrêtée juste à côté de moi. J'ai entendu crier : « Hélène, je t'avais défendu de sortir.»

— Quelle sorte d'auto? demanda René.

— Une auto comme la tienne, la même couleur. L'homme est venu vers moi, il m'a pris par le bras, il m'a forcée à monter en arrière. Je l'ai entendu verrouiller les portes. Il m'a attaché les mains derrière le dos avec un gros élastique serré, serré. Il avait un couteau et il menaçait de me tuer si je criais. Il a pris le boulevard Charest, puis la bretelle Sainte-Catherine. Là, il s'est arrêté. Il m'a bandé les yeux, il m'a mis un gros pansement adhésif sur la bouche parce que je hurlais. On a roulé longtemps, longtemps, puis il s'est arrêté. Il m'a amenée dans une maison, puis il m'a attachée à une chaise et il est parti.

— Entendais-tu des bruits?

— Non, mais ça sentait l'étable. Je pense que je suis restée là toute la nuit. J'avais peur qu'il revienne. Puis j'ai entendu une auto proche. Il est entré. Il sacrait contre toi, papa.

De plus en plus troublée, ses derniers mots devenaient inintelligibles. René l'entoura de ses bras et comme on berce un enfant, il la calma tendrement. Une fois apaisée, elle ajouta qu'elle avait oublié le reste, qu'elle avait dû perdre connaissance et qu'elle s'était réveillée dans son lit d'hôpital. René savait qu'elle mentait, mais comme il aurait voulu qu'elle oublie effectivement la partie la plus morbide du drame. Son attitude, hélas! ne laissait planer aucun doute sur la prétendue perte de conscience. René se réjouit de l'arrivée inopinée d'un médecin qui suspendait momentanément pour Hélène la remémoration du drame et il regretta de lui en avoir parlé si tôt.

Maryse et René passèrent la journée du samedi à l'hôpital, témoins de la visite de Luc, de Nathalie, l'amie d'Hélène, de ses grands-parents paternels, tandis que Nicole, affligée, se contenta de téléphoner à Hélène à deux reprises. Elle considéra sa présence importune vu le silence de René et surtout la présence de Maryse. Le dimanche matin, lorsque le médecin donna congé à sa patiente, Maryse entraîna René dans le couloir et chacun tenta de s'arracher l'adolescente. René argua qu'il prenait un mois de vacances, qu'Hélène préférerait sans doute rester à Québec pour voir ses amis tandis que Maryse prétendait qu'elle avait tout son temps pour s'en occuper, qu'elle avait été séparée d'elle trop longtemps, que l'agresseur connaissait son lieu de résidence et qu'elle serait toujours inquiète. René tenta de la rassurer en lui disant qu'Hélène ne serait jamais seule. Finalement, il proposa de demander l'avis d'Hélène.

De retour dans la chambre, Maryse exposa ses arguments avec force tandis que les yeux de René imploraient sa fille de rester à ses côtés. Il l'informa sur sa disponibilité si elle désirait rester. Déchirée, Hélène fit comprendre à sa mère qu'elle préférait d'abord rester chez elle à Québec pour voir ses amis, mais qu'elle aimerait passer une partie des vacances avec elle à Trois-Rivières. « Adorable Hélène! » pensa René, ému.

Maryse quitta Hélène avec la promesse qu'elle lui téléphonerait régulièrement et René, dont la voiture était chargée de fleurs et de cadeaux variés, quitta l'hôpital accompagnée de son bébé fragile et vulnérable.

Chapitre 6

Après l'excitation suscitée par sa visite à l'agence de voyages et surtout à cause de la décision de concrétiser avec Lyne leur projet de voir Paris, Carole mit beaucoup de temps à se détendre. Elle s'était passablement attardée à lire les brochures, les guides touristiques et à étudier les cartes qu'elle avait rapportées. Dans un demi-sommeil, elle se demandait si les Parisiens, à l'instar de Victor Hugo à une autre époque, considéraient toujours leur ville comme le nombril du monde. Si le célèbre écrivain l'avait décrite comme le centre du monde au XIXe siècle, elle espérait que ses citadins ne donnent à leur personne une importance exagérée. Finalement, elle s'endormit sur les rumeurs entendues que les Québécois étaient très bien accueillis chez leurs cousins français.

Le lendemain matin, elle allait encore vivre extraordinairement ce qui était fondamentalement ordinaire. Ces événements qu'elle croyait auparavant fortuits, elle pouvait maintenant les comprendre! Et ce phénomène se produisait de plus en plus couramment dans sa vie. Elle ouvrit le garde-manger pour prendre le pot de confitures afin de tartiner ses rôties et le contenant de miel dont Bernard raffolait lui remémora le plaisir qu'elle avait à assister aux repas du fauve. C'est ainsi que son frère avait qualifié le spectacle parce que son fils mangeait comme un ogre et qu'il avait hérité de son père d'un système pileux abondant. Cette expression l'avait toujours amusée depuis. Tout à coup, une lueur passa dans son regard et elle figea sur place : sur l'étiquette du pot de miel, la marque de commerce White Grove lui sauta aux yeux.

La veille, dans une boutique, Lyne s'était attardée devant un comptoir de casquettes toutes plus jolies les unes que les autres. L'une d'elles avait particulièrement intéressé son amie qui cherchait un cadeau pour son filleul dont l'anniversaire approchait. Sur le calot, au-dessus de la visière, les mots White Grove étaient écrits. Elles s'étaient interrogées sur la signification du mot Grove. Carole avait fait remarquer à Lyne que le choix de leur destination de voyage était judicieux vu leur piètre connaissance de la langue de Shakespeare. Finalement, Lyne ne l'avait pas achetée, ne pouvant se résigner à afficher son ignorance devant le vendeur qui était particulièrement séduisant et qui en avait fait l'éloge comme la toute dernière nouveauté de l'été puisqu'il venait de les recevoir. Carole alluma le radio et l'émission de voyages était entièrement consacrée à Paris. Après le déjeuner, elle ouvrit le journal du samedi et, dans la section touristique, un article de la presse canadienne disait que des centaines de touristes suivaient l'exemple d'un des héros des Misérables de Victor Hugo et s'enfonçaient dans les égouts de Paris. Elle se demanda si elle devenait folle ou particulièrement lucide. Comme tout le monde, elle avait vécu des expériences de télépathie. La veille, par exemple, comme elle pensait à sa mère, le téléphone avait sonné et la voix de celle-ci au bout du fil ne l'avait pas surprise. Elle n'était pas non plus dépourvue d'intuition, mais depuis la mort de Bernard, ce qui se produisait de plus en plus fréquemment était hors du commun et complètement différent. Elle expérimentait encore avec une extrême netteté, comme une lueur éphémère qui illumine soudain plus intensément, l'effet de ses pensées dans le monde visible. Elle aurait voulu en parler à quelqu'un, mais elle avait peur du jugement des autres. Elle pensa que seule Denise pouvait l'écouter sans se moquer. Elle réalisa que la pire des solitudes, celle que tous vivaient probablement un jour ou l'autre sur cette terre, était de n'être pas capable de révéler à autrui toutes ses pensées, fut-ce les plus folles.

Des preuves qui attestaient la véracité de la théorie de Bernard s'ajoutaient presque chaque jour depuis sa mort. Elle se demanda qui allait croire la vérité de son fils qu'elle faisait maintenant sienne. Elle sut à cet instant que son esprit avait soulevé les voiles du monde sensible qui lui masquaient la réalité et que les bouleversements qui l'avaient marquée avaient été attirés à elle, comme des électroaimants, par ses pensées. La plus fascinante des aventures s'offrait à elle. Son voyage sur cette terre pouvait être paradisiaque, infernal, monotone ou tumultueux, cela dépendait d'elle. Elle pensa qu'il lui suffisait de contrôler toutes ses pensées et sa vie refléterait tous ses désirs. À partir de ce moment, elle s'y acharna.

Le temps s'assombrissait et de fines gouttelettes commençaient à perler sur les vitres. Carole se dit : « Quelle magnifique journée pour terminer mes corrections! » Comme elle s'y attendait, sur la plupart des copies, les fautes pullulaient et, malheureusement, les élèves perdaient vingt points, soit le nombre maximal de points alloués à l'orthographe. Pour contrer son exaspération, elle se disait : « C'est merveilleux! Il a été capable d'écrire deux cent quatre-vingts mots sur trois cents sans fautes. » Mais toutes ces phrases sonnaient faux et elle prit conscience en fin de journée et ce, pour la première fois de sa vie, du nombre effarant de pensées négatives qui assaillaient son cerveau en quelques heures seulement. Elle en fut anéantie. Elle ne savait pas comment renverser la vapeur sans se mentir à elle-même. Elle réalisa que le défi était de taille, mais que le résultat valait toutes les peines. Il lui était évident qu'elle devait persévérer.

Quand sa mère lui avait téléphoné en soirée, plus consciente de ses pensées, elle s'était surprise à la contredire sans cesse lorsqu'elle s'était plainte de son état de santé, à la disputer comme on gronde un enfant, car elle craignait, vu ses pensées, que de plus graves malaises surviennent. Elle qui avait l'habitude de faire de l'écoute active avec sa mère en formulant de nouveau ses sentiments, c'est-à-dire en tentant de satisfaire chez elle ce besoin d'exprimer ses émotions à une oreille attentive et affectueuse, était devenue complètement incompréhensive. Elle s'inquiéta des conséquences que pouvaient entraîner ses bonnes résolutions.

Sa mémoire diffuse erra dans des évocations lointaines où surgissaient des images de parents obnubilés par la réussite financière. Depuis toujours, son passé d'enfant abandonnée aux bons soins d'étrangères qui apparaissaient et disparaissaient à un rythme désolant s'agglutinait à elle comme la gomme à l'acanthe. Avec le recul des ans, elle supposa qu'inconsciemment peut-être, sa petite tête affamée d'attention et de tendresse avait vite saisi que le plus court chemin pour arracher à ses parents fort occupés des lambeaux d'affection passait par la maladie. Aussi la route de son enfance fut-elle parsemée d'infections de toutes sortes : grippes à répétition, otites, diarrhées, urticaire, laryngites...

Carole réalisa qu'elle avait accordé une attention accrue et un intérêt marqué à sa mère lorsque celle-ci se plaignait d'un malaise quelconque et elle se demanda si, à son insu, le même phénomène compensatoire ne se produisait pas. Aussi pensa-t-elle qu'à l'avenir, sans trop banaliser ses souffrances et tout en demeurant compréhensive, ses visites et ses communications téléphoniques devaient se multiplier et se prolonger durant les périodes où elle était moins geignarde. Le souvenir brumeux d'un passage d'une chanson de Jean Ferrat refit surface : « Faut-il pleurer, faut-il en rire? Fait-elle envie ou bien pitié? » et ses réflexions l'amenèrent à penser que lorsque le besoin fondamental d'être aimé chez un être humain n'était pas comblé, il choisissait inconsciemment d'exciter la pitié plutôt que l'envie pour étancher sa soif. Se poser en victime ne suscite-t-il pas un intérêt accru de son entourage? Carole pensa que si elle disait cela sur la place publique, on la clouerait au pilori.

Au fil de ses idées, ses souvenirs la ramenèrent dans le décor familier de son enfance. Les rares moments où ses parents se retrouvaient ensemble à la maison, trop pris par l'administration d'un luxueux hôtel, étaient animés de vives discussions où son père, hargneux, se libérait de toute la méfiance qu'il entretenait à l'égard du cuisinier, du maître d'hôtel, des garçons, du groom et, finalement, de presque tous ses employés. Comme on l'avait escroqué à plusieurs reprises, il avait une peur maladive de se faire voler et cette attitude créait un climat d'agressivité qui déteignait sur son entourage et dont il était bien conscient. Carole se rappela qu'après l'infarctus qui avait entraîné la mort de son père, sa mère s'était attelée à la tâche se faisant un devoir d'assurer une bonne gestion du legs de son mari. Durant son adolescence, la présence passagère de sa mère ne représenta plus pour Carole que l'ombre d'une silhouette qui s'estompait et s'effaçait des semaines entières. Son frère André paraissait s'en accommoder, mais sa régression dans le temps lui apprit que ses minables performances scolaires, sa conduite de délinquant, ses fugues à répétition n'étaient que des façons plus provocantes encore d'attirer son attention.

Le soir de son vingtième anniversaire de naissance, deux jours avant son mariage, alors que ses amis la fêtaient dans un restaurant, Carole avait appris, par un employé de l'hôtel qui passait par hasard, qu'on la cherchait partout, que sa mère avait été conduite en ambulance à l'hôpital deux heures auparavant. Une fois à l'hôpital, on lui avait appris le terrible diagnostic : thrombose cérébrale. Cette hémiplégie qui avait paralysé son côté gauche n'était pas irrémédiable, selon les médecins. Les séquelles pouvaient être réduites jusqu'à 90% avec un programme intensif de rééducation dès les premières semaines. Malgré ses efforts, aucune amélioration sensible n'était survenue. Elle ne s'était jamais résignée à être confinée au fauteuil roulant, à la difficulté à s'exprimer distinctement, à la perte de son autonomie, à la solitude, à la vente de son hôtel. Carole avait été très affectée par l'absence de sa mère à son mariage et depuis, son attitude geignarde minait ses énergies.

Carole se rappela qu'un mois avant son mariage, Philippe, son fiancé, avait terminé son cours d'officier dans l'armée de l'air comme pilote. Il avait choisi une profession dont l'accès était réservé aux candidats doués d'aptitudes remarquables dans le domaine physique, intellectuel et psychologique. Son travail l'obligeait à la laisser en semaine pour se rendre à Portage la Prairie au Manitoba, parfois à Bagotville au Saguenay afin de piloter les chasseurs bombardiers américains F 16. Heureusement, Bernard était arrivé dans sa vie et sa vieille peur d'être abandonnée, celle qu'elle avait vécue si tragiquement dans son enfance, s'était atténuée quelque peu avec la présence de bébé Bernard. Il n'était pas question de le confier à une gardienne. Elle avait démissionné de son poste d'enseignante et s'était consacrée tout entière à son amour. Après quelque temps, la peur, son implacable et sournoise ennemie, s'était embusquée et l'avait saisie de nouveau : peur d'être dupe, peur du ridicule, peur de n'être plus aussi séduisante, peur de n'être plus aussi intéressante... Aussi était-elle redevenue suspicieuse, inquiète durant les longues absences de Philippe. Les retrouvailles étaient ponctuées de reproches, de colères trop longtemps refoulées et libérées et le climat était devenu insoutenable. Plus Carole était irritable lors des escales de Philippe, plus ses absences se prolongeaient et la durée de ses présences était directement proportionnelle aux humeurs de Carole, refermant ainsi le cercle de l'incompréhension et de la mésentente. Quand il était là, elle épiait ses regards, ses attitudes, ses moindres gestes, ses silences même.

Elle fut assez honnête pour s'avouer ce soir-là qu'à l'époque, la justification de sa jalousie maladive était probablement et inconsciemment plus importante à ses yeux que l'acceptation d'être victime d'un déséquilibre émotionnel, puisqu'elle y avait consacré toutes ses énergies. Aussi fut-elle rassurée d'être normale lorsque son odorat avait détecté des parfums étrangers, lorsqu'elle avait trouvé des cartons d'allumettes de motels, lorsque des téléphones coupaient court à sa voix.

Après huit ans d'un mariage qui battait de l'aile, Philippe avait décidé avec son ami Frank d'accepter la proposition du directeur du personnel chez Delta comme pilote de ligne des Boeing 747. Elle avait alors repris l'enseignement, non par nécessité, car Philippe lui faisait toujours parvenir de quoi subvenir amplement à ses besoins et à ceux de Bernard et son père lui avait légué un substantiel héritage, mais pour combler son besoin fondamental de communication. Comme son fils débutait alors sa deuxième année et qu'il était nécessairement absent de la maison en même temps qu'elle, son sentiment d'être une bonne mère n'en était aucunement affecté.

Philippe avait insisté pour qu'elle laisse Bernard passer une partie de ses vacances estivales avec lui à Atlanta ou dans son studio de Paris et il était venu le chercher chaque été durant cinq ans, enchanté de cette faveur sans jamais la considérer comme un droit acquis. Bernard était si heureux de ces escapades! Son admiration pour son père était sans bornes; il ne tarissait pas d'éloges sur lui. Elle l'avait entendu à maintes reprises raconter ses voyages. Son père pilotait un bolide pouvant contenir 452 passagers, dont la vitesse de croisière atteignait 968 kilomètres à l'heure! Vers l'âge de treize ans, il avait crevé le coeur de son père parce qu'il avait refusé d'aller chez lui : il avait été choisi dans une équipe d'élites de soccer et pour Bernard, le sport était comme une drogue.

Un faible bruit à la porte de la cuisine suivi de l'appel de son prénom la tira de sa torpeur. Les menottes de Mimi portant son chaton angora dans ses bras avaient peine à atteindre la poignée de la porte. Elle réussit à l'entrebâiller et présenta fièrement à Carole sa boule de neige au pelage duveteux dont les iris émeraude chatoyaient. Carole prit délicatement le mini-félin, le flatta, frôla de son doigt ses minuscules vibrisses tactiles, caressa affectueusement sa petite truffe humide, ses doux coussinets sous ses pattes antérieures, s'amusa à la vue de sa lèvre qui semblait sourire et, avec une légère pression du pouce et de l'index, fit sortir ses griffes rétractées. Sa maîtresse le réclama et le plaça sur la troisième marche de l'escalier. Le chaton, enjoué, accomplit sa prouesse et descendit presque derrière avant devant. Une cascade de rires cristallins emplit la pièce. La beauté de la scène, dans toute sa simplicité et paradoxalement, dans toute sa complexité, l'émut fortement et lui rappela que Bernard, à l'âge de Mimi, affectionnait particulièrement les chats. Son imagination effrénée visualisa son fils lui susurrer à l'oreille : « Maman, la beauté est dans les yeux de celui qui regarde et dans les oreilles de celui qui écoute. » Cette phrase, maintes fois entendue, la rasséréna. Mimi reprit son trésor ambulant et retourna chez elle, supposant que Boule de neige avait besoin de lait.

Carole regretta d'avoir laissé ses pensées vagabonder dans le passé, car les souvenirs malheureux prédominaient toujours dans ses rêveries. Elle voulut reprendre le contrôle de ses pensées et fuir cette mélancolie qui la persécutait. Elle ouvrit le téléviseur. À Quatre-Saisons, on affichait le titre du film qu'on allait projeter : Pussycat. « C'est incroyable! s'exclama-t-elle. Je devrais peut-être voir un psychiatre! » Elle fut déçue que le film ne corresponde pas à ses attentes et éteignit le téléviseur.

Le sommeil tarda à venir. Elle luttait pour ne pas retourner dans le passé, l'avenir était axé sur la peur de ne plus revoir René après un silence de huit jours et son présent était rempli de solitude. Finalement, dans un demi-sommeil, une voix intérieure débitait les mots : « Paris, amies, santé, chat, fleurs, oiseaux, abondance, vacances, lac, beauté.»

Le lendemain matin, pas une ride ne venait altérer le miroir azuré du lac. Sa surface comme glacée réfléchissait parfaitement la magnificence du décor comme l'image surpasse parfois en beauté le cadre naturel. Les arbres moutonneux des collines dentelaient le cristal liquide de vert tendre et nul élément n'échappait à son reflet. Le soleil scintillant se réverbérait sur les maisons d'en face, éclaircissant leurs coloris. Une voûte de saphir d'une pureté inouïe était traversée de goélands en quête de nourriture. Seul le ramage des oiseaux rompait ce silence apaisant.

Carole revêtit son maillot et s'allongea sur la chaise longue près de la rive du lac. Son vade-mecum illustré de Paris en main, elle était impuissante à se concentrer sur le texte tellement la miroitante surface du lac accaparait toute son attention. Elle contemplait la beauté dans toute sa plénitude. Plongée dans une béatitude tranquille, elle eut l'impression que la douce chaleur du soleil traversait son épiderme par tous les pores et embrasait tout son être, le vivifiant et lui procurant un bien-être indicible. Elle ressentit tous ses muscles détendus et son esprit affranchi de toute préoccupation. Seul l'instant présent comptait. L'ineffable féerie du moment était indescriptible. Soudain, son angle de vision changea complètement. Le lac était sous elle. Elle se retrouvait à deux mètres au-dessus de sa chaise. La grande paix qui l'avait envahie auparavant s'amplifia et elle eut conscience de vivre une expérience qui tenait du prodige. Elle revivait la même émotion que celle qui l'avait habitée lors du rêve de Bernard. Au moment précis où une pensée d'inquiétude la traversa, elle se retrouva au niveau du sol, ayant réintégré son corps. Cette fois-ci, elle était sûre de n'avoir pas rêvé. Elle se demanda alors ce qu'il serait survenu si ce sentiment de peur n'était intervenu au cours de cette expérience toute nouvelle pour elle. Elle avait maintenant la preuve que l'esprit survivait hors du corps, que Bernard vivait, qu'il n'était pas confiné au cimetière, destiné à être rongé par les vers et la pourriture. Son autre corps ou son esprit s'était détaché, elle en était certaine. Elle venait de vivre une expérience unique de décorporation à laquelle Denise avait fait allusion la semaine précédente.

Elle tenta de revivre l'expérience, mais les efforts qu'elle y mettait contrecarraient toutes ses capacités de détente. Vers midi, elle chercha à rejoindre Denise afin de partager ses émotions, mais celle-ci était absente. Elle communiqua avec sa mère et insista pour qu'elle vienne profiter de la magnifique journée ensoleillée et celle-ci, d'abord réticente, lui promit finalement de venir. Au début de l'après-midi, la mère de Carole arriva, conduite par François Pageaut, son chauffeur attitré depuis qu'elle habitait à la résidence Saint-Jean. Il ouvrit le coffre de la berline et dégagea la chaise roulante qu'elle utilisait dans les rares sorties qu'elle se permettait. Malgré son habituelle humeur exécrable, François la prit délicatement par la taille et l'aida à s'asseoir dans son fauteuil. Elle lui ordonna d'un ton qui n'admettait pas de réplique de revenir la chercher à seize heures exactement.

Depuis vingt ans déjà, la mère de Carole, à demi paralysée, vivotait comme une recluse, trop fière pour afficher sa déchéance physique qu'elle n'avait jamais acceptée. Le fil qui la retenait à la vie se faisait de plus en plus ténu. Par habitude et par désabusement, son quotidien était égrené d'un chapelet de jérémiades dont les effets sur son entourage étaient désastreux. Elle avait traîné ses pénates dans une dizaine de résidences différentes depuis son hémiplégie, cafardeuse comme un exilé banni de son pays. Rien n'arrivait à combler le grand vide que sa maladie avait laissé dans son âme. La lecture usait ses yeux, le bricolage était mortellement ennuyeux, la télévision, soporifique et assommante, la nourriture infecte, la plupart des pensionnaires, vieux comme Mathusalem, séniles et grabataires, le temps beaucoup trop chaud ou trop froid, les employés bourrus, les politiciens véreux, bref une litanie de plaintes qui obligeaient Carole à faire des efforts surhumains pour la visiter régulièrement et pour qui ces visites constituaient un devoir filial plutôt qu'un plaisir. Seule la musique était un exutoire à ses humeurs. Elle avait la propriété d'abaisser sa tension, de l'apaiser et de lui faire oublier les affres de la vie. Musicienne et mélomane, elle adorait les concertos de Vivaldi, les symphonies de Mozart, de Beethoven, de Schubert, les opéras... Ceux qui préféraient la musique contemporaine étaient des incultes, des ignares ou des barbares.

Carole observa son visage parcheminé, émacié, son teint terne, ses yeux globuleux, un rictus qui transformait son sourire en une affreuse grimace et qui conférait à sa personne au moins dix ans de plus. Elle avait l'âge de son coeur aigri, allergique au bonheur. Sachant combien sa mère avait horreur des insectes, elle avait demandé à François de l'emmener dans le kiosque protégé d'une moustiquaire. Avec sa voix inarticulée de porcelaine friable, elle somma François de déplacer sa chaise à l'ombre, prétextant avoir développé des allergies au soleil depuis quelques années, et le fidèle serviteur, sans maugréer, exécuta les ordres de Mme Alain. Son humeur irascible ne surprit pas Carole et elle ne tarda pas à en connaître l'élément déclencheur.

— Ce chauffeur m'énerve parfois. Vingt minutes que j'attendais. Ces jeunes n'ont plus de respect. Il le sait pourtant que j'ai horreur d'attendre.

— Oublie ça, maman. Profitons de cette magnifique journée. Regarde comme le lac est beau!

— Il fait frais. Donne-moi mon chandail.

Carole plongea son regard dans le sac entrouvert de sa mère, sortit son cardigan et lui couvrit délicatement et affectueusement les épaules. Elle cherchait désespérément à rallumer en elle l'étincelle de vie, à l'atteindre à travers les tubulures enchevêtrées de son âme.

— Écoute, maman.

À leurs oreilles, un chant constitué de notes claires et sifflées, regroupées en courtes phrases musicales, se fit entendre.

— Regarde sur la branche de l'érable, là. C'est un cardinal couleur de feu. Il est magnifique! Tu le vois?

— Je vois rien.

— Écoute.

Une deuxième série de strophes sonores enchanta Carole. Elle prit ses jumelles et observa l'oiseau. Soudain, elle vit quelques manifestations d'agressivité chez le passereau : sa huppe se hérissa, les plumes qui recouvraient le sommet de son crâne se dressèrent, ses ailes s'abaissèrent et il pointa le bec. Un intrus se posa sur une branche près de lui faisant entendre quelques notes rauques, suivies d'un long zézaiement inspiré, extrêmement aigu. L'hirondelle des granges avait fait déguerpir le cardinal.

— Si tu savais, maman, comme ça peut être passionnant d'observer les oiseaux!

— Tant mieux pour toi! Moi, en ville, j'ai pas d'oiseaux.

— L'année passée, j'écoutais une émission de télé. Un monsieur de soixante-seize ans, qui en paraissait à peine cinquante, était interviewé par une femme. L'animatrice lui a demandé le secret de sa bonne forme physique, de sa joie de vivre. Sais-tu, maman, ce qu'il a répondu?

— Était-il dans une chaise roulante?

Nullement décontenancée par la réplique de sa mère, elle dit :

— Il disait : « Imaginez que vous êtes un tout petit enfant, puis que vous arrivez sur cette planète. Regardez les choses comme si c'était la première fois. » J'ai alors commencé à regarder les oiseaux et j'ai trouvé ça très intéressant.

— Facile à dire! C'est ça, Carole. Bouche-toi les yeux pis les oreilles. Tu verras pas toute la misère qu'il y a dans le monde!

Carole se leva et alla cueillir un champignon qui avait poussé sur la pelouse là où avait été coupée une vieille souche quelques années auparavant.

— Touche pas, Carole. Certains sont mortels.

— Tu ne le sais pas, maman. Imagine qu'on n'a jamais vu ça.

Elle se surprit à tenir gauchement l'objet par le pied et le présenta à sa mère comme on montre une curiosité. Elle aurait tant voulu que sa mère joue le jeu et s'émerveille comme un enfant.

— Regarde comme c'est joli! On dirait une capeline ou une sorte de chapeau que les Asiatiques portent pour se protéger du soleil. Ça ressemble aussi aux toits de certaines pagodes japonaises.

Elle effleura sa peau pour en saisir la texture.

— Touche comme c'est doux!

Sa mère lui jeta un regard inquiet, se demandant sûrement si le drame qu'avait vécu sa fille n'avait pas affecté son bon sens. Carole l'ignora et huma l'objet.

— Je n'ai jamais rien senti de pareil!

Elle le goûta et se délecta de son parfum.

— Tu veux y goûter, maman?

— Non, ça goûte la terre et la pourriture.

— Regarde, maman, à l'intérieur du chapeau. Celui qui a fait ça avait le sens de l'esthétique! C'est aussi beau à l'intérieur qu'à l'extérieur. Des dizaines et des dizaines de lamelles côte à côte, parfaitement disposées! Je me demande à quoi elles servent. Ça me fait penser à un parapluie aussi, mais un parapluie, c'est pas beau en dedans!

— Arrête de dire des niaiseries, Carole.

— On devrait appeler ça un pignon des champs. Qu'est-ce que tu en penses, maman?

Sa mère la regarda comme une mère toise un enfant turbulent qui mérite d'être grondé et Carole éclata d'un fou rire inextinguible accompagné d'un flot de larmes qu'elle était impuissante à endiguer et qui lui servaient à camoufler toute la peine devant l'échec qu'elle venait encore de subir pour percer la dure carapace dont sa mère s'était cuirassée.

— Ça fait du bien de rire, dit Carole en essuyant ses larmes. Maman, j'ai une grande nouvelle à t'apprendre. Je vais à Paris durant les vacances.

— Pas toute seule?

— Non, avec Lyne.

— Quand?

— Dans trois semaines.

— Juste deux femmes?

— Oui. Ne crains rien. Tout est organisé. On va loger dans un magnifique hôtel. Ah! j'ai tellement hâte! Tu te rappelles que Bernard y est allé plusieurs fois avec Philippe? Il disait que c'était tellement beau! Attends-moi, je vais aller chercher ma brochure. Veux-tu une bonne limonade?

D'un signe de tête, elle acquiesça. Carole se dirigea vers la maison. Pendant ce temps, un garçon de sept ou huit ans, aux boucles blondes, au visage angélique, un baladeur retenu à sa ceinture, des écouteurs aux oreilles, une boîte à la main, se présenta devant Mme Alain. Il retira son casque d'écoute et, avec son plus beau sourire, il lui demanda :

— Voulez-vous acheter une tablette de chocolat pour les Louveteaux?

Désarmée par la ressemblance de cet enfant avec son fils André à cet âge et par sa beauté, elle lui demanda son nom :

— Gabriel Paradis,

— Donne-moi mon sac.

En se penchant pour prendre son sac, son casque d'écoute tomba sur les genoux de Mme Alain et celle-ci le porta à ses oreilles. Elle resta bouche bée. Elle entendait un extrait des Quatre Saisons de Vivaldi. Comment un si jeune enfant pouvait-il apprécier cette musique?

— Tu apprends le piano?

— Non, mais j'aimerais ça.

— Qu'est-ce qui t'en empêche?

— Maman dit que c'est trop cher.

— Qui t'a donné cette cassette?

— Ma marraine, pour ma fête. Elle, elle donne des cours de piano.

— Où demeures-tu?

— Là.

Il pointa le doigt vers une petite maison blanche et proprette, sise sur le coteau à l'arrière de la route ceinturant le lac, à quelques centaines de mètres. Carole sortit de la maison et lui dit :

— Bonjour Gabriel! Veux-tu une limonade?

— Non, merci. Je vends du chocolat.

— Carole, achète toute la boîte. Tiens, prends l'argent, dit-elle.

— Maman! Qu'est-ce qu'on va faire de tout ce chocolat?

— Tu le donneras à tes élèves.

Les yeux du garçonnet pétillaient de joie et son beau visage s'éclaira. Il se dépêcha ensuite d'aller se ravitailler de chocolat afin de poursuivre sa tournée.

— Trouves-tu qu'il ressemble à André? Tu te souviens d'André à cet âge?

— C'est vrai, maman.

Le passage de l'angelot blond fit bifurquer la conversation dans un passé lointain à l'époque de l'enfance d'André et Carole. Celle-ci, engluée dans ses souvenirs moroses, tut toute son amertume et évoqua les joyeuses et touchantes retrouvailles que ses parents organisaient à l'occasion des fêtes ou des vacances estivales. La mère de Carole insista pour regarder les vieilles photos que sa fille avait méticuleusement identifiées, datées et harmonieusement insérées dans des pages d'albums qu'elle s'était constitués. Soudain, la sonnerie du téléphone retentit et une voix féminine inconnue, entrecoupée de halètements, débita des mots inattendus :

— Madame Alain, la résidence... est en feu. François n'a pas le temps... d'aller... d'aller chercher votre mère. Il doit aider. Je vous rappellerai.

Carole resta interloquée. Sa réaction laissa présager un malheur et sa mère, qui n'en fut pas dupe, appréhenda la nouvelle.

— Maman, François ne pourra pas venir te chercher parce qu'un feu s'est déclaré dans votre résidence.

— Quoi! fit-elle, énervée.

— Je le sais pas si c'est grave ou pas. Je ne sais rien.

— Emmène-moi, on va aller voir, ordonna-t-elle à sa fille en entendant les battements de son coeur se précipiter.

Carole poussa la chaise roulante près de la voiture, l'aida à monter sur la banquette avant et rangea le siège dans la malle arrière. Durant les vingt minutes qu'avait duré le parcours, la hargne avait grondé, les accusations avaient abondamment fusé. Le vieux fou de la chambre en dessous de son appartement enlevait, paraît-il, la pile de son détecteur de fumée pendant qu'il se faisait des « toasts » et oubliait de la réinstaller. C'était pourtant défendu d'avoir un grille-pain dans les chambres! Et il ne se gênait pas pour fumer au lit! Elle s'inquiétait pour ses coffrets de musique, ses albums de photos, ses livres, ses tableaux, ses bijoux...

— Maman, ne t'énerve pas pour rien. On ne connaît pas encore l'ampleur des dégâts.

Comme elles approchaient, elles virent une fumée dense s'élever dans le ciel. La circulation avait été détournée et, devant l'impossibilité d'approcher par la voie habituelle, Carole emprunta une ruelle attenante à l'arrière de la résidence. Elle stationna son véhicule dans l'entrée d'une maison avec la permission du propriétaire. Sa mère refusa d'être cloîtrée dans l'habitacle de la voiture toute seule et Carole poussa le fauteuil roulant. Après quelques centaines de mètres, elles aperçurent au moins quatre camions d'incendie. Un peu plus près, elles virent des pompiers grimpés aux échelles qui s'affairaient à éteindre les derniers sursauts de l'élément destructeur. Des policiers tentaient d'éloigner une foule impressionnante de badauds qui discouraient sur le désastre. La mère de Carole reconnut deux pensionnaires en larmes qui lui apprirent qu'elles avaient entendu une très forte détonation qui semblait venir de l'aile sud. Quelques secondes après l'explosion, quelqu'un avait dû actionner le signal d'alarme et elles étaient sorties en vitesse. La voix entrecoupée de sanglots, elles racontèrent qu'elles avaient vu les préposés aux malades, tout le personnel, les voisins et des policiers sortir les pensionnaires impotents pour les conduire dans l'église tout près. Elles s'y étaient rendues, mais n'avaient pas vu leur grande amie Odette Mercier dont l'appartement était situé non loin des cuisines où avait eu lieu l'explosion. Elles attendaient désespérément que leurs enfants viennent les chercher, mais elles ne voulaient pas non plus partir avant de savoir où était Odette. Des gens disaient que l'édifice était une perte quasi totale, que seule la structure subsistait et qu'un pensionnaire manquait à l'appel.

— Avez-vous dit un ou une pensionnaire? s'enquit Carole.

— J'ai entendu dire que c'était un homme, répondit quelqu'un.

— Vous devriez retourner dans l'église, votre amie est sûrement là. Était-elle capable de se déplacer par elle-même?

— Oui, répondit l'une des deux vieilles.

— On vous accompagne, dit Carole. Es-tu d'accord, maman?

Mme Alain approuva.

Devant la détresse de ces deux femmes, la mère de Carole n'osa se plaindre de la perte de toutes les choses auxquelles elle tenait tant, d'autant plus qu'elle connaissait Odette Mercier comme une personne qui consacrait beaucoup de temps à aider les plus démunis. Sa peine, parce que muette, était amplifiée par sa frustration de ne pouvoir s'apitoyer sur son propre sort.

Rendues à l'intérieur de l'église, le responsable de l'établissement leur confirma que deux personnes manquaient à l'appel. Les deux octogénaires fondirent de nouveau en larmes. Carole tenta de soulager leur affliction par des propos qu'elle croyait rassurants, leur disant qu'Odette était probablement sortie comme sa mère l'avait fait et qu'elle ne leur en avait rien dit, mais elles étaient inconsolables. La lueur d'espoir qu'elle avait tenté d'allumer semblait étouffée à jamais comme la bougie par l'éteignoir.

— Odette est venue me voir à onze heures. Elle m'a dit qu'elle écouterait un bon film cet après-midi à la télé, balbutia la plus grande.

Une dame s'approcha d'elles et entoura affectueusement la plus petite de ses bras.

— Maman, je t'emmène chez nous. Tu vas être très bien. Les enfants ne sont plus là, nous avons une belle grande chambre pour toi.

Elle regarda son amie et lui demanda si un de ses fils viendrait la chercher.

— Quand ils ont téléphoné, ni l'un ni l'autre n'étaient là. En attendant, monsieur Thériault — c'est le directeur de la maison — m'a dit qu'ils nous emmèneraient à la maison Bertelot tout à l'heure. Va avec ta fille. Donne-moi ton numéro de téléphone avant de partir. Si on a des nouvelles d'Odette, je t'appellerai.

Elles avaient de la difficulté à se laisser. Elles se regardaient comme si c'était la dernière fois, puis la fille entraîna la mère avec, pour tout bagage, sa grande tristesse. La plus grande les regarda partir, les suivant du regard jusqu'à la sortie. Carole intervint, ne pouvant supporter la douleur et la solitude de cette femme.

— Madame, c'est quoi votre nom?

— Irène Martel.

— Madame Martel, je vous emmène chez moi avec ma mère.

— Non, madame, je ne veux surtout pas vous déranger.

— Je vous assure que ça me ferait vraiment plaisir. J'ajoute même que ça me rendrait service. Ainsi maman ne serait pas toute seule pendant les quinze jours qu'il me reste à travailler. Qu'est-ce que tu en penses, maman?

— Oui... bien sûr, grommela-t-elle.

Ayant remarqué la réticence de sa mère, elle ajouta :

— C'est sûr que si vous préférez aller à la maison Bertelot avec vos amies, soyez très à l'aise.

Ayant constaté le peu d'enthousiasme de Mme Alain, Irène Martel ajouta :

— Je vous remercie, madame, mais mes deux fils vont venir me chercher d'un moment à l'autre, sachant très bien que ses deux garçons l'avaient toujours ignorée depuis qu'elle habitait une résidence pour personnes âgées. Soyez sans inquiétude. Partez avec votre mère.

— Je vous laisse mon numéro de téléphone, dit Carole. Si vous changez d'idée, appelez-moi.

— Merci,

Triste comme la mort, le pas traînant, elle les quitta pour aller trouver monsieur Thériault, le responsable de la maison.

— On y va, maman?

Comme un miroir, l'agitation de la rue reflétait le tumulte de leurs émotions, alors qu'un silence de plomb usurpait tout leur espace. Une fois dans l'auto, Mme Alain dit à sa fille :

— Conduis-moi à l'hôtel Aventure.

— Maman, il n'en est pas question. Je suis cont...

— Carole, tu travailles, t'as pas le temps de t'occuper de moi... Ton voyage à Paris...

— Une chose à la fois, maman. On en reparlera.

— J'ai plus rien, Carole... j'ai tout perdu... Je me sens toute nue, dépossédée...

— Maman, t'as de bonnes assurances, puis une fortune à la banque. T'es en vie et c'est ce qui compte.

Carole regretta la fermeté avec laquelle elle avait répliqué. Elle se dit qu'elle aurait dû laisser sa mère exprimer sa peine.

— Dis-moi, maman, qu'est-ce qui te trouble le plus?

— D'être à ta charge, Carole, de devoir compter sur toi.

— Maman, j'étais prête à accueillir une étrangère tout à l'heure.

— Y as-tu pensé, Carole, ce que ça impliquait d'avoir une personne en chaise roulante dans sa maison?

— Maman... implora-t-elle tristement.

— D'accord Carole, j'accepte ton hospitalité pour une semaine. Ensuite je vais me trouver une autre résidence. Arrête chez le docteur Tanguay, j'ai besoin d'une ordonnance pour mes médicaments.

Lorsque Carole inséra la clé dans la serrure, la sonnerie du téléphone retentit. Elle laissa sa mère et, précipitamment, décrocha le combiné.

— Madame Alain?

— Oui.

— C'est Irène Martel. Notre amie Odette est revenue quelques minutes après votre départ. Elle était allée magasiner avec sa nièce.

— Ah! que je suis contente! Merci d'avoir appelé.

— Merci encore pour votre offre, mais je suis rendue au foyer Bertelot avec Odette. Saluez votre mère pour nous.

La mère de Carole avait deviné l'origine de l'appel. L'ébauche d'un sourire éclaira son visage indiquant à Carole que la bonne nouvelle avait versé un baume sur ses blessures.

— Tu as deviné, maman?

— Où était-elle?

— Sa nièce était venue la chercher pour aller magasiner.

À peine eut-elle rentré sa mère que le téléphone sonna de nouveau.

— Allô! fit Carole.

— Enfin! Carole, tu es là. Ça fait plus d'une semaine que j'essaie de te joindre! Tu m'as tellement manqué!

— ! ! !

— Tu es là, Carole?

— Est-ce que je peux aller te voir ce soir?

— Non, c'est impossible.

— Qu'est-ce qui se passe?

— La résidence Saint-Jean où ma mère demeurait a été complètement rasée par les flammes cet après-midi. Ma mère est chez moi et nous avons une foule de choses à faire.

— Carole, je veux te voir absolument. Quand pourrons-nous nous rencontrer?

— Je ne sais pas. Laisse-moi ton numéro de téléphone, je t'appellerai.

Chapitre 6

René était pris au piège. Il n'avait jamais avoué à Carole qu'il vivait depuis six ans avec Nicole. Allait-il s'enliser dans le mensonge en lui donnant le numéro de son ami ou risquer de soulever la colère de Nicole et la perte de Carole? Il devait penser vite. Une fraction de seconde d'hésitation de plus et il perdait sa crédibilité. Il lui donna son numéro, en spécifiant d'appeler avant dix-sept heures, espérant que Nicole serait, comme d'habitude, retenue par son travail, et se promit de lui révéler la vérité lors de leur prochaine rencontre.

— Tu vois, Carole, que je dérange! geignit sa mère.

— Maman, au contraire, ça m'a donné une belle excuse pour ne pas le voir, fit-elle, convaincante en débitant son pieux mensonge.

Que d'événements et d'émotions elle avait vécus depuis un mois! La mort de Bernard, la brève rencontre avec Philippe qui l'avait invectivée de reproches, l'avaient laissée accablée de remords. Heureusement, il y avait eu la nuit magique où Bernard était venu l'apaiser dans son rêve et la merveilleuse nuit d'amour avec René, l'homme qui avait fait basculer sa vie. Puis, il y avait eu son silence durant une longue semaine, qu'elle avait interprété comme un rejet. Ensuite, les extraordinaires coïncidences où un déclic mental, accompagné de stupéfaction, d'exubérance vive, de doute une fois l'excitation disparue, lui avaient appris que le hasard n'existait peut-être pas et qui lui avait fait comprendre la théorie de Bernard, sa ferme décision d'être positive, de peur d'attirer des catastrophes, son éventuel voyage à Paris, son expérience unique d'avoir vécu hors de son corps, le sinistre qu'avait subi sa mère et ce téléphone qu'elle attendait désespérément depuis plus d'une semaine... Comme elle regrettait d'avoir dû écourter la conversation, de n'avoir pu le voir ce soir-là... et pourtant le doute l'avait encore assaillie lorsqu'elle avait perçu la brève hésitation à la demande de son numéro de téléphone, et son exigence d'appeler avant dix-sept heures l'intriguait beaucoup.

Comme elle aurait aimé partager toutes ces émotions avec sa mère! Un mur infranchissable les séparait. Une vieille peur profondément ancrée d'être accablée de reproches, d'être jugée, associée à une certaine pudeur de se révéler totalement, ce qu'elle n'avait jamais fait avec personne, la bloquaient. De plus, elle refusait de considérer sa mère comme un déversoir à ennuis et d'alourdir ainsi le poids du fardeau qu'elle portait déjà en lui parlant de ses bleus à l'âme. Cependant une voix lui disait aussi : « Ta mère n'a plus le goût de vivre parce qu'elle ne se sent pas utile à personne. Considère-la comme une amie. Donne-lui le plus beau des cadeaux, ta confiance. Dis-lui que tu as besoin d'elle. » Déchirée par des sentiments ambivalents, elle allait lui parler quand sa mère lui dit :

— C'est qui ce fatigant-là?

— Ça n'a pas d'importance, maman. As-tu faim? J'ai du bon poulet au frigo. On va manger, puis on va faire une liste de tout ce dont tu as besoin. Demain, on va aller magasiner, on va s'occuper des assurances, on va...

— Je suis trop fatiguée Carole, pour faire tout ça.

— T'inquiète pas, je vais m'en occuper. Toi, tu te reposeras.

— Ton école, Carole?

— Demain, c'est une journée d'examens. Ce n'est pas grave si je m'absente. Je vais téléphoner à Mme Paradis, la mère de Gabriel. Elle va passer la journée avec toi. Elle sera très contente de pouvoir travailler un peu. Tu vas l'aimer beaucoup, maman.

— Carole, téléphone à André, je veux lui parler.

Mme Alain apprit la nouvelle du sinistre à son fils qui fut retenu une trentaine de minutes pendant lesquelles elle exprima sa peine d'avoir perdu quantité d'objets de valeur que même une fortune ne pouvait remplacer. Au début de la soirée, Mme Paradis eut la gentillesse de venir chez Carole pour faire la connaissance de Mme Alain. Carole se réjouit que Michelle Paradis sembla plaire à sa mère.

— Je vais te faire couler un bon bain chaud, maman, ça va te détendre.

Lorsque sa mère fut couchée et endormie, Carole eut une envie irrésistible de parler à René, mais elle hésita. Si une femme répondait? Quelle serait la réaction de René? Sa peur de le coincer dans une situation embarrassante l'en empêcha et surtout sa fierté se rebellait à l'idée de le relancer, étant donné son incertitude quant à la sincérité et la profondeur de ses sentiments.

Chapitre 7

Carole lui avait semblé distante au téléphone. De prime abord, il s'était demandé si elle avait perçu son hésitation avant de lui donner son numéro de téléphone et comment elle avait interprété sa restriction d'appeler avant dix-sept heures. Ensuite, il avait mis sa froideur sur le compte de la présence de sa mère et des soucis qu'entraînait l'incendie de son appartement. Comme il aurait aimé lui parler d'Hélène, la voir, la prendre dans ses bras, se fondre en elle. Il avait besoin d'elle comme une terre aride a besoin de pluie. Perplexe, il s'était demandé comment l'âme humaine pouvait être habitée par tant de haine et d'amour à la fois. Depuis l'agression d'Hélène, il était obnubilé par l'assouvissement de sa vengeance et, en même temps, submergé de désir et d'amour, tel un bouchon dans un remous. Cette dichotomie lui pesait ayant pour maîtresse la haine et se sentant devenir esclave du désir.

Nathalie, l'amie d'Hélène, avait passé l'après-midi avec elle dans sa chambre et, au comble de sa joie, il avait entendu rire sa petite fille à deux reprises. Depuis l'agression d'Hélène et la réprobation muette de René à son égard, Nicole avait choisi la fuite, espérant qu'il comprenne combien elle avait souffert profondément de son attitude et escomptant surtout que son absence lui pèse. Aussi avait-elle profité de son après-midi pour visiter sa soeur et, sans avertir, n'était pas rentrée souper.

René songea à son emploi du temps du lendemain, qui s'annonçait passablement chargé. D'abord, il était hors de question de laisser Hélène seule. Il en avait fait la promesse à Maryse et il savait combien sa petite fille, traumatisée, avait besoin de lui. Toutefois, il n'accepterait pas qu'on confie la responsabilité de cette enquête à quelqu'un d'autre. Chez lui, il dirigerait les opérations. Habité par une haine inextinguible, nul autre que lui ne traquerait et piégerait la bête. Il se chargeait de convaincre son patron. Charles arriverait avec les fiches des détenus récemment élargis et de ceux qui avaient bénéficié d'une libération conditionnelle depuis peu. Si Hélène consentait à décrire l'agresseur, le spécialiste pourrait tracer un portrait-robot. Et si Carole appelait? Comment réussirait-il à se libérer pour la rencontrer? Il chassa ses angoisses en centrant son attention sur Hélène. Il la retrouva dans sa chambre et, avec elle, il visionna d'un oeil distrait un film projeté à la télé. Après qu'elle se fut endormie au cours de la diffusion, il la borda affectueusement et se rendit à la cuisine.

Un coup d'oeil à l'horloge le fit bondir, comme mû par un ressort. Il était déjà vingt et une heures trente et Nicole n'était toujours pas rentrée. Comment devait-il interpréter ce retard? L'idée qu'elle ait été victime à son tour d'une agression le fit frémir. Il téléphona à sa belle-soeur et apprit qu'elle devait être déjà arrivée puisqu'elle était partie depuis une heure et le trajet de retour s'effectuait facilement en dix minutes. Son sang ne fit qu'un tour. Il se sentit comme quelqu'un qu'on jette à l'eau les poings liés. Il était rivé à la maison, impuissant. Comme il composait le numéro de sa voisine pour lui demander de garder Hélène, Nicole entra.

— Où étais-tu? Je viens de téléphoner à ta soeur et elle m'a dit que ça fait une heure que tu es partie, hurla-t-il.

— Je suis allée voir mon frère. Tu t'énerves pour rien!

— Tu trouves que je m'énerve pour rien après ce qui vient d'arriver à Hélène! cria-t-il encore plus fort.

— Baisse le ton si tu ne veux pas qu'Hélène s'énerve aussi.

— Pourquoi ne me l'as-tu pas fait savoir? Ça existe le téléphone! T'as fait exprès?

— Oui, dit-elle, rageuse. Je voulais savoir si je comptais encore un peu pour toi.

Il resta bouche bée, incapable de puiser dans toutes les ressources de la langue les mots pour exprimer avec justesse les sentiments qui l'animaient. Une pitié cruelle l'avait envahi, empreinte de petitesse, dépourvue de désir, une pitié avilissante, affadie de tout attrait. Il présuma alors toute la peine qu'il lui affligerait lorsqu'il lui dirait la vérité. Devant son désarroi, ses yeux de chien battu, les secondes qui s'étiraient, le silence suffocant qui risquait de devenir un acquiescement implicite, il fut tenté de lui mentir et de lui dire combien il tenait à elle. L'image de Carole se superposa et il pensa qu'il lui devait la vérité.

— Tu le vois bien que je me suis inquiété pour toi!

— Tu t'es inquiété parce que tu savais que s'il m'était arrivé quelque chose, c'aurait encore été de ta faute. C'était ta culpabilité qui te rongeait! En fait, tu penses juste à toi! T'as toujours pensé juste à toi! vilipenda-t-elle.

Pour un peu, l'attaque virulente l'entraînait irrésistiblement dans une lutte injustifiée où les mots, telles des flèches empoisonnées, darderaient en plein coeur, mais il ne voulut pas profiter de la situation pour se défendre. L'heure n'était plus aux récriminations. La pitié qu'elle lui avait inspirée, l'indifférence qui l'habitait, la peine qu'il allait lui infliger le forcèrent à se contenir.

— Téléphone à ta soeur pour la rassurer. Ensuite, on va se parler.

Après avoir dissipé les craintes de sa soeur, Nicole s'assit et dit hargneusement :

— Depuis vendredi, tu m'as ignorée, tu m'as boudée. T'as essayé de me culpabiliser comme si c'était de ma faute ce qui est arrivé à Hélène.

— Écoute Nicole, j'étais fou de colère, de rage. J'aurais tout donné pour que ça n'arrive pas à Hélène. Et le pire, c'est que le criminel voulait se venger de moi! Oui, ça m'a fâché que tu te sois couchée jeudi soir sans vérifier si elle était rentrée.

— C'est pas ma fille à ce que je sache! Toi, tu t'en occupes? T'es toujours parti! Je me demande pourquoi tu tiens à la garder! Laisse-la aller avec sa mère.

— Baisse le ton, implora-t-il. Écoute Nicole, on ne recommencera pas à se chicaner. Je sais que je vais te faire mal, mais je te dois la vérité. J'ai rencontré quelqu'un depuis quelque temps et j'ai l'intention de la revoir.

— Quoi! s'exclama-t-elle, figée.

— Tu as très bien compris.

Elle se leva aussitôt, le visage livide, estomaquée par la révélation de René. Elle le regarda tristement, incapable d'ajouter le moindre mot. Elle prit son sac à main et lui cria :

— Compte pas sur moi pour jouer à la gardienne!

— Nicole, reviens, on ne peut pas se quitter comme ça!

— Comment oses-tu...

Elle lui tourna le dos et claqua la porte.

— Où vas-tu? cria-t-il.

Pour toute réponse, il entendit le vrombissement du moteur de l'auto et le crissement des pneus sur l'asphalte comme si son véhicule exprimait à contrecoup toute la rage qu'elle avait contenue. Il alla illico vérifier si Hélène dormait toujours. Il fut soulagé de constater qu'elle n'avait pas été témoin de leur dispute. Quelle sera sa réaction suite au départ de Nicole? De penser qu'elle sera sûrement très peinée l'attrista. Pourquoi n'avait-il pas attendu qu'elle soit rétablie? Comment avait-il pu lui infliger cette peine supplémentaire? Il ne ressentit pas la sensation de liberté dont il avait rêvé et la satisfaction d'avoir été honnête avec Nicole. Non, il déchanta vite.

Tout se bousculait dans sa tête lorsqu'il se mit au lit. Le sommeil, de connivence avec le temps, le fuit comme une troupe en déroute. Plus il se délectait de l'enivrant plaisir de la vengeance assouvie, plus il lui était impossible d'enrayer son agitation. Il avait besoin de parler à Carole, de lui parler de son inquiétude à la pensée de la réaction de sa fille au départ de Nicole. Il savait aussi qu'il ferait revivre à sa petite fille si fragile son drame en lui demandant de l'aider à la constitution du portrait-robot de son assaillant. Finalement, il s'assoupit, imaginant la tête de Carole au creux de son épaule. Au petit matin, la voix d'Hélène le réveilla :

— Nicole, viens m'aider, je veux aller aux toilettes.

— J'arrive, dit René.

— Nicole est déjà partie? Quelle heure est-il?

— Il est huit heures. Oui, elle est partie.

— Elle n'a pas l'habitude de partir de si bonne heure!

— Non.

— Elle est allée travailler?

— Nous nous sommes disputés hier soir et elle est partie.

— Pour toujours? demanda-t-elle angoissée.

— J'ai bien peur que oui.

Un lourd silence suivit la dernière réplique. Un silence qu'il se devait de rompre.

— C'est à cause de moi? dit-elle, des sanglots dans la voix.

— Non, dit-il, en la prenant dans ses bras. Rassure-toi, tu n'y es pour rien. C'est une affaire entre elle et moi.

Incapable de lui dire la vérité, il se tut. Les yeux d'Hélène, embués de larmes, suppliaient de lui répondre. Elle lui dit en sanglotant :

— Je téléphone à maman pour qu'elle vienne me chercher.

— Hélène, on s'était entendus. Tu voulais rester ici un mois pour voir tes amis. Moi, j'étais tellement content! Je suis en vacances. On va bien s'organiser, tu vas voir.

— Je veux voir maman.

— D'accord, je vais te conduire cet après-midi. Tu iras passer la semaine et je reviendrai te chercher vendredi. Qu'est-ce que tu en penses?

— OK, acquiesça-t-elle dans un sanglot.

— Avant, j'ai quelque chose à te demander. Je sais que ça va être très difficile pour toi, mais c'est très important. Charles et Pierre vont venir tout à l'heure. Pierre va te poser des questions pour tracer un portrait-robot de ton agresseur. Il faut le faire pour que d'autres ne revivent pas ton expérience. Te sens-tu capable de nous aider?

— Oui, répondit-elle faiblement.

Après le petit déjeuner, René téléphona à Maryse, qui était ravie d'accueillir sa fille pour cinq jours. Pendant qu'il préparait la valise d'Hélène, la sonnerie de la porte se fit entendre. Ses amis arrivaient.

— Comment va-t-elle? demanda Charles anxieux.

— Bien, compte tenu des circonstances.

— Penses-tu qu'on va avoir sa collaboration?

— Je pense que oui. J'apprécierais tout de même que ça ne traîne pas trop.

— T'inquiète pas, Pierre a beaucoup de doigté.

René alla chercher sa fille. Charles eut du mal à contrôler sa réaction à la vue d'Hélène qu'il connaissait et aimait depuis toujours. Ses yeux exorbités trahirent sa stupeur. Son visage couvert d'ecchymoses, sa jambe dans un plâtre, ses jeux tristes l'ébranlèrent. Il l'entoura de ses bras, réprima sa peine et, la gorge nouée, l'embrassa sur la joue. Pierre ouvrit une mallette et sortit un ordinateur portatif et une mini-imprimante.

— Sais-tu combien de genres de nez différents je peux concevoir avec ça? demanda-t-il à Hélène?

— Non.

— Soixante-six. Tu veux voir ça?

— D'accord.

— Imagine... cent quatre-vingt-sept sortes de chevelure, cent dix-huit formes de yeux et de sourcils, quatre-vingt-deux formes de bouches, trente-sept sortes de moustaches, quarante-six mentons...

— Vous avez des barbes aussi?

— Tout ce que tu veux. Veux-tu que je fasse ton portrait?

— Pas comme ça. Papa, va chercher la photo dans ma chambre.

Une fois le portrait d'Hélène exécuté, les questions sur l'assaillant fusaient avec précision, les réponses se faisaient drues et laconiques. René avait perçu dans les yeux d'Hélène, depuis le début, un vif intérêt pour le travail, et il en était soulagé. Sur l'écran, le technicien faisait apparaître des cheveux, des nez, des fronts et les combinaisons qu'il créait la fascinaient. L'attrait pour son travail semblait atténuer ce qu'il craignait : l'horrible remémoration du drame qu'elle avait vécu. En effet, Hélène collaborait sans sembler affectée par la démarche. Pierre lui permit de faire apparaître des nez aquilins, busqués, crochus, retroussés... René bénit le ciel de la voir s'amuser. Au bout de deux heures, le technicien sortit cinq copies de l'imprimante.

— C'est lui, s'exclama-t-elle, en pointant le dernier visage.

Charles et René se regardèrent, éberlués. La même pensée les avait traversés.

— Papa, ramène-moi dans ma chambre, s'il te plaît.

René s'assombrit en constatant que le jeu était bel et bien terminé. La dernière image avait plongé Hélène dans sa terrifiante réalité. Il la prit tendrement dans ses bras et l'embrassa sur la joue en la remerciant d'avoir fait cet effort. Charles demanda à Pierre de changer la coupe et la couleur des cheveux de l'homme.

— Blonds, dit-il, longs, frisés. Ajoute-lui une barbe. C'est lui! René, viens voir.

— Stupéfiant! C'est notre homme!

— Tu sais que j'ai deux de ses cheveux. Tu te souviens, quand on a découvert le corps de Linda dans sa chambre. Il faut scruter à la loupe les vêtements qu'Hélène portait au moment du drame. Où sont-ils?

— J'ai ramené ça de l'hôpital hier soir. C'est dans la salle de lavage.

— Va les chercher.

— J'espère qu'on va trouver des indices, dit Pierre.

— On ne sait jamais! Un autre cheveu, une goutte de sang... En étudiant les molécules d'ADN, on peut découvrir le message héréditaire et être absolument certain si deux cheveux appartiennent à la même personne.

René arriva avec un sac contenant un jeans, un t-shirt, des sous-vêtements, des chaussettes. Charles prit le sac pour un examen de laboratoire. Il demanda à René quelques cheveux d'Hélène. Avant de partir, ils planifièrent la guérilla. Ils mobiliseraient toutes les forces policières : les patrouilleurs, les enquêteurs des services municipaux et provinciaux. Le portrait-robot serait dans toutes les mains, dans les médias... Ils avaient des amis dans tous les corps policiers et quand on s'attaquait à l'un d'eux, la fraternité était manifeste. Ils feraient parvenir son portrait dans tous les centres de détention de la province. Le programme était de taille, mais ils n'auraient de cesse qu'après l'avoir trouvé.

— N'oublions pas nos informateurs habituels, dit René.

— Avant d'enclencher les opérations, assurons-nous qu'Hélène, Luc, Maryse et Nicole sont protégés.

— Rassure-toi, c'est déjà fait.

Le plan tracé, Charles et René se donnèrent rendez-vous en fin d'après-midi au Centre de renseignements policiers du Québec implanté à Parthenais. René retrouva Hélène dans sa chambre.

— Tu veux toujours aller voir ta mère?

— Oui.

— D'accord, on termine ta valise et on part.

Lorsque le tout fut complété, il lui dit :

— Donne-moi cinq minutes, j'ai quelques téléphones à faire avant de partir.

Il descendit au sous-sol et composa le numéro de Carole. À l'autre bout du fil, une voix inconnue lui répondit :

— Non, Mme Alain est sortie pour la journée. Est-ce que vous voulez lui laisser un message?

— Oui, dites-lui que je serai absent pour la journée. Je la rappellerai à dix-huit heures.

— De la part de qui, Monsieur?

— René Martin.

Il prit la route pour Trois-Rivières avec une passagère peu loquace, triste de voir sa petite fille catapultée à une allure vertigineuse et de façon si cruelle dans le monde des adultes. À son affliction s'ajoutaient les remords d'être responsable de son drame et du départ de Nicole, avec qui elle avait développé une belle complicité.

Chapitre 8

Carole avait passé une journée éreintante dans les magasins. Elle avait d'abord perdu un temps précieux en quête de stationnements, ensuite au bureau de la compagnie d'assurance de sa mère où on l'avait fait poireauter pendant une heure, à la banque où elle avait fait la file... Sa journée s'était transformée en corvée, tellement sa hâte de voir René était grande. Fière et indépendante, elle avait décidé d'attendre à seize heures avant de lui téléphoner. À l'heure prévue, la sonnerie vibra en vain. Elle ressentit de nouveau une déception amère, une solitude intense, un cruel abandon, comme si elle devait renoncer à la concrétisation d'un rêve qu'elle touchait du doigt. Péniblement affectée, elle compléta ses courses, mais avant de rentrer à la maison, elle s'arrêta devant une cabine téléphonique et chercha l'adresse de René Martin. Une irrésistible tentation la poussa à voir où il demeurait, voir si son véhicule était garé dans son entrée. Allait-elle prendre le risque d'être vue? Elle fit le détour et se dirigea dans un quartier résidentiel où les maisons trahissaient l'opulence et le bon goût. Elle se cacha derrière des lunettes de soleil. Les numéros des maisons défilaient. Elle approchait. La tête droite, elle appuya sur l'accélérateur, regrettant sa trop grande curiosité. En regardant de biais, elle aperçut sa maison de pierre grise qui cadrait bien avec les autres résidences.

Sur le côté, une vision hallucinante l'avait fait tressaillir, comme si elle avait été frappée au visage. Son fils Bernard tondait la pelouse. Les pneus de sa voiture crissèrent. Il leva la tête. Leurs yeux se croisèrent. La ressemblance était ahurissante. Il avait la même taille, la même carrure, la même coupe de cheveux, la même expression dans le regard. Elle appuya sur l'accélérateur et s'arrêta devant un dépanneur trois rues plus loin. Elle reprit ses esprits. « C'est incroyable, se dit-elle. On dirait des jumeaux identiques! Je deviens folle! » Elle reprit la route vers la maison, assaillie de pensées qui oscillaient de la logique à la folie. C'était une pure coïncidence que le fils de René ressemble tant à Bernard! Et s'ils avaient le même père? Non, c'était une aberration! Son coeur palpitait à tout rompre. Elle était tellement fatiguée, attristée, tourmentée qu'il lui semblait qu'elle était incapable de réfléchir. Elle prit une grande respiration afin d'endiguer le flot des émotions qui la chaviraient. Dans une vingtaine de minutes, elle arriverait à la maison et se devait d'afficher un visage souriant. « Bernard, pria-t-elle, aide-moi! Maman a besoin de moi. Si ce n'était d'elle, j'aurais le goût d'aller te retrouver. »

En arrivant chez elle, deux hommes montaient dans un camion stationné dans son entrée. Elle les laissa reculer et se gara. Les bras chargés de sacs, elle demanda :

— Qu'est-ce qui se passe, Madame Paradis?

Celle-ci n'eut pas le temps de répondre que sa mère lui dit :

— Carole, j'ai une surprise pour toi. Va voir dans la chambre de Bernard.

Carole découvrit un superbe piano qui prenait toute la place.

— Qu'est-ce que tu veux que je fasse d'un piano? Je n'ai jamais su jouer.

— Le garçon de Mme Paradis a beaucoup de talent. Je vais lui donner des leçons.

— Ah! oui?

— J'ai tenté de la dissuader, Madame Alain, mais je n'ai pas pu.

— C'est une excellente idée, dit Carole.

Depuis des années, sa mère ne s'était jamais intéressée à personne, sauf à la musique. Elle avait bien vu une étincelle dans ses yeux et tout ce qui pouvait raviver la flamme était bienvenu.

— Il faudra libérer la chambre.

Malgré la peine qu'elle ressentait à la demande de sa mère, Carole lui dit :

— Oui, maman, je me départirai des meubles de Bernard.

— Madame Paradis, dites à votre fils que je l'attends dans quinze minutes.

Mme Paradis regarda Carole comme, pour implorer son assentiment.

— Oui, bien sûr!

Nullement intéressée par les achats qu'avait faits Carole pour elle, elle lui ordonna de sortir de sa boîte le métronome et d'installer les cartons pour marquer les notes pendant qu'elle feuilletait des cahiers de solfège. Carole se demanda si Gabriel Paradis, l'angelot aux boucles blondes qui ressemblait étrangement à son frère au même âge, ne devenait pas pour elle un expédient pour échapper à sa culpabilité d'avoir négligé son propre enfant. Peu lui importaient ses motifs, seul son inhabituel enthousiasme comptait.

— Madame Alain, un monsieur René Martin a téléphoné. Il a dit qu'il rappellerait à dix-huit heures.

— Merci, Madame Paradis. Maman, je suis contente que tu aies eu l'idée de donner des cours de piano à Gabriel. Je te garde avec moi. Madame Paradis, est-ce que vous pourriez rester ici avec maman durant mon voyage à Paris?

— J'en serais enchantée, sauf que je ne peux pas laisser Gabriel. Je ne voudrais pas que ça fatigue votre mère.

— Qu'est-ce que tu en penses, maman?

— C'est d'accord, à la condition que ce soit moi qui défraie toutes les dépenses que cela occasionne.

— D'accord, dit Carole.

Carole déballa ses paquets devant une femme toujours indifférente aux articles et aux vêtements qu'ils contenaient. Ses livres de solfège à la main, elle feuilletait les pages, attentive à la pédagogie qui y était véhiculée.

— Carole, demain je veux que tu ailles à l'École de musique. Je vais demander à M. Portelance de te donner certains livres. Je veux aussi que tu m'achètes ces disques compacts, lui commanda-t-elle en lui tendant une feuille.

Gabriel arriva à la course, ravi de pouvoir pianoter sur le magnifique instrument. La professeure de musique, assise dans sa chaise roulante, donna sa première leçon de solfège. Elle décela rapidement le prodigieux talent de l'enfant : une acuité auditive exceptionnelle, une sensibilité fine pour discriminer les sons, une motivation hors du commun. À la discipline, à la technique, elle forgerait un musicien de génie.

Les yeux trop luisants de Carole roulaient de sa montre-bracelet à l'horloge qui marquait dix-huit heures trente. Au moment où elle allait cacher sa déception dans la salle de bains, la sonnerie se fit entendre.

— Carole, c'est toi?

— Oui, dit-elle froidement comme pour lui faire payer son angoisse.

— Excuse-moi pour cet après-midi. J'ai dû reconduire Hélène chez sa mère à Trois-Rivières. Je retourne la chercher vendredi.

— Où es-tu?

— À Montréal. Je travaille à mobiliser toutes les forces policières pour retrouver l'agresseur. Quand est-ce qu'on se voit? J'ai tellement de choses à te dire! Tu m'as beaucoup manqué!

— Difficile de se voir si tu es à Montréal toute la semaine!

— Dis-moi quand et je descendrai.

— Demain soir, ça t'irait?

— Je serai chez toi à vingt heures.

— Je préférerais qu'on se rencontre ailleurs.

— Comme tu veux.

— Au restaurant Marigot, ça te va? Tu connais l'endroit?

— Oui, je serai là à vingt heures. J'ai hâte.

— À demain. Au revoir.

Les notes, régulièrement, vibraient sous les petits doigts agiles de Gabriel et Carole sourit d'aise à la pensée qu'elles avaient couvert sa conversation téléphonique. Elle avait tant de choses à dire à René, tant de choses à savoir. Allait-elle lui parler de son expérience unique d'avoir vécu hors de son corps? Qu'allait-il penser d'elle? Allait-elle lui dire qu'elle avait vu un jeune homme tondre le gazon chez lui et qu'il était le sosie de Bernard? Ce jeune homme était-il son fils Luc? Elle ne lui parlerait sûrement pas des pensées saugrenues qui la harcelaient depuis. Comme elle avait hâte de scruter de plus près les traits de ce jeune homme! Comme elle désirait sonder les profondeurs de son être! Avait-il le caractère de Philippe, son ex-conjoint, ou celui de René? Leur relation était trop récente pour engager le dialogue sur ce terrain. Non, elle était incapable de se livrer totalement. Il était l'amour, mais pas encore l'ami. D'ailleurs, elle n'avait jamais connu l'amitié masculine. Pour l'instant, elle ne révélerait que l'écorce de son être. Elle ne voulait pas l'effaroucher avec ses tourments intérieurs.

— Carole, appela sa mère, l'obligeant à émerger en surface. Est-ce que le souper est prêt? Je commence à avoir faim.

— Tout est prêt, venez.

— Gabriel a déjà mangé. On va le laisser travailler ses gammes encore.

Pendant qu'elles mangeaient, Gabriel joua « Au clair de la lune » pianissimo. Les trois femmes, témoins de sa performance, se sourirent, émues.

— Carole, va lui dire de pratiquer ses gammes.

Cet ordre, donné brusquement par la mère de Carole, jeta un froid dans la cuisine. Mme Paradis se demanda si le désir de son fils de devenir musicien serait assez fort pour supporter la discipline sévère à laquelle voulait l'astreindre Mme Alain.

En soirée, Carole rangea la nouvelle garde-robe de sa mère dans la penderie, classa ses autres vêtements, ses articles de toilette. La chambre, spacieuse, garnie d'un mobilier rustique ancien, respirait une chaleureuse quiétude. Carole avait choisi d'habiller la fenêtre de rideaux de cretonne à fleurs jaunes comme le couvre-lit. Au début de leur mariage, Philippe et elle s'accordaient parfois la fantaisie de changer le décor de leurs ébats amoureux et s'y terraient comme deux lièvres dans leur clapier.

— Carole, nous allons changer ce décor.

— Maman, fit-elle, consternée.

Elle se sentit dépossédée, comme un objet qu'on relègue au grenier, souffrant de porter un autre deuil.

— Je m'occupe de tout. Demain, je téléphone à ma décoratrice. Tu n'auras rien à faire.

Elle resta bouche bée. Comme c'était difficile de voir sa mère s'incruster chez elle! Si seulement elle ne voulait pas tout chambarder! Justement au moment où elle voulait nouer des liens plus profonds avec René! Balayé, relégué aux calendes grecques son rêve de revivre, dans sa maison, des moments inoubliables comme la dernière fois. Sa mère usurpait tout son espace vital. C'était pourtant elle qui l'avait invitée! Elle ne pouvait agir autrement dans les circonstances. Sa mère qui refusait de déranger et qui voulait résider à l'hôtel! Pourquoi ne comprenait-elle rien à son désarroi? Il est vrai qu'elle ne l'avait jamais exprimé. Elle s'était toujours comportée comme une étrangère avec sa mère. Cette pensée la fit frémir! Elle l'aimait bien pourtant! Elle s'était tellement réjouie que, grâce à Gabriel, elle se soit découvert une raison de vivre. L'enfant, dans ses mains, deviendrait un grand musicien! Combien de temps durerait cet engouement? Son amour de la musique serait-il assez fort pour supporter son autoritarisme? Elle fit taire la rage qui s'était déchaînée en elle, étouffa sa peine. Elle n'avait pas le goût d'argumenter. Elle ne savait pas ce que Philippe et elle avaient vécu dans cette chambre. Elle abandonna devant cette femme âgée et handicapée. Elle lui laisserait réaliser ses derniers rêves.

— Tu ne dis rien, Carole?

— ...

— Fais-moi confiance, ça va être beau! Le nec plus ultra!

— Pour ça, je te fais confiance, maman.

Cette nuit-là, avant de s'endormir, elle se libéra de ses frustrations avec Bernard, son confident de l'invisible. La voix de Bernard ou celle de sa conscience lui inspira qu'elle avait bien fait d'héberger sa mère et de lui laisser prendre des initiatives qui révélaient son retour à la vie. Elle put ainsi retrouver une certaine paix.

À dix-neuf heures trente, le lendemain soir, elle partit pour le restaurant Marigot. Elle laissa sa mère avec Mme Paradis et son fils qui solfiait ses gammes. Elle s'était affairée toute la journée, si bien que le temps avait déboulé comme un ballon dans un escalier. Entre les emplettes de sa mère, la surveillance d'un examen, le dîner à l'école avec ses amies, elle avait pris le temps de faire rafraîchir sa coupe de cheveux. Elle avait dû insister pour ne pas que le coiffeur les effile ni les gomine. Le côté naturel des choses lui plaisait. Abondants, blonds comme la tire, avec des reflets plus pâles qui miroitaient au soleil, elle s'enorgueillissait de sa saine chevelure héritée de sa grand-mère maternelle. Une barrette marine et blanche, assortie à la couleur de sa robe et de ses accessoires, regroupait lâchement ses cheveux à la nuque. L'esthéticienne lui avait appliqué un masque facial qui avait resserré et tonifié son épiderme de jeune quadragénaire. À la suite de ses propres réflexions sur son âge, Mme Paradis avait répliqué spontanément : « Vous paraissez avoir à peine trente ans! » Un dernier coup d'oeil au miroir lui avait réfléchi une femme grande, mince, élégante, qui pouvait encore faire tourner les têtes.

En arrivant dans le stationnement, elle reconnut la voiture de René. Son coeur battait à tout rompre. Une fois entrée, elle le chercha du regard. Il laissa une jeune femme avec qui il semblait converser intimement. Il alla à sa rencontre et l'accueillit chaleureusement.

— Tu es magnifique, Carole, lui susurra-t-il à l'oreille en l'embrassant.

Carole se raidit en percevant le regard hostile de la femme. Ce tête-à-tête interrompu l'avait refroidie.

— Merci, répondit-elle avec détachement.

— Il me semble que ça fait une éternité que je t'ai vue. Allons nous asseoir. Cette table te convient?

— Tout à fait.

— J'ai tellement de choses à te dire que je ne sais pas par quel bout commencer.

— Comment va ta fille?

Il narra avec force détails le rapt, la séquestration, la prétendue amnésie ou perte de conscience d'Hélène au moment du viol, les blessures, le séjour à l'hôpital, la peur des séquelles psychologiques... Dans ses yeux, une haine implacable pour la brute, une haine qui ne cherchait qu'à être assouvie, avait remplacé la douceur et la bonté qu'elle lui avait connues. Ce sentiment l'inquiéta. Elle craignit l'effet boomerang, même si elle comprenait les motifs de sa révolte. Sans la connaître, elle rêvait de prendre cette adolescente dans ses bras et de lui apporter réconfort, sécurité et amour.

— Carole, comment va ta mère?

— Très bien, trop bien peut-être...

— Que veux-tu dire?

— J'ai retrouvé la mère que j'ai connue adolescente.

— Comme ça, elle n'a pas été trop affectée par l'incendie de son appartement?

— Bien sûr, elle a été beaucoup affectée de la perte de ses tableaux, sa collection de disques, ses souvenirs, mais tu sais, pour le reste, elle a suffisamment d'argent pour tout remplacer.

— Est-ce qu'elle va demeurer avec toi longtemps?

— Je ne sais pas. Elle s'est trouvé une nouvelle raison de vivre. Elle est méconnaissable!

Carole raconta avec verve les événements qui avaient déclenché le changement. Elle parla aussi des chambardements qu'elle imposait dans sa maison, mais tut sa colère, craignant d'afficher un égoïsme désapprobateur. Elle pensa aussi qu'afficher de nobles sentiments contribuerait peut-être à lui assurer une paix qu'elle tentait de retrouver. Elle enchaîna la conversation sur ce qui obnubilait ses pensées.

— Ton fils, comment a-t-il réagi au drame d'Hélène?

— Il s'est emmuré dans le silence.

« Comme Bernard aurait fait, pensa-t-elle. Il ne m'a jamais parlé de ses problèmes.»

— Quel âge a-t-il?

— Dix-sept ans.

— Tu te souviens, tu m'avais dit que tu m'apporterais des photos de tes enfants? Tu les as?

— Non, j'ai oublié. La prochaine fois, je te le promets.

— Est-ce qu'ils te ressemblent?

— Hélène me ressemble, mais pas Luc. Maryse, sa mère, me disait qu'il ressemblait à son père quand il était jeune. Moi, je ne l'ai jamais connu jeune. Parle-moi de ton fils.

Comme elle aimait cet homme qui s'intéressait à Bernard. À qui voulait l'écouter, elle était maintenant prête à en parler à satiété sans déverser des flots de larmes.

— C'est drôle, ton fils me fait penser à Luc, avait-il ajouté, après la narration de certaines péripéties de sa vie.

Après le dessert, René fit bifurquer la conversation sur un sujet qui lui tenait à coeur.

— Carole, j'ai quelque chose de très important à te dire.

— Je t'écoute.

— Depuis que je t'ai vue, je ne pense qu'à toi. Depuis six ans, je vivais avec une femme. J'ai rompu mes relations avec elle. C'est avec toi que je veux vivre.

— C'est un peu vite, tu ne trouves pas? ajouta-t-elle souriante. Je te connais à peine.

— Tu as raison, mais je voudrais te voir le plus souvent possible.

Une séduction irrésistible émanait de lui. Ses yeux, brillant de désir, chargés de tendresse la convoitaient.

— Je regrette qu'on ne puisse aller ni chez toi ni chez moi. C'est trop tôt. Luc ne comprendrait pas. Je te désire, Carole.

— Tu vois, tu le dis toi-même que c'est trop tôt.

— Carole, on pourrait aller...

— Une autre fois, René. Il est déjà tard. Ma mère va peut-être s'inquiéter. Tu vois, avec ma mère, je suis redevenue une petite fille.

— Quand est-ce qu'on se revoit?

— Quand tu voudras.

— Je reviendrai demain.

— De Montréal?

— Si tu le désires.

À contrecoeur, ils se quittèrent le coeur léger, avec la promesse tacite de se retrouver totalement le lendemain. La route de la solitude semblait maintenant défiler derrière Carole. En chemin, elle revécut sa rencontre. Elle en analysa les moindres détails. Cet homme inspirait la force et, en même temps, une grande sensibilité se dégageait de tout son être. Elle n'avait jamais tant désiré un homme depuis le départ de Philippe, mais la sensation d'être désirée comme elle venait de l'être lui était familière. Certes, c'était flatteur, mais cela ne signifiait pas, pour elle, l'assurance d'être aimée. Comme elle aurait voulu croire totalement en son amour! Qui était cette femme avec qui il semblait converser affablement avant son arrivée? Pourquoi avait-il attendu à ce soir pour lui révéler sa situation matrimoniale? Était-elle vraiment la cause du départ de Nicole comme il l'avait prétendu? Luc était-il son fils? Elle s'ingénia à trouver comment elle pourrait confronter son ex-conjoint et Maryse, la mère de Luc, le temps d'observer leur réaction à leur insu. Perdue dans ses pensées, elle filait normalement sur un boulevard achalandé. Elle emprunta ensuite une route de campagne sombre et sinueuse. Tout à coup, elle regarda dans son rétroviseur et vit qu'une voiture la suivait de très près. Elle n'avait pas l'habitude de rouler rapidement et cela l'agaçait toujours d'avoir l'impression de retarder la circulation. Elle accéléra. La voiture augmenta aussi sa vitesse. Une terreur extrême s'empara d'elle. L'idée d'être prise en otage comme Hélène la glaça. Elle verrouilla sa portière. Elle tenta vainement de se calmer. Son imagination délirait. Elle atteindrait très bientôt un endroit où la route se faisait rectiligne. Elle voulut en avoir le coeur net. Elle ralentit graduellement pour donner la chance au conducteur de la dépasser. Non! La voiture restait là, menaçante, collée à elle comme une sangsue. Il ne lui restait qu'un espoir. Le poste d'essence à quelques kilomètres. Les mains crispées au volant, les jambes flageolantes, elle accéléra quelque peu. Le battement de ses artères martelait sa tête. Jamais un kilomètre ne lui avait paru si long! Elle devait laisser croire au poursuivant qu'elle était inconsciente du danger pour ne pas le forcer à attaquer avant qu'elle ne soit arrivée à la station-service. « Bernard, implora-t-elle, aide-moi! »

Enfin! L'enseigne au néon! Sa respiration reprit un rythme un peu plus normal. Elle devait agir naturellement. Avec ses clignotants, elle indiqua sa direction. En entrant dans le poste à la course, elle cria :

— Vite, appelez la police. Je suis suivie.

Le pompiste, ahuri, s'exécuta. La voiture dangereuse était stationnée sur l'accotement, ses phares en veilleuse. Au bout d'une dizaine de secondes, elle déguerpit, devinant probablement que sa proie l'avait flairée. Les policiers tardaient à arriver. Ils perdaient de précieuses minutes pour traquer le bandit! Surexcitée, Carole composa le numéro de René. Une voix masculine, ayant la même tonalité que celle de Bernard, répondit froidement :

— Mon père n'est pas là. Il sera de retour vendredi. Voulez-vous laisser un message?

— Non, merci, bredouilla-t-elle, surprise qu'il ne soit pas encore rentré.

Ainsi, son fils n'était pas au courant de sa venue à Québec. Ses peurs, latentes, resurgirent. Peur de poursuivre seule le trajet qui la menait chez elle, peur d'avoir gobé un simulacre de vérité, peur de l'hostilité du fils et de la fille de René. Aux questions du pompiste, elle répondait laconiquement, d'un air absent. Après une attente d'une dizaine de minutes qui lui parurent interminables, la voiture de la police arriva. Deux jeunes policiers, calmes, aux allures désinvoltes, en descendirent.

— Qu'est-ce qui se passe? demanda le premier.

— Madame a été suivie, répondit le pompiste.

— Madame, voulez-vous nous raconter ce qui est arrivé?

Carole raconta avec vivacité la filature dont elle avait été l'objet.

— Description de la voiture? Du conducteur?

Carole resta bouche bée.

— Votre nom?

Carole déclina son nom, son adresse.... Et pendant qu'un assassin filait, un des deux policiers remplissait de la paperasse. Carole leur en fit la remarque.

— Madame, voulez-vous nous montrer comment faire notre travail?

— Non, mais...

— Avez-vous de bonnes raisons, chère madame, de croire que quelqu'un vous en veut?

Qu'est-ce qui se cachait derrière ce ton condescendant? Elle eut l'impression qu'ils ne la prenaient pas au sérieux. Elle hésita une fraction de seconde. Non, elle n'allait pas impliquer René dans cette affaire. Ces deux jeunes ne lui inspiraient pas confiance. Ils avaient l'air désabusé.

— Auriez-vous l'obligeance de me suivre jusque chez moi? C'est à quinze minutes d'ici.

D'un signe de tête, ils acquiescèrent.

De retour chez elle, elle verrouilla toutes les portes, se glissa dans un bain chaud et apaisant. Au moment où elle en ressortait, la sonnerie du téléphone la fit sursauter. Une voix feutrée lui dit : « Dis à ton gars qui arrête ses recherches parce que tu vas y goûter. Dis-lui aussi que j'vas avoir sa peau. », et il raccrocha. Elle s'assura que sa mère n'avait pas été réveillée et, sans hésiter une seconde, composa le numéro de René. Une sonnerie... deux...trois...quatre... « Il est très tard, je le sais... réponds. », ordonna-t-elle mentalement.

— Allô! dit la voix ensommeillée.

— C'est très urgent. Je veux parler à monsieur René Martin.

— Il est à Montréal.

— Est-ce que je peux avoir son numéro de téléphone?

— Non. Il vient de changer de numéro et je ne l'ai pas.

Son père lui avait formellement interdit de le révéler à quiconque.

— C'est extrêmement important. Faites-lui le message que j'ai été suivie par l'agresseur de sa fille, que j'ai reçu des menaces et que sa vie est en danger.

— Votre nom?

— Carole.

— Il sait où vous joindre?

— Oui. Merci.

Luc réveilla Charles à Montréal qui lui apprit que son père était descendu à Québec et qu'il devait probablement être en route pour Montréal. Il lui raconta l'étrange téléphone qu'il venait de recevoir et Charles le rassura en lui promettant de s'en occuper sur-le-champ. Charles ne connaissait rien de Carole, sauf son prénom. Il rejoignit René sur son cellulaire.

— Luc vient de m'appeler. Il a reçu un téléphone de Carole. Elle a été suivie, menacée d'agression. Le gars lui a dit au téléphone qu'il aurait ta peau. Notre homme est donc à Québec.

— Je retourne à Québec. Viens me trouver demain matin chez moi.

— D'accord, je serai là à neuf heures.

René téléphona à la centrale de police de Québec et demanda qu'on exerce une surveillance devant la maison de Carole. Il téléphona ensuite à Carole.

— Carole, c'est René. Ne sois pas surprise si tu vois arriver une voiture devant chez toi. J'ai donné des ordres pour que tu sois protégée.

— Où es-tu?

— J'étais rendu à Trois-Rivières quand j'ai reçu ton message. Je retourne à Québec. Raconte-moi ce qui s'est passé.

— J'ai tellement eu peur, si tu savais...

Comme il était peiné qu'à cause de lui, elle ait eu à vivre cette panique et à craindre ces menaces. Il pensa à Hélène et ragea intérieurement. Cet homme avait sûrement des complices chez les policiers puisqu'il avait mis en branle l'opération ratissage au cours de l'après-midi seulement. Il avait été suivi, puisque c'était la première fois qu'il rencontrait Carole dans un endroit public depuis l'agression d'Hélène.

— Carole, je suis chez toi dans quatre-vingt-dix minutes.

— Ce n'est pas nécessaire, René. Je ne voudrais pas réveiller toute la maisonnée. D'ailleurs, je vois une voiture qui arrive.

— D'accord. Tu peux dormir en paix. À quelle heure pars-tu travailler demain?

— Demain, je reste ici, je corrige des examens.

— À quelle heure veux-tu que j'y aille? Je voudrais mettre ta ligne sous écoute.

Carole hésita. Elle se demanda comment elle expliquerait cette intrusion à sa mère.

— Crois-tu vraiment que ce soit nécessaire? J'ai peur d'annoncer cela à maman.

— Tu pourrais simplement dire que la compagnie de téléphone vient t'installer un nouvel appareil. L'appareil, c'est juste pour la forme. On aura la provenance de l'appel au poste.

— Tu crois qu'elle gobera cela?

— Sûrement! C'est d'ailleurs ce qu'on va faire. On va installer un afficheur.

— Et si elle reçoit un message comme celui de ce soir?

— Tu diras que c'est pour dissuader certains élèves de jouer des tours au téléphone. Il faut mettre toutes les chances de notre bord. Carole, c'est très important si tu veux qu'on l'attrape. Il va peut-être récidiver. Je suis tellement désolé que tu sois impliquée là-dedans. Si j'avais su...

— C'est d'accord. Vers dix heures, ça te va?

— J'emprunterai un camion de Bell.

— À demain.

Il lui répugnait au plus haut point d'être l'instigatrice d'un tissu de mensonges, mais c'était le prix à payer pour assurer la quiétude de sa mère et donner une chance à René d'attraper l'agresseur.

Le lendemain, quand le camion arriva, elle en expliqua la raison à sa mère. René demanda à Carole d'effectuer une vérification courante avant d'installer le nouvel appareil. Mme Alain lui dit :

— Vous tombez à point, monsieur. J'aimerais justement que vous m'installiez un téléphone dans ma chambre et dans la salle de musique.

— Nous en prenons bonne note, madame, mais c'est une autre équipe qui viendra effectuer le travail.

Lorsque Mme Alain se retira, René entoura Carole de ses bras comme pour la protéger. Il était bon, ce geste de tendresse spontané dont elle avait un urgent besoin et qu'elle n'aurait jamais eu l'audace ou la simplicité de mendier. Il lui chuchota :

— Ne t'inquiète pas. Il y aura quelqu'un jour et nuit pour te protéger. Si tu reçois un autre appel, essaie de le tenir au bout du fil le plus longtemps possible. Je suis désolé d'avoir à t'imposer ça.

— Si ça peut contribuer à le prendre...

— Viens dehors, j'aurais des choses à te demander.

Il fut déçu d'apprendre qu'aucun indice ne lui permettait de connaître la marque du véhicule ni quelque caractéristique que ce soit de l'homme.

— On se voit ce soir? supplia-t-il. Je pourrais venir te chercher à l'heure qui te convient.

— À vingt et une heures, ça te va?

— Très bien.

De retour à la maison, sa mère lui annonça qu'elle attendait la venue de Mme Lucie Bolduc. Mme Alain avait une confiance sans bornes en sa décoratrice. À l'époque où elle était tenancière de l'un des plus luxueux hôtels de la capitale, elle avait eu recours à ses services et la renommée dont Lucie avait joui par la suite n'avait d'égale que les cachets exorbitants qu'elle demandait depuis. Toujours active, elle avait répondu à l'appel de la mère de Carole avec empressement. N'était-ce pas grâce à elle que sa carrière avait pris un essor considérable?

Carole appréhendait sa visite. Elle avait la désagréable sensation que son décor, qu'elle n'avait pas rafraîchi depuis des années, serait scruté à la loupe et elle était assurée que la spécialiste porterait un jugement défavorable sur son goût qui ne correspondait sûrement plus aux critères de la mode actuelle en décoration. Lorsqu'elle se pointa en après-midi, Carole demeura au sous-sol, affairée à ses corrections, mais attentive aux réactions de la décoratrice.

— Madame Alain, quel bonheur de vous revoir! Comment allez-vous?

— Très bien, Lucie. J'ai besoin de vos services pour refaire ma chambre. Je demeure chez ma fille et les tapis m'occasionnent beaucoup de difficulté pour circuler aisément avec ma chaise.

— Ça va me faire extrêmement plaisir de travailler pour vous. C'est vous qui m'avez donné ma chance, Madame Alain. Vous vous en rappelez? Je ne l'ai pas oublié.

— Bien sûr. Vous vous souvenez que des journalistes étaient venus prendre des photos et qu'ils avaient fait un reportage? Ils avaient vanté la magnificence du décor dans leur article,

— Oui, c'est bien le terme qu'ils avaient utilisé. Il faut dire que vous n'aviez pas lésiné sur le mobilier. Je m'en souviens comme si c'était hier. Des chiffonniers Régence, élégants, gracieux, les moelleuses moquettes vert céladon, la frise de papier peint sur les murs...

— Venez voir ma chambre, Lucie.

— C'est une grande pièce! Abondamment éclairée! Au sud-ouest, si je ne me trompe? Je vais dans ma voiture. Je suis à vous dans une minute.

Elle revint les bras chargés d'échantillons de tissus, de papier peint, de catalogues de meubles qu'elle étala sur le lit. À main levée, elle esquissa un croquis de la pièce en tenant compte de la disposition idéale des principaux meubles.

— Que pensez-vous de ce mobilier de bois laqué bleu cobalt? C'est le summum du chic. J'y verrais un plancher de lattes de chêne teinté blanc.

Elle choisit une literie où le blanc faisait ressortir de minuscules coquelicots violacés.

— Carole, viens voir.

— Oui, maman.

— Qu'est-ce que tu en penses?

— C'est très joli!

— Si on laissait Lucie refaire toute la décoration?

— Maman, tu sais bien que je ne peux pas me le permettre.

— Ne t'occupe pas de ça. Ça te ferait du bien de changer de décor.

— Nous allons en discuter, maman.

— Madame Alain, on pourrait regarder d'autres possibilités pour votre chambre. Regardez, j'ai décoré cette chambre pour la revue Atmosphère.

— C'est magnifique, Lucie! Je vous fais totalement confiance. Toutefois, la première suggestion me plaisait bien.

— Quand serez-vous disposée à ce qu'on commence les travaux?

— Quand vous voudrez, Lucie.

— Demain, les ouvriers commenceront.

— En attendant, maman, tu t'installeras dans ma chambre. Moi, je serai très bien au sous-sol.

— J'apprécierais, Lucie, que ça ne traîne pas.

— Dans une semaine, tout sera terminé. Je vous le promets.

Après le départ de Mme Bolduc, sa mère lui demanda :

— Alors Carole, qu'est-ce que tu en dis?

— Maman, tu ne lui as même pas demandé quel prix elle allait te faire!

— Carole, tu sais très bien que ça n'a pas d'importance pour moi. De plus, Lucie me doit sa carrière. Alors, on rénove tout?

— Je suis d'accord pour les tapis. Ce sera plus facile pour toi. Pour le reste, c'est difficile pour moi, tu comprends? Toutes ces choses que Bernard aimait... tous ces meubles me le rappellent.

— Carole, penses-tu que Bernard t'interdirait de le faire?

— Tu sais bien que non.

— Alors?

— J'aurais l'impression de vouloir le bannir de mes pensées... de tout faire pour l'oublier.

— C'est ridicule, Carole!

— C'est tout ce qu'il me reste de lui, maman. Tu comprends?

Les sanglots dans la voix, elle se mit à genoux et caressa la moquette.

— Ici, il a fait ses premiers pas. Je le revois, les bras ballants, l'air confiant. Sur cette table, il a passé des heures à bûcher sur des problèmes de mathématiques pendant que moi, je corrigeais. Il voulait toujours être où j'étais.

Pour la première fois de sa vie de femme, Carole exprimait à sa mère ses sentiments profonds. Une larme roula dans les yeux de sa mère.

Des larmes inondaient les siens. Mme Alain avança péniblement sa chaise roulante, lui prit gauchement la main avec celle qui pouvait encore se mouvoir, la caressa comme on le fait avec un chaton, la serra, incapable de prononcer un mot, les yeux rivés au sol. Leur âme s'était enfin rejointe. La fille avait donné à la mère le plus beau des cadeaux : sa confiance. La confiance qu'elle comprendrait les raisons de ses réticences à tout chambarder dans la maison de Philippe et Bernard. Et parce qu'elle avait compris et qu'elle lui avait enfin manifesté son amour, peu lui importait maintenant tout le reste. Elle était maintenant prête à tout donner, à tout accepter pour ce cadeau inestimable qu'elle venait de recevoir. Sa soif d'amour qu'elle croyait inextinguible était momentanément assouvie. Oui, Bernard comprenait...

— Je comprends, Carole. Pardonne-moi.

— Pardonne-moi, maman, de n'avoir pas vraiment partagé ta peine quand toi, tu as perdu tous tes souvenirs précieux dans le feu. Je n'avais pas compris à quel point ça peut faire mal au coeur.

Carole aurait voulu se faire toute petite, s'asseoir sur les genoux de sa mère et se laisser consoler dans ses bras. Elle entoura sa taille, posa sa tête sur ses cuisses délicates et se laissa caresser les cheveux, puis dans un élan de tendresse, elle se leva et gauchement, posa sa tête au creux de son épaule comme si elle voulait éterniser ce moment unique et en savourer la douceur.

— On laisse tomber les rénovations, Carole. Ça n'a pas d'importance.

— Au contraire, maman. On change tout. Tu as raison, Bernard n'exigerait pas cela de moi. Oui, tu as raison, tout ça a besoin d'être rafraîchi. Mais je veux faire ma part.

— Carole, j'ai une fortune que je n'arriverai jamais à dépenser. C'est pour toi et ton frère. Tu m'as fait le plus grand des plaisirs : me permettre de rester avec toi, me permettre de donner des cours à Gabriel. Grâce à toi, ma vie prend un sens. Ne t'occupe pas de ce que ça peut coûter. C'est toi qui choisiras tout. Je veux que ce soit à ton goût.

— D'accord, maman. Je fais confiance à ta décoratrice.

L'arrivée inopinée de Gabriel mit fin aux élans de tendresse. La mère de Carole composa alors son visage sérieux de professeure et ordonna à son élève de faire sa gamme de do majeur pendant que Carole descendit au sous-sol, le coeur léger. Elle rêva du jour où elle trouverait en sa mère une amie à qui elle pouvait tout dire. Il lui sembla que l'aube venait de poindre. Elle désirait plus que tout s'ouvrir à elle, mais qu'est-ce qui l'en empêchait? Pourquoi avait-elle menti au sujet de René? Voulait-elle vraiment la protéger, ne pas l'inquiéter ou avait-elle peur d'encourir ses reproches? Des souvenirs troubles, logés dans un coin de sa mémoire, se réveillèrent. Comme sa mère l'avait accablée d'injures le soir où elle l'avait surprise embrassant fougueusement son premier amoureux! Et la première fois qu'elle avait goûté à l'alcool! Son amie Solange l'avait reconduite à la maison, malade et blême. Sa mère, habituellement absente, s'était levée et avait déchaîné une violente tempête. Elle fulminait et avait invectivé contre Solange des insultes immondes. Son coeur, buriné par l'ampleur qu'avaient prise ses quelques frasques d'adolescente, en portait encore des marques indélébiles.

Pourquoi fallait-il que chaque fois qu'un événement heureux survenait dans sa vie, sa mémoire lui rappelait sans cesse des souvenirs tristes? Elle n'arrivait pas à liquider les amertumes de son passé, comme si elle était allergique au bonheur. Comment arriverait-elle à contrôler ses pensées? Oublier le passé, ne pas s'inquiéter de l'avenir, vivre le moment présent, elle savait pourtant que la solution résidait là. Elle se concentra donc sur ses corrections, mais des images d'agresseur, d'amour à la sauvette dans des chambres d'hôtel comme n'importe quelle prostituée peut le faire, défilèrent à intervalles réguliers dans son esprit tiraillé, nullement intéressé par un travail qui l'ennuyait. Elle pensa soudain que le désordre qu'occasionnerait la décoration de sa maison refléterait fidèlement l'incohérence de ses pensées. Son angoisse déclencha une arythmie inquiétante. Elle s'étendit sur le divan et prit de grandes respirations pour tenter de régulariser son rythme cardiaque. Des secondes interminables pendant lesquelles le spectre de la mort l'effleura. Elle demeura étendue, figée, commandant la détente à toutes les fibres de son corps et, comme par magie, ses membres s'alourdirent, son bassin se décrispa et il lui sembla que tous ses muscles dorsaux se cimentaient aux points d'appui du divan. Elle ressentit un bien-être enivrant. La grande faucheuse s'était éclipsée. L'image de Bernard l'avait supplantée. Son fils, le visage radieux, pagayait sur un lac immobile et la pointe de son canot qui fendait l'onde aurait dû former des vaguelettes, mais le mouvement demeurait imperceptible. Cette vision l'apaisa davantage et les battements de son coeur se firent inaudibles. Son fils semblait lui dire : « Vois comme je suis heureux! » Elle se surprit tout à coup audessus de lui, comme libérée d'un carcan, envahie d'une paix indescriptible. Son bonheur était le sien, leur bien-être se fusionnait, sa paix l'envahit comme si l'amour qu'ils avaient l'un pour l'autre avait atteint son point culminant dans cette communication non verbale que nul mot ne saurait décrire. Au moment où elle désira l'approcher, son esprit réintégra son corps étendu sur le divan.

Son enveloppe charnelle, contraignante, l'avait subitement privée de la sensation de liberté totale dont elle avait joui. Une impression de serrement l'avait enveloppée comme lorsqu'on revêt un vêtement trop petit. Suivit un profond regret que la fascinante expérience soit déjà terminée. Oui, elle en était dorénavant convaincue. Bernard était heureux! Son désir de partager cette conviction devint pressant. Elle aurait voulu le crier sur tous les toits et ainsi attester la véracité de ces paroles maintes fois entendues : « Ne pleurez plus les êtres chers qui sont partis! Ils ne sont pas morts! La mort, c'est un nouveau départ et non une fin. » Les paroles de son ami, l'abbé Albert Matte, qu'elle avait reléguées au fond de sa mémoire émergèrent : « Carole, tu ne pleures que sur toi-même », s'avérèrent crédibles à ses yeux. Quelle chance elle avait d'avoir pu vivre de nouveau une telle expérience! Si son âme, libérée de son corps, pouvait irradier cette paix, elle n'avait plus peur de la mort... Elle rêva de pouvoir réaliser ces expériences de décorporation à volonté. Elle rêva de rester là, près de Bernard, dans cet état de béatitude. C'était la troisième fois que cela se produisait et toujours, une constante se dégageait : cela arrivait dans des moments où son corps était détendu complètement. Elle formula mentalement les mots qui avaient la puissance de détendre toutes ses fibres musculaires et nerveuses. Elle ressentit de nouveau une agréable sensation de relâchement.

Elle n'entendit pas le cri de sa mère qui s'était confondu dans un extrait de La flûte enchantée de Mozart. Mme Alain diminua l'intensité de volume du système de son et réitéra son appel déchirant. Carole se leva à contrecoeur, affolée et inquiète de savoir ce qui avait déclenché ce cri de détresse. D'une enjambée, elle escalada deux marches, piqua du nez et s'abattit dans l'escalier. Son esclandre avait causé un violent choc à son tibia. Elle se releva péniblement et alla rejoindre sa mère, surexcitée.

— Que se passe-t-il?

— Carole, il y a un fou au téléphone qui veut te parler. Il menace de te tuer.

Vite, elle devait noter l'origine de l'appel pour que sa mère croie le mensonge qu'elle allait lui raconter et s'entretenir avec lui le plus longtemps possible. Elle devait aussi se composer une attitude détachée, un visage imperturbable. Lorsqu'elle prit le combiné, son interlocuteur avait déjà raccroché. La mère de Carole, sidérée, le visage crispé, le regard interrogateur, la voix chevrotante articula difficilement :

— Carole, appelle la police.

— Calme-toi, maman. Ce n'est rien. Un autre professeur a reçu le même appel il y a deux jours. On prétend que ce sont des jeunes de l'école qui ont été expulsés la semaine dernière parce qu'ils vendaient de la drogue.

— Carole, ce n'était pas une voix de jeune.

— C'est facile pour eux de changer leur voix. Si ça se reproduit, veux-tu noter le numéro?

— Carole, il a parlé d'un... René.

— C'est le nom du professeur qui les a pris.

— Carole, tu devrais appeler la police.

— Notre directeur l'a déjà fait.

Pour la sécuriser, elle composa devant elle un numéro au hasard et inventa un dialogue avec son directeur. Elle donna le temps à son interlocuteur fantôme de bien noter la provenance de l'appel. Sa feinte sembla crédible aux yeux de sa mère.

— Carole, on devrait changer de numéro de téléphone!

— Ce n'est pas nécessaire parce que le directeur va tout de suite communiquer à la police le numéro et ils vont s'en occuper.

— Et s'il téléphonait d'un endroit public?

— S'il recommence, on change de numéro, je te le promets.

— Je ne comprends pas, Carole, que tu restes si calme devant une situation pareille!

— Maman, ça fait vingt ans que j'enseigne! J'en ai déjà reçu, des téléphones comme ça. Tous les professeurs en ont déjà reçu. Je me souviens même d'en avoir fait quand j'avais leur âge.

— Carole! s'exclama sa mère sur un ton réprobateur.

— C'était du genre : « Avez-vous des bonbons mêlés? — Oui. Démêlez-les. » À la boucherie de monsieur Cantin, j'avais demandé : « Avez-vous des pattes de cochon? » « Oui, madame », a-t-il dit. « Ça doit marcher mal! »

Sa mère demeura imperturbable, tandis que la nervosité retenue de Carole s'exprima dans un éclat de rire.

— Ce n'était pas du tout le même genre de tour!

— La société a changé, maman. Les jeunes ont tellement vu de violence à la télé! Je retourne à mes corrections. Je veux terminer un groupe avant ce soir parce que je sors. J'ai reçu une invitation hier pour aller au cinéma.

— Ah?

Son ah! voulait dire : « Avec qui? », elle le sentit bien.

— Il s'appelle René Martin. Tu le connais, maman. C'est lui qui est venu hier installer l'appareil téléphonique.

— C'est le nom que j'ai entendu au téléphone. Tu m'as dit que c'était le nom d'un professeur.

— Il n'y a pas juste un chien qui s'appelle Fido!

— Tu le connaissais, ce René qui est venu pour le téléphone?

— Oui, je l'ai déjà rencontré à mes cours d'ornithologie.

Carole pensa à un joyeux luron qui assistait au même cours qu'elle et qui les amusait avec ses boutades sur les oiseaux.

— Qu'est-ce qui te fait sourire?

— Il est drôle, maman. Quand il est parti, il m'a dit qu'il était aux oiseaux. Avant, il avait suggéré qu'on aille manger des crêpes bretonnes après le film. Il a dit : « J'espère que t'as un appétit d'oiseau. »

— J'espère, moi, que ce n'est pas une cervelle d'oiseau! ajouta sa mère.

Un concert de rire éclata.

Lorsque le carillon sonna à vingt heures, Mme Alain le fit entrer et cria à Carole :

— Carole, ton oiseau de malheur est arrivé. Vous tombez à pic, monsieur.

« Mon Dieu! Comment va-t-il réagir? » s'inquiéta Carole. René figea. Mme Alain, fière d'elle, s'attendait à le voir sourire. Non, il restait de glace, interdit. René pensa que Carole avait dû tout raconter à sa mère et celle-ci avait sûrement tenté de la dissuader de le rencontrer.

— René, tu as perdu ton sens de l'humour? J'ai raconté à maman que lorsqu'on suivait des cours d'ornithologie ensemble, tu passais ton temps à faire des farces sur les oiseaux.

Son visage s'illumina.

— Les oiseaux volent bas, Madame Alain.

— Erreur, reprit Carole. Les couteaux volent bas. Tu perds la main, René. Il faudrait que tu reprennes tes cours.

— Si je ne veux pas perdre des plumes, tu veux dire?

Un sourire de connivence les lia. Carole fut transportée d'admiration pour cet homme qui l'avait sortie si brillamment du pétrin. De plus, les yeux de sa mère lui révélèrent qu'en quelques instants, il avait déjà fait sa conquête.

— Amusez-vous bien, leur dit-elle.

En route, il lui demanda :

— Tu as vraiment suivi des cours d'ornithologie?

— Bien sûr!

— Le farceur sur les oiseaux, il existe vraiment?

— Oui. Au début, le professeur trouvait ses réflexions comiques, mais après quelques cours, il l'a apostrophé. Il lui a dit : « Si tu continues, tu vas planer! » Sais-tu ce qu'il lui a répondu?

— Non.

— C'est du chantage pour me mettre en cage?

— Et ensuite?

— L'oiseau s'est envolé! Le professeur, enragé, lui a signifié de sortir. Nous autres, on n'a pas pu s'empêcher de rire comme des fous.

Leur sourire en disait long sur le plaisir qu'ils avaient à être ensemble.

— Alors, demanda René, où va-t-on s'nicher?

— Si tu continues, tu vas planer toi aussi, fit-elle moqueuse. J'aimerais aller dans un endroit tranquille où on peut parler sans crier à tue-tête.

— Ah! Je connais un endroit que tu vas aimer. Laisse-moi faire.

Il emprunta un boulevard qui allait les mener, dit-il, à l'hôtel le plus huppé de la ville. Carole appréhenda, d'après l'itinéraire, qu'il s'agisse de l'hôtel qui avait appartenu à ses parents. Sa crainte était fondée. Trop de souvenirs malheureux, logés dans sa mémoire, soulevèrent un cri de désapprobation. Combien de fois avait-elle pesté contre ce maudit hôtel et ses clients qui lui avaient ravi ses parents durant toute son enfance et son adolescence? Elle se rappela le soir où, écumant de rage, elle avait reproché à sa mère ses nombreuses absences qu'elle prenait chaque fois pour un abandon et ses cris d'amour n'avaient suscité qu'une réaction de défense. Sa mère l'avait accusée d'une sensibilité outrée et déplacée. Son coeur d'enfant, trop fermé, ne connaissait pas la façon d'exprimer son amour. Elle s'était encore une fois refermée comme une huître. Elle était allée chercher dans sa garde-robe son vieil ourson en peluche désarticulé à qui elle avait fait subir le même sort l'année précédente en l'abandonnant à sa solitude. Il avait servi d'exutoire par où épancher sa peine.

— Tu n'aimes pas cet hôtel?

— J'ai trop de mauvais souvenirs. Cet hôtel appartenait à mes parents et j'ai beaucoup souffert de leur absence.

— Y a-t-il un endroit où tu aimerais aller?

— N'importe où sauf ici.

À peine un kilomètre plus loin, il ralentit devant l'enseigne d'une auberge d'apparence rustique, très jolie. Ils s'assirent à l'écart d'un groupe de clients. En sourdine, une musique instrumentale faisait entendre un solo de saxophone. Carole aimait cet instrument parce que les sons qu'il émettait évoquaient pour elle une très grande sensualité.

— Comment va ton enquête? demanda-t-elle.

— La personne qui a tué Linda, jeudi soir, à vingt-deux heures et quinze minutes à Montréal, est la même qui a séquestré Hélène, jeudi soir, à la même heure à Québec.

— Explique-toi! Personne ne peut être omniprésent!

— Charles et moi, nous sommes allés dans l'appartement de Linda immédiatement après le meurtre. On a trouvé deux cheveux d'un blond moyen à l'emplacement du corps. Sur les jeans d'Hélène, on a aussi trouvé un cheveu brun. Au laboratoire, après une première analyse, on pense qu'ils proviennent de la même personne, sauf que les blonds sont teints.

— Comment est-ce possible?

— On formule deux hypothèses. La première, très farfelue, je l'admets, suppose que les deux individus, de connivence, ont délibérément laissé des cheveux.

— Pourquoi?

— Brouiller les pistes, emmerder les enquêteurs ou simplement incriminer quelqu'un d'autre.

— C'est invraisemblable!

— Peut-être, mais possible. Il faut envisager toutes les possibilités.

— Et la deuxième hypothèse?

— Il s'agit tout simplement de deux jumeaux identiques. Ils ont le même code génétique. Les tests d'ADN ne mentent pas. D'après les chimistes, 99,57% des personnes sont exclues. Autrement dit, si on prend 150 millions de personnes, chacune porte un code génétique différent.

— La dernière hypothèse me semble plus plausible.

— Oui, à moi aussi. Charles et moi, on a vu l'assassin de Linda et il ressemble beaucoup à la description qu'en a faite Hélène pour constituer le portrait-robot, sauf la couleur et la coupe de ses cheveux et sa barbe.

— Qu'allez-vous faire maintenant?

— Demain, dans tous les quotidiens, on publie le portrait-robot. On va aussi diffuser sur toutes les chaînes de télé.

— Allez-vous dire qu'il s'agit d'un jumeau identique?

— Non, parce que d'abord, nous ne sommes pas sûrs et ensuite, si une personne croit le reconnaître et sait qu'il n'est pas jumeau, elle va omettre de nous le signaler.

— Quelles sont les chances de réussite?

— Excellentes! Généralement, les informations affluent à la tonne.

— As-tu déjà épinglé des jumeaux?

— Non, sauf que je pourrais bien avoir fait séquestrer un père ou un frère de jumeaux. On fait des recherches là-dessus actuellement.

— Tu me donneras des nouvelles?

— Oui, bien sûr.

— Les enfants vont bien?

— Oui, j'ai téléphoné à Hélène hier et Maryse veut la garder une autre semaine. Hélène semble d'accord. Elle la ramènera donc à Québec dans... neuf jours.

— Et toi, es-tu d'accord? Tu comptes les jours, ça va te paraître long.

— D'un côté, ça m'arrange. Je suis plus libre pour mener l'enquête et je sais qu'elle est en sécurité chez Maryse. Par contre, elle avait rendez-vous avec sa psychiatre. Je l'ai rejointe hier et elle a communiqué avec une consoeur de Trois-Rivières qui est habituée à traiter ce genre de cas. Elle doit la voir en priorité aujourd'hui. Ça m'a rassuré.

— Et Luc?

— Je ne l'ai pas beaucoup vu ces jours-ci. Il travaille le soir, tu vois. Ah! Tu m'avais demandé des photos? J'y ai pensé cette fois-ci.

Il sortit de son portefeuille les deux photos qui y étaient rangées. Carole observa d'abord une très jolie adolescente dont certains traits, le haut du visage particulièrement, ressemblaient à son père. Elle saisit rapidement la deuxième qui lui confirma la ressemblance inouïe avec Bernard, ressemblance qui l'avait tant stupéfaite la fois où elle l'avait vu tondre la pelouse. Paralysée, aucun son ne sortit de sa bouche. Elle pensa qu'elle avait dans son sac à main la photo de Bernard prise en buste comme celle de Luc et celle de Philippe au même âge. La similitude des traits était frappante. Elle tut les doutes qui la harcelaient. Elle n'infligerait pas de telles souffrances à René. Il adorait ses enfants.

— Carole, qu'est-ce qui se passe? On dirait que tu as vu un fantôme!

— Euh... Je pensais à Bernard. Tu as des enfants superbes! J'aimerais les connaître

— Quand tu voudras...

— Plus tard, si tu veux. Tu me disais qu'ils étaient très attachés à Nicole. Comme elle vient de partir, je trouve que c'est trop tôt. Ils me verraient comme la cause de cette rupture.

— Oui, tu as sûrement raison. Je ne voudrais surtout pas qu'ils te perçoivent comme ça. De toute façon, les enfants savent que ça n'allait plus tellement bien entre Nicole et moi. Carole, depuis que je t'ai vue, je n'ai cessé de penser à toi.

— Parle-moi de la mère de tes enfants.

— Je préférerais qu'on parle de nous.

Carole avait besoin de connaître la nature des relations de René et Maryse au début de leur mariage, lors de la conception de Luc, mais elle ne savait pas comment aborder la question pour susciter les confidences qui pourraient corroborer ses soupçons.

— J'aimerais te connaître davantage. As-tu fait des études ici?

— Oui, j'ai étudié à Laval en droit. J'ai passé mes examens du Barreau et je suis allé m'inscrire à la Sûreté du Québec le lendemain.

— Qu'est-ce que tu n'aimais pas en droit?

— J'ai fait un stage dans un bureau spécialisé dans les règlements des griefs de conventions collectives. C'était ennuyeux à mourir! De neuf à cinq, assis à un bureau à analyser des dossiers.

— Où as-tu rencontré Maryse?

— Elle était avocate dans le même bureau. C'est toujours à elle qu'on confiait les dossiers des gens de l'air. Moi, des enseignants.

Une lueur alluma le regard de Carole. Philippe aurait pu la connaître même s'il était pilote dans les forces armées à l'époque.

— Maryse était d'accord avec ton changement d'orientation?

— Non, pas tellement! Surtout qu'au début de notre mariage, j'ai fait des stages à l'extérieur. À Montréal surtout... puis j'étais passionné par mon travail. Si Maryse n'avait pas été enceinte de Luc, je crois qu'on se serait laissés à ce moment-là. Ensuite, Hélène est arrivée. Je travaillais à Montréal et je descendais les fins de semaine.

L'enchaînement logique des faits s'imbriquait dans sa tête comme les pièces d'un puzzle, mais le morceau qui pouvait dissiper tous ses doutes manquait encore. Confronter Philippe et Maryse, épier un regard susceptible de trahir une connivence, voilà le but qu'elle s'était fixé. Faire venir Philippe de Paris ou d'Atlanta serait probablement facile; elle voulait justement lui remettre quelques souvenirs de Bernard et la moitié des indemnités des compagnies d'assurance. Si elle avait la collaboration de René pour inviter Maryse à souper, elle pourrait convier Philippe au même restaurant, mais...

— Carole, à quoi penses-tu?

— J'étais en train de penser que j'avais vécu le même situation avec Philippe. J'aurais aimé donner une petite soeur à Bernard, mais notre mariage battait déjà de l'aile à sa naissance. Philippe était pilote dans les Forces armées et on se voyait juste les fins de semaine comme toi avec Maryse. Puis il a espacé ses visites et finalement, il a accepté une offre de la compagnie Delta à Atlanta.

— Je ne voulais pas remuer ces souvenirs, Carole.

— Je sais.

— Si tu veux, peut-être pourrions-nous former une vraie famille avec Luc et Hélène?

— Ça me paraît prématuré.

— Oui, je sais, mais je t'aime tellement Carole. Tu fais partie de mes rêves d'avenir.

— C'est drôle la vie... J'ai perdu mon fils unique et je viens de retrouver ma mère. Si tu voyais comme elle est heureuse! Jamais je ne pourrais l'abandonner.

Comme elle aurait voulu s'abriter derrière sa forteresse! Il inspirait une telle force et une telle confiance! Comme il serait bon de s'abandonner complètement, de livrer tous ses secrets, toutes ses angoisses comme elle le faisait avec Bernard dans ses monologues intérieurs. Elle s'était tellement reproché de ne pas l'avoir fait avant sa mort. Pourquoi se sentait-elle si seule, entourée de tant de gens qui l'aimaient? Elle avait érigé un mur autour d'elle et ne permettait à personne de le franchir. Elle avait tellement peur d'être jugée, de ne pas être aimée. Et pourtant, qu'ils avaient été bons ces moments de tendresse avec sa mère lorsqu'elle lui avait confié sa peine de la voir tout chambarder dans la maison. Elle l'avait comprise et les liens qui les unissaient maintenant étaient très forts. Au risque de voir tous ses rêves s'effondrer, elle décida de lui accorder sa confiance et brisa le mur.

— Carole, à quoi penses-tu?

— René, je suis obsédé par une idée...

— De quoi s'agit-il?

— J'ai peur de te faire de la peine. Je ne suis pas sûre d'avoir raison, mais j'ai besoin de savoir à tout prix.

— Dis-le, tu m'intrigues beaucoup.

Carole sortit de son sac deux photos et les lui présenta. Les yeux de René se dessillèrent, ses pupilles se dilatèrent. Il sortit la photo de Luc et la plaça à côté des deux autres sur la table.

— C'est une coïncidence, dit-il d'un ton grave et ferme qui n'admettait aucune réplique.

Carole avait l'impression de marcher sur des oeufs. Allait-elle solliciter sa collaboration pour découvrir la vérité? Une vérité qu'il ne voulait pas entendre... ou allait-elle simplement se contenter d'admettre qu'effectivement la ressemblance était due au hasard?

— Je veux savoir si Luc est le demi-frère de Bernard.

— Je comprends tes questions sur Maryse maintenant. Tu veux savoir quoi, Carole? Si ton mari t'a trompée? As-tu pensé à l'opinion que Luc va se faire de sa mère si c'était vrai? Pourquoi Carole? Pourquoi éclabousser Maryse et faire de la peine à Luc?

— Je n'ai pas du tout l'intention d'en parler ni à Maryse ni à Luc. Je n'ai pas besoin de savoir si Philippe m'a trompée, je le sais depuis longtemps. J'ai besoin de savoir parce que Bernard me manque. J'aimerais le toucher, le serrer dans mes bras, lui parler. Si Luc est le demi-frère de Bernard, j'aimerais l'aimer comme une mère peut aimer son fils, dit-elle la voix cassée. J'aimerais lui parler vraiment comme je n'ai pas su le faire avec Bernard, ajouta-t-elle les yeux embués.

René lui prit la main et la serra tendrement.

— Je comprends, Carole. Si tu me promets de ne jamais en parler à Luc et à Maryse...

— Je te le promets.

— Comment faire?

— Quand Maryse ramènera Hélène, tu l'invites au restaurant. Moi, je fais venir Philippe et on va souper au même restaurant. On va simplement les confronter pour voir s'ils se connaissent. Leur visage va sûrement les trahir.

— Et tu penses que ça va constituer une preuve irréfutable?

— Pour moi, oui.

— Si tu te contentes de ça, j'accepte. Tu peux faire des démarches pour que ton mari vienne. Après, j'inviterai Maryse.

Comme si on lui avait enlevé un fardeau des épaules, Carole soupira intérieurement.

— Je te remercie, lui dit-elle, de comprendre les raisons qui me poussent à agir ainsi. Je suis aussi consciente que je t'ai fait mal et je le regrette.

— Peu importe ce qu'on découvrira, ça ne changera rien à mes sentiments pour Luc. Ce qui est important pour moi, c'est qu'il ne sache jamais.

Elle aurait voulu se jeter dans ses bras et l'embrasser. Elle pressa sa main. Il resserra l'étreinte. Il lui susurra à l'oreille :

— J'ai envie de toi.

— Moi aussi.

— On prend une chambre?

Elle hocha la tête en guise d'acquiescement. Toutes ses réticences devant des amours de chambres d'hôtel à la sauvette s'évanouirent. Seule sa pulsion comptait. Elle désirait revivre pour une deuxième fois des moments de tendresse et d'extase.

Carole se sentit comme l'héroïne de ses romans d'adolescente, femme désirable et désirée, pour qui le héros donnerait sa vie en échange d'une nuit d'amour. Elle oublia ses angoisses et goûta le moment présent.

Elle le supplia mentalement : « Fais-moi l'amour avec des mots, j'ai besoin d'entendre des mots...» et comme pour répondre à son souhait, les mots de l'amant caressaient aussi divinement que les mains. Elle savoura un long prélude à l'amour exprimé dans une symphonie de mouvements ondoyants et harmonieux où les corps vibraient au même rythme. Les douces voluptés, s'intensifiant, se muèrent en un désir indicible et impératif de s'abandonner totalement, de se fondre dans une explosion de plaisir partagé. Et pendant des heures qui paraissaient s'être contractées, Carole, forte de la compréhension qu'il lui avait témoignée concernant son obsession à connaître la vérité sur Luc, agrandit la brèche et brisa le mur de la méfiance et de la peur. Elle lui parla de la feuille qu'elle avait trouvée dans le livre de philosophie de Bernard et de son contenu, de l'impression qu'elle avait eue à plusieurs reprises de voir se matérialiser ses pensées dans sa vie et des expériences de décorporation qu'elle avait vécues. Son besoin d'en parler et la confiance qu'elle lui témoignait avaient été plus forts que sa peur latente d'être ridiculisée. Les mots avaient coulé de sa bouche avec une emphase et un enthousiasme inhabituels. René avait écouté, sans sourciller, impassible. Soudain son flegme l'avait incitée à colmater la brèche sur le sujet. Sa peur cachée d'être taxée de déséquilibrée avait subitement noué ses tripes. La réaction de René découlait peut-être simplement, d'après elle, de la concrétisation de ses propres peurs.

Elle éluda la question rapidement, refusant même de connaître son point de vue et regrettant de s'être aventurée sur un sujet si controversé. Ils partagèrent alors leur amour pour leurs enfants, des souvenirs, leurs rêves. Carole ne pouvait faire l'amour physique sans faire l'amour mental. Pour elle, c'était indissoluble. Sa profession lui inspira l'idée d'une oeuvre littéraire dans laquelle l'introduction et le développement, méticuleusement constitués, ne portaient aucune faiblesse. Seule la conclusion ne correspondait pas aux critères d'évaluation avec lesquels elle était habituée de travailler parce qu'elle y avait apporté un élément de nouveauté qu'elle aurait dû taire. Heureusement, leur projection vers le futur avait compensé. Cette image la fit sourire intérieurement. Comme elle aurait voulu rédiger des pages et des pages de dénouement et d'épilogue, mais la raison et surtout le temps exigeaient une fin à cette magnifique soirée.

Le lendemain, elle réussit à joindre Philippe à son appartement de Paris. Surpris d'entendre sa voix qu'il reconnut tout de suite, il parut enchanté de son appel, voire même soulagé.

— Comment vas-tu Carole? demanda-t-il, compatissant. Je regrette tellement de t'avoir reproché d'acheter une moto à Bernard. J'étais fou de douleur et je ne savais pas comment exprimer ma peine.

— Philippe...

— Non, laisse-moi continuer. Tu le sais très bien que moi aussi, je lui aurais permis d'acheter cette moto. On lui donnait tout ce qu'il voulait...Tu te souviens, Carole, quand on lui avait acheté sa piste de course?

Carole sentit qu'il fut contraint d'avaler au fond de sa gorge les derniers mots presque inaudibles. Sa douleur les étouffait. Son silence parlait. En communion de sentiments, elle compatit mentalement à son deuil qu'il portait encore comme elle et cette solidarité qui les liait l'émut profondément.

— Carole, j'aimerais te rencontrer pour parler de Bernard. Quand je pense à toutes ces années que j'ai perdues...

— J'aimerais te voir, moi aussi. J'ai pensé que tu serais intéressé à conserver des souvenirs de Bernard. Il y a aussi des formalités à remplir concernant les assurances.

— Je suis là dans deux jours.

— Je regrette, mais c'est impossible cette fin de semaine-ci. Je suis débordée de travail. Vendredi prochain, je prendrai congé et j'ai pris rendez-vous chez le notaire. Ça te va?

— À quelle heure, ton rendez-vous?

— À... seize heures, dit-elle nerveusement.

— Ça ira. Je serai chez toi au début de l'après-midi.

— J'ai pensé aussi que nous pourrions officialiser notre séparation par un divorce en bonne et due forme.

Un silence s'ensuivit.

— Philippe, tu es toujours là?

— Oui. J'ai hâte de te voir, Carole.

Carole s'avoua qu'elle avait une facilité déconcertante à mentir pour arriver à ses fins. Elle composa le numéro de son notaire qui l'avait déjà convoquée à deux reprises pour la rencontrer. Quand elle voulut prendre rendez-vous au jour et à l'heure convenus avec Philippe, la secrétaire lui rappela que l'étude fermait justement à cette heure le vendredi. Elle insista alors pour parler à Maître Dumas. Elle se trouva un peu irréfléchie de ne pas avoir pris rendez-vous avant d'avoir téléphoné à Philippe et surtout d'avoir choisi cette heure. De toute façon, se dit-elle, il sera toujours possible de dire à Philippe que l'heure a été modifiée, mais elle devait à tout prix obtenir une rencontre en après-midi. Elle plaida sa cause habilement, prétextant que c'était la seule journée où son mari pouvait venir, et de si loin en plus. Elle s'excusa d'insister et lui dit comprendre qu'il n'était sûrement pas agréable pour lui de s'astreindre à lui consacrer du temps en dehors de ses heures habituelles de bureau. Elle lui fit ensuite miroiter des émoluments en conséquence. Ce dernier argument avait eu raison de ses réticences. « Ouf! » soupira-t-elle. Quand elle apprit à René le résultat de ses manigances, il lui fit remarquer ironiquement qu'elle était la reine des manipulatrices, ce à quoi elle rétorqua qu'il déteignait sur elle, lui, le plus fin stratège de la Sûreté du Québec.

Chapitre 9

René avait eu du mal à s'endormir la veille. La révélation de Carole l'avait ébranlé. La ressemblance de Luc avec Bernard et Philippe était effectivement ahurissante. Il avait tenté de débobiner le fil du temps jusqu'à la conception de Luc, en octobre 1978. Il s'était rappelé que sa relation avec Maryse était houleuse à l'époque. Elle lui reprochait constamment ses absences alors qu'il enquêtait à Montréal. Il n'avait pu tenir sa promesse de descendre à Québec toutes les fins de semaine, pris par la passion de son travail. Elle aussi pourtant sacrifiait presque toutes ses soirées dans ses dossiers. Les retours étaient alors ponctués de reproches acerbes. Maryse ne voulait pas sacrifier son travail pour le suivre à Montréal. Aussi la menace voilée d'une éventuelle séparation l'avait affligé, mais ne l'avait pas surpris. Peu de temps après, elle lui avait annoncé qu'elle était enceinte. Son attitude avait changé radicalement durant toute sa grossesse. Elle était redevenue la femme qu'il avait aimée et sa joie de vivre l'attirait tellement qu'il s'organisait pour la voir toutes les fins de semaine. Les quelques fois où il ne put descendre, il prenait congé au cours de la semaine. Il ne pouvait cependant pas écarter du revers de la main la possibilité qu'elle ait rencontré le mari de Carole. D'ailleurs, n'avait-il pas eu, lui aussi, quelques aventures à l'époque où leur bateau gîtait dangereusement? Pouvait-il compter sur le silence de Carole? Luc était son fils et il n'était pas question pour lui de le partager ni de le faire souffrir.

D'autres inquiétudes plus sombres encore l'avaient empêché de trouver le sommeil. Il s'était demandé si Carole l'aimait vraiment ou s'il n'était pas le prétexte qu'elle avait saisi pour retrouver le fils qui lui manquait tant. La confirmation d'une liaison entre Maryse et Philippe sèmerait continuellement le doute sur les véritables sentiments de Carole. Il espérait qu'aucun indice ne révèle de furtives et tacites connivences.

Son métier l'avait amené à connaître la détresse des mères à qui on annonçait la mort d'un enfant et il comprenait davantage la peine de Carole depuis la séquestration et le viol de sa petite fille. Il savait que la douleur était si intense qu'elle pouvait déséquilibrer un être trop sensible. S'atténuer quelque peu avec le temps, sûrement, se résorber, jamais.

Les expériences mystiques dont Carole lui avait fait part l'avaient inquiété. Il avait l'impression qu'elle s'agrippait à ces idées comme un naufragé à une bouée. Son esprit cartésien refusait de prêter foi à ces phénomènes irrationnels, délires d'une imagination débridée. Le temps gommera ses visions chimériques, pensa-t-il, subjugué par sa grâce et sa beauté.

Pour chasser ses peurs, il détailla le corps de rêve. Les épaules athlétiques sans être hommasses, les seins d'une rondeur idéale, la courbure des reins parfaite, le ventre plat, les jambes bien galbées, les cuisses fuselées, la peau de pêche, la démarche altière où les hanches se balançaient sans ostentation, les longs cheveux couleur miel embaumés de jasmin et un visage sur lequel les ans ne semblaient pas avoir prise. Il appréciait aussi le regard dénué de la moindre affectation, le maquillage discret, les ongles des orteils laqués d'un vernis diaphane. Oui, le corps de Carole était un hymne à la beauté et à l'harmonie. Il avait finalement réussi à s'endormir en se remémorant la douceur de ses caresses.

Après que Carole lui eut appris qu'elle avait réussi à faire venir Philippe le jour où Maryse viendrait reconduire Hélène, il se demanda quel prétexte il inventerait pour que Maryse accepte son invitation à souper. Hélène voudrait-elle les accompagner la jambe dans un plâtre? Il espéra que le temps aurait guéri son visage tuméfié. Il se réjouit en pensant qu'il n'aurait pas à inviter Luc puisqu'il travaillait tous les vendredis soirs. Il ne voulait pas que Philippe voie le sosie de Bernard. Il composa le numéro de Maryse et Hélène lui répondit :

— Hélène, comment vas-tu?

— Bien.

— Ta jambe te fait souffrir?

— Non.

— As-tu rencontré la psychiatre ?

— Oui.

— Comment est-elle?

— Correcte.

— Hélène, qu'est-ce qui se passe? Tu m'en veux encore parce que Nicole est partie?

— Non.

— Veux-tu revenir à la maison?

Pour toute réponse, il entendit un reniflement. Sa façon de parler avec détachement, le laconisme de ses réponses et ses pleurs le figèrent. Perplexe, il demanda de parler à Maryse.

— Comment va Hélène?

— Bien, dit-elle.

Il savait qu'il n'apprendrait rien de Maryse au téléphone, qu'elle ne pouvait parler devant Hélène.

— J'aimerais venir la voir cet après-midi.

— Tu peux venir, on ne bouge pas d'ici.

— J'arriverai vers quinze heures.

Deux ans auparavant, Maryse avait acheté un luxueux condominium dans un complexe résidentiel fastueux sis sur les rives du Saint-Laurent. Carriériste invétérée, elle avait accepté, trois ans plus tôt, l'alléchante proposition de deux collègues dont l'associé s'était effondré d'une crise cardiaque. Le bureau était l'un des plus prospères de Trois-Rivières. Les deux juristes étaient impliqués activement dans la politique et bénéficiaient de la bonne grâce des amis du pouvoir. L'héritage que son père lui avait légué avait permis à Maître Maryse Dulude d'être coactionnaire à part entière avec ses confrères. Sa fougue et sa renommée, due à ses succès dans des négociations ardues pour les contrôleurs aériens, lui avaient permis d'entrer par la grande porte. René avait appris par Hélène que Maryse vivait seule, préoccupée uniquement par sa carrière. Chaque fois qu'Hélène était allée voir sa mère, elle était revenue déçue de constater que celle-ci n'avait pas beaucoup de temps à lui consacrer.

Quand René entra dans le vestibule, sa petite fille laissa tomber ses béquilles et lui sauta au cou. René avait toujours eu une relation privilégiée avec Hélène. Il se rappela qu'avant leur séparation, Maryse lui avait reproché à maintes reprises de lui accorder plus d'attention qu'à Luc.

— Hélène, qu'est-ce qui se passe? Je me suis inquiété après ton téléphone. Où est Maryse? demanda-t-il tout bas.

— Sous la douche.

— Tu veux revenir à la maison?

Elle hocha la tête pour acquiescer.

— Maryse est au courant?

— Non.

— Laisse-moi faire, dit-il en entendant le claquement d'une porte.

— Hélène, ça va?... Ah! Bonjour René. J'ai entendu le bruit des béquilles et j'ai eu peur que tu sois tombée.

Il ramassa ses béquilles et l'invita à s'asseoir. Maryse, vêtue d'un peignoir blanc qu'elle serrait à la taille pour se couvrir, regagna sa chambre en leur disant qu'elle en avait pour quelques minutes. Juste le temps dont il avait besoin pour échafauder un plan avec sa complice de toujours. Il zieuta dans la direction de la chambre de Maryse pour s'assurer que la porte était bien refermée et, conformément à leur rituel, le père et la fille, au même moment, se tapèrent les mains, contents de s'être retrouvés. Il lui dit tout bas :

— Je te parle de Luc et de tes amis et toi, tu dis que tu veux les voir.

— Tu penses que ça va marcher?

— Oui, dit-il en souriant. Ça guérit bien tes bleus sur le visage, dit-il plus fort en entendant le bruit de la porte. J'ai un message pour toi de Luc. Il dit qu'il s'ennuie parce qu'il n'a personne avec qui s'engueuler, Il dit aussi qu'il a hâte que tu reviennes. Nathalie et Maude sont venues hier soir. Elles m'ont demandé de te dire qu'elles avaient hâte que tu reviennes. Un certain Bertrand a appelé aussi. J'ai pensé qu'il se trompait de numéro. Tu connais un certain Bertrand?

Il n'en fallait pas plus pour qu'Hélène éclate. Non, elle ne connaissait pas de Bertrand, mais elle connaissait bien un Benoît qui n'avait pas donné signe de vie depuis son agression. Maryse toisa René, le regard chargé de reproches. Elle s'approcha d'Hélène, l'entoura de ses bras, essayant de la consoler.

— Appelle-les tes amies, Hélène.

— Je veux les voir, dit-elle, avec des sanglots qui lui secouaient les épaules et qui nouaient sa gorge. Des larmes ruisselaient sur ses joues.

Si Hélène simulait une scène dramatique, elle était digne de faire son entrée au conservatoire d'art dramatique, pensa René. Il la regarda dans les yeux, comprit sa fragilité et sa peine. Non, elle ne jouait pas la petite fille éplorée. Il regarda Maryse et, sans parler, ses yeux l'implorèrent de lui accorder la permission de la ramener à Québec.

— Hélène, demande à Nathalie si elle veut venir ici avec toi.

— Maman,... les examens, hoqueta-t-elle.

— Hélène n'a vu personne depuis son accident. Je pourrais la ramener à la maison. Quand les derniers examens seront passés, elle pourrait revenir avec Nathalie, dit René.

— Tu me promets qu'elle sera en sécurité? Que tu ne la laisseras jamais seule?

— Tu peux compter sur moi.

— C'est bien ce que tu veux, Hélène?

Un hochement de tête lui signifia son assentiment.

— Je vais faire ta valise.

René fit une oeillade discrète à sa fille.

— Maude et Nathalie ont-elles téléphoné pour vrai?

— Oui, bien sûr. Tu ne me demandes pas qui est Bertrand?

— Je ne connais pas de Bertrand.

— Moi non plus, fit-il dans un éclat de rire qui dérida Hélène.

Lorsque Maryse revint, la valise à la main, il lui demanda :

— J'aimerais ça que tu viennes vendredi prochain à Québec. Nous irons souper à l'Astral.

— Demain? fit-elle surprise.

— Non, l'autre vendredi. Si Hélène veut revenir, tu pourrais la ramener avec Nathalie.

Maryse consulta son agenda qui traînait sur l'îlot de la cuisine.

— Impossible! Vendredi, je préside un meeting très important. Samedi, ça irait?

René hésita une fraction de seconde pendant laquelle il pensa que Carole pourrait sûrement retenir son mari une journée de plus, mais au fond de lui-même, il espérait que la confrontation n'eût jamais lieu.

— Oui, je t'attends samedi. Nous serons à la maison.

— Tu me téléphones, Hélène?

— Oui, maman.

Une fois sa voiture engagée sur l'autoroute, René apprit qu'Hélène avait encore eu l'impression d'être une intruse chez Maryse. Son appartement s'était transformé en bureau et elle passait ses journées au téléphone et dans ses dossiers. Elle lui avait loué quantité de vidéocassettes qu'elle visionnait pour passer le temps.

— Nicole a laissé un message sur le répondeur. Elle demande que tu la rappelles. Est-ce que Maryse sait que Nicole est partie?

— Oui.

— Qu'est-ce qu'elle a dit?

— On récolte ce que l'on sème.

Un long silence qui parle trop l'empêchait d'articuler clairement sa pensée pour la rendre acceptable, pour qu'Hélène comprenne. Il aurait voulu lui parler de Carole, mais il avait du mal à amorcer la discussion. Il avait hâte de la lui présenter. Il se demandait comment il pourrait voir Carole puisqu'il avait promis à Maryse de ne jamais laisser Hélène seule.

— Tu sais très bien, Hélène, que ça n'allait plus très bien entre Nicole et moi depuis quelque temps, depuis assez longtemps même. On ne commencera pas à chercher le coupable, je ne veux pas accuser Nicole de quoi que ce soit. Nos routes se sont croisées, maintenant nous avons besoin l'un et l'autre de prendre des directions différentes pour être heureux.

— Je ne suis pas sûre que Nicole soit heureuse de ça, moi!

— Écoute, Hélène, je suis incapable de faire semblant que je suis heureux avec elle, de faire semblant que je l'aime, je la respecte trop pour ça. Je ne pourrais plus me regarder en face.

— Il y a quelqu'un d'autre?

— Oui. Quand tu voudras, je te la présenterai.

— Luc la connaît?

— Non. Tu veux que je te parle d'elle?

Il n'écouta pas sa réponse et raconta comment il l'avait connue, la décrivit, lui raconta le drame qu'elle avait vécu. Le visage d'Hélène était hermétique. Il n'arrivait pas à lui communiquer son enthousiasme.

— Tu vas l'aimer, j'en suis certain.

— Je n'ai pas besoin d'une troisième mère, répliqua-t-elle.

— Elle aime beaucoup les jeunes puisqu'elle est enseignante.

— Justement, c'est ça le pire! Tu les connais pas toi, les profs!

— Tu n'exagères pas un petit peu, non?

— D'accord, y en a qui sont « cools », mais ils ne sont pas nombreux.

— Elle va venir rester avec nous autres?

— Non, je ne pense pas. Pas tout de suite en tout cas. Elle ne veut pas laisser sa mère qui habite chez elle.

René se sentit soulagé de lui avoir révélé la vérité. Il s'était dit qu'Hélène lui avait toujours fait confiance parce qu'il avait toujours été honnête avec elle, même si la vérité était parfois difficile à accepter. L'important, pensait-il, était qu'elle ait la certitude que personne ne pouvait changer l'amour qu'il avait pour elle.

— Ça ne change rien à ce qu'il y a entre nous. Nous, c'est pour la vie! Allez, tape.

Il lui présenta une main et Hélène tapa si fort qu'une partie du contenu de la canette d'orangeade qu'elle tenait à la main droite se déversa sur son plâtre. René ralentit son allure et stationna sur l'accotement. Il épongea aussi vite qu'il put avec des papiers-mouchoirs, mais les dégoulinades de colorant orange avaient déjà maculé le plâtre.

— Beurk! C'est dégueulasse! maugréa-t-elle.

— Orange et blanc, c'est pas mal! On dit que ce sont les couleurs mode de l'été.

— T'es pas drôle, cria-t-elle.

En tentant de minimiser l'incident, il n'avait fait qu'envenimer sa colère.

— Tu as perdu ton sens de l'humour, Hélène?

— Tu rirais, toi, d'avoir taché un habit que tu dois porter six semaines?

— D'accord, ce n'est pas agréable, mais il ne faut pas dramatiser non plus. Tu pourrais t'en servir pour faire de beaux dessins psychédéliques. Ce serait original!

— Tu me prends pour un bébé?

— Non. La plupart des gens qui ont des plâtres les font autographier par leurs amis. Généralement, c'est rempli de signatures et de dessins.

— Pis tu me dis que ça serait original! Si tout le monde le fait, c'est pas original! Moi, j'aime que ça soit propre.

— L'originalité est dans les dessins! C'est pas compliqué, on retourne à l'hôpital et tu vas demander au médecin d'ajouter une très mince couche de plâtre sur les taches.

René savait très bien qu'Hélène n'aurait pas le culot de déranger des médecins pour satisfaire son caprice. Elle était trop intelligente pour ça! Elle le regarda, perplexe, se demandant s'il était sérieux ou s'il se moquait d'elle. Elle avait le don de rebondir comme un chat dans des situations tendues.

— Si je garde mon plâtre jusqu'à l'Halloween, pas de problème. Je promets de te dessiner en sorcière. Contours noirs sur fond orange!

Sa répartie avait annihilé toutes les tensions. Ils avaient explosé d'un rire bruyant et communicatif. Se préparant à démarrer, il regarda dans son rétroviseur et vit un véhicule de police à l'arrière.

— Vous avez un problème? C'est interdit de stationner sur l'accotement des autoroutes.

— Vous arrivez à point, monsieur l'agent. Mon père m'a tiré son orangeade, pis il voulait me battre. La semaine dernière, il m'a cassé une jambe, dit Hélène en pleurnichant avec des accents de sincérité.

René se rendit compte de visu que son professeur d'art dramatique avait raison de lui dire qu'Hélène était exceptionnellement douée. Elle jouait le jeu à la perfection. Ses joues portaient encore les larmes des rires qui venaient de la secouer. Le policier, les yeux exorbités de terreur, regarda le monstre à ses côtés et le monstre grimaçait comme un macaque, plié en deux, incapable de parler. Hélène ne put tenir son rôle d'enfant martyre longtemps. Elle se tordait de rire devant l'agent, médusé. Choqué d'avoir été dupé, il demanda à René le certificat d'immatriculation de son véhicule, son permis de conduire et lui flanqua une contravention. René eut beau protester de la sévérité de l'amende qu'un collègue lui imposait, rien ne le fit fléchir.

— Personne n'est à l'abri des lois, monsieur. On en a assez d'être ridiculisé par tout le monde, s'il faut en plus que des confrères se moquent de nous! Quant à vous, mademoiselle, vous devriez avoir honte de vous servir de la violence qu'on fait aux enfants pour vous amuser.

Il repartit, toujours en colère, sans les saluer. René regarda le visage d'Hélène, devenu mi-figue, mi-raisin, et ne put s'empêcher de sourire.

Sa santé mentale ne semblait pas avoir été trop affectée par le drame qu'elle avait vécu et d'en avoir l'assurance valait bien le coût d'une contravention. Comme son audace et son humour lui plaisaient! Il ne s'ennuyait jamais avec elle. Ils firent halte dans une pizzeria et arrivèrent à temps pour le bulletin de nouvelles. Pendant qu'Hélène s'était réfugiée dans sa chambre pour téléphoner à ses amis, René capta le message de recherche où on pouvait voir à l'écran le portrait-robot de celui qui avait agressé Hélène. Il lui était impossible de rejoindre Carole tellement Hélène accaparait le téléphone. Il utilisa son cellulaire.

— Allô, Carole! J'arrive de Trois-Rivières. J'ai ramené Hélène, elle s'ennuyait.

— Je viens de voir à la télé le portrait-robot. J'espère que ça va porter fruit.

— Maryse ne peut venir vendredi prochain. Samedi seulement. Je n'ai pas ton don de persuasion.

— Ça ira, j'en suis sûre.

— As-tu reçu un autre téléphone anonyme?

— Non.

— J'ai parlé de toi à Hélène.

— Ah oui! Quelle a été sa réaction?

— Bien... Nicole communique encore avec elle et elle la sait malheureuse, alors je ne peux pas dire qu'elle a sauté de joie, mais je connais Hélène et je sais qu'elle va bien t'accepter. Il faut juste lui donner du temps.

— Tu en as parlé à Luc?

— Pas encore, mais je le ferai en fin de semaine. Je ne sais pas comment on va s'organiser pour se voir, Carole. Je ne peux pas laisser Hélène seule. Tu pourrais venir à la maison.

— Non, plus tard. Je suis débordée de travail, je n'ai pas terminé mes corrections. Je vais passer la fin de semaine là-dedans.

— On se téléphone?

— Si tu veux. Toi, tu téléphones, pas moi.

René comprenait l'attitude de Carole et n'en fut pas affecté. Il avait toute une semaine de travail en perspective et était cloué à la maison. Il savait que quantité d'appels afflueraient dans les postes de police et qu'il devait aider Charles à coordonner le travail afin qu'aucune piste ne soit négligée. Il devait communiquer avec la psychiatre d'Hélène pour qu'elle soit suivie et surtout être présent à sa fille.

La sonnerie de la porte le déconcentra, mais l'arrivée de Maude et Nathalie l'enchanta. Hélène avait besoin de rencontrer ses amies, comme un malade a besoin de voir son médecin.

Chapitre 10

Carole n'était pas très surprise qu'Hélène se soit rebellée à l'annonce de son intrusion dans la vie de son père. Elle connaissait bien la psychologie des adolescents et savait qu'elle ne devait pas imposer sa présence. Elle se laisserait plutôt désirer, le temps qu'elle se fasse à cette nouvelle idée. De toute façon, elle avait du travail à effectuer toute la fin de semaine, et plus encore.

Le lendemain matin, elle s'arma de courage, se retira au sous-sol et commença à corriger les examens de ses élèves. Le temps devint son allié et la libéra des tentations coutumières de s'évader à l'extérieur. La pluie tambourinait sur les vitres, des éclairs zébraient le ciel et, à quelques reprises, le grondement de violents coups de tonnerre ébranla sa concentration. Au-dessus, Mme Paradis cuisinait, Gabriel pratiquait son piano et sa mère, accompagnée de Mme Bolduc discutait décoration et planifiait l'ordre des travaux à faire exécuter. Sa mère l'avait appelée quelques fois pour lui demander son avis, mais il lui sembla que ses piètres compétences en la matière ne lui conféraient pas le droit de prendre la moindre décision, d'autant plus que l'expertise confirmée de la spécialiste était manifeste.

Carole ne reconnaissait plus sa mère depuis qu'elle était chez elle. Elle, qui n'avait que des frissons de vie depuis son accident cérébrovasculaire, était maintenant secouée par des vents d'audace et de jeunesse, des vents du large qui gonflaient ses larges voiles comme pour défier les dernières turbulences ou la fausse accalmie de la vieillesse. Il était bon de la voir s'enthousiasmer ainsi! C'est pourquoi elle lui laissa le plaisir de tout décider. Une autre raison moins altruiste la motivait aussi. Son rêve secret de la laisser habiter sa maison avec Mme Paradis et Gabriel et de se réfugier chez René avec Luc et Hélène se concrétiserait peut-être.

La semaine qui suivit fila à un train d'enfer. Corrections, compilations, réunions, planification, les fins d'années scolaires se déroulaient toujours à un rythme endiablé. « Full ouvrage » comme disaient ses élèves. Elle se rendit donc à l'école chaque matin suivie d'une voiture de police banalisée et l'agent se postait à la sortie de l'école à seize heures. Entretemps, il faisait le guet devant sa résidence.

René téléphonait tous les soirs pour lui dire combien elle lui manquait et pour l'inviter chez lui. Toujours, elle éludait la question prétextant travail, fatigue, rénovation de la maison. Elle qui avait généralement horreur de discourir au téléphone parlait longuement de tout ce qui les concernait et surtout d'Hélène.

D'après René, la cure de rencontres amicales en dose massive que prenait sa fille constituait pour elle le meilleur des traitements thérapeutiques. Témoin d'un va-et-vient incessant d'amis dans la maison, il se réjouissait de la voir de plus en plus joyeuse, particulièrement le jour où elle lui avait présenté un certain Benoît Picher. Il avait alors organisé une sortie pour le lendemain avec quatre de ses amis : une mini-croisière sur le Saint-Laurent. Il les avait ensuite invités à souper au restaurant. Le matin, Hélène lui avait dit : « Tu devrais inviter Carole. Il faudrait qu'elle vienne signer mon plâtre! » Ému, René lui avait donné un gros bécot sur la joue. Carole s'était réjouie de savoir que déjà Hélène voulait la connaître. Elle avait décidé de la faire languir un peu. De toute façon, elle ne pouvait se permettre de s'absenter, elle était trop occupée par son travail.

René l'avait aussi emmenée rencontrer la psychiatre à deux reprises et chaque fois, elle était revenue taciturne et triste. Elle exigeait de son père qu'il l'aide à couvrir son plâtre d'un sac à ordures, qu'il s'assure de son étanchéité en le faisant adhérer parfaitement à sa peau avec un pansement adhésif. D'abord réticent, René avait consenti à s'astreindre à ce rituel, espérant qu'il permettrait à sa petite fille d'exorciser ses souillures. Elle se dépêchait alors d'aller se laver sous la douche et y passait un temps incroyable. Ensuite, elle se réfugiait dans sa chambre pour ne pas lui communiquer ses sentiments. Il avait alors rejoint la spécialiste à l'hôpital qui lui avait appris que sa fille prétendait toujours ne plus se rappeler ce qui s'était passé après l'arrivée de l'agresseur dans la cabane, sauf un détail qui pouvait avoir une grande importance. La peau de l'homme dégoulinait de sueur, une sueur tellement abondante que le creux de sa main en était rempli. Il avait appris qu'il existait une affection endocrinienne de la thyroïde nommée hyperhidrose, caractérisée par une sécrétion anormalement abondante de sueur. Cette maladie, généralement chronique, surtout palmaire, était renforcée par les stress psychoaffectifs. Les malades devaient se soumettre à un traitement, vu le caractère invalidant de l'affection. La connaissance de cette information pouvait être très précieuse pour l'identification du violeur.

La professionnelle lui avait demandé la permission de soumettre sa fille à une séance d'hypnothérapie. Hélène était tellement tendue qu'elle avait pensé à ce moyen pour la libérer de ses angoisses. Il s'y était opposé catégoriquement, ne voulant pas qu'Hélène revive ces moments atroces, même avec l'assurance que toutes ses réminiscences seraient oubliées au réveil. Hélène était fort capable de jouer le jeu de l'amnésique pour ne pas avoir à raconter ce qui s'était passé, et si, heureusement, elle avait vraiment perdu conscience, alors il ne fallait surtout pas, d'après lui, ouvrir une brèche qui risquait d'aggraver la situation. Elle l'avait alors accusé d'avoir mal saisi les motifs de cette thérapie, mais il était fermé à toute compréhension.

René avait parlé de Carole à Luc qui n'eut pour toute réaction qu'une indifférence apparente, une froideur même plus difficile à accepter que la réaction plus franche d'Hélène. Était-il vraiment détaché ou n'osait-il exprimer ses sentiments? Il ne saurait le dire. Maryse avait peut-être raison de lui reprocher d'accorder moins d'attention à Luc! René s'était promis de tenter un rapprochement. « Comme avec Bernard », avait pensé Carole.

Carole apprit aussi que malgré les nombreux appels reçus aux postes de police, l'enquête piétinait encore après une semaine parce que les vérifications demandaient beaucoup de temps. Il aurait fallu que René dispose d'un nombre plus grand d'enquêteurs, mais il avait espoir de trouver le coupable incessamment.

Carole avait toujours hâte de recevoir l'appel de René qui lui confirmait chaque fois combien il tenait à elle. Comme tous les soirs, l'heure de son appel arriva. Une amère déception l'abattit. René lui apprit que Maryse ne pouvait venir samedi. Elle avait parlé à Hélène et comme celle-ci semblait heureuse avec ses amies et ne voulait pas retourner à Trois-Rivières tout de suite, elle avait retardé sa visite d'une semaine. René ne semblait pas du tout affecté par ce contretemps puisqu'il avait ajouté : « C'est sûrement mieux ainsi, Carole. » Carole était prête à faire bien des concessions pour plaire à René, mais pas celle-là. Elle se débrouillerait seule pour savoir si Luc était le demi-frère de Bernard. Elle ne savait pas de quelle stratégie elle userait, mais elle trouverait. Ils se laissèrent, se promettant de se retrouver après le départ de Philippe qui arrivait le lendemain.

Depuis une semaine, la maison de Carole était devenue une véritable fourmilière où grouillaient des tapissiers, des ouvriers spécialisés dans le recouvrement des planchers, dans la pose des armoires, des peintres, des plombiers et la décoratrice dirigeait les travaux comme un général au combat. S'ajouta ensuite le changement complet du mobilier et des rideaux. Avec les indemnisations de la compagnie d'assurance pour les tableaux perdus lors de l'incendie, Mme Alain s'était offert des toiles de peintres québécois renommés, dont un Marc-Aurèle Fortin et un Jean-Paul Lemieux qui accrochaient le regard des connaisseurs. La métamorphose était totale. Dans ses rêves les plus fous, Carole n'aurait pu imaginer plus beau décor. Sa mère ne regardait pratiquement jamais le prix et sa décoratrice suggérait toujours ce qu'il y avait de mieux.

Du sous-sol au grenier, tout respirait le bon goût et la beauté. Le style futuriste côtoyait le contemporain dans un accord parfait comme si le présent et l'avenir se donnaient la main pour concrétiser un rêve. Nul détail ne venait ternir l'harmonie de l'ensemble. Même les bibelots et les figurines, choisis méticuleusement, ajoutaient un élément d'unité. Les luminaires mettaient en valeur les couleurs sobres de verdure, de ciel, d'eau, de sable prolongeant ainsi le décor extérieur comme un hommage à la nature.

Le rêve de Mme Bolduc s'était réalisé. Elle avait pu créer sans contrainte. Admirant son oeuvre, elle avait dit à la mère de Carole :

— Madame Alain, merci du plus profond de mon coeur. Le prix que je vous demande est de me donner la permission de prendre des photos et de les faire publier si vous n'y voyez pas d'objections. Grâce à vous, j'ai réalisé mon rêve : permettre à la beauté de s'extérioriser sous toutes ses facettes.

— Lucie, tu es une véritable artiste! Je savais que je pouvais te faire confiance. Je suis enchantée de ton travail. Quant aux photos, c'est un honneur pour moi et Carole. J'aimerais toutefois, pour les photos, que tu changes les toiles. Tu comprends?

— Oui, bien sûr. Je reviens demain avec un photographe professionnel.

— C'est moi qui défraie ses honoraires.

— D'accord. Merci.

Carole ne se lassait pas d'admirer le nouveau décor.

— C'est superbe, maman. Je te remercie beaucoup. Tu as dépensé une fortune!

— C'est mieux que ce soit nous qui en profitions que les banques, n'est-ce pas?

— Maman, Philippe viendra demain. Il arrivera en après-midi. Nous avons rendez-vous chez le notaire. Je veux lui donner quelques souvenirs de Bernard.

— Est-ce qu'il sera longtemps?

— Non, je ne crois pas.

— Il couchera ici?

— Je ne l'ai pas invité.

Mme Alain n'aimait pas beaucoup son gendre et Carole le savait. En fait, elle n'avait pas de raisons de le détester puisqu'elle ne l'avait presque jamais rencontré, mais il avait abandonné Carole et Bernard et cette seule raison suffisait. Chaque fois qu'elle s'était informée de lui, il était toujours parti pour son travail à Atlanta, Paris ou New York. Quand elle en faisait la remarque à Carole, celle-ci le défendait toujours, l'accusant de ne pas comprendre qu'il pilotait de gros transporteurs pour une compagnie qui ne venait pas, à l'époque, atterrir à Québec. Elle rétorquait alors qu'elle devrait habiter avec lui à Atlanta, que Bernard avait besoin d'un père, que son salaire était superflu étant donné la fortune dont elle pouvait disposer. Toujours, Carole refusait son aide; elle voulait se débrouiller seule. Elle avait besoin, disait-elle, de sentir qu'elle était capable de réaliser quelque chose et, indirectement, susciter l'admiration de son fils.

Mme Alain le haïssait surtout parce qu'elle le savait responsable de la morosité et de l'humeur taciturne de sa fille. Au neuvième anniversaire de Bernard, elle avait appris par le bambin qu'il n'avait pas vu son père depuis six mois. Carole lui avait alors avoué le plus simplement du monde qu'ils avaient convenu de se séparer temporairement. Elle n'avait pas réussi, par son air détaché, à cacher sa peine et son désarroi. Mme Alain savait bien que le coeur de sa fille avait été lacéré et qu'elle en portait des cicatrices qui empoisonnaient encore sa vie. L'expérience d'une amie lui avait appris qu'un abandon est parfois plus douloureux qu'une mort. Les callosités psychiques formées avaient rendu sa fille de plus en plus distante avec elle. Quand elle osait aborder le sujet, Carole inventait toujours mille excuses pour disculper le père de Bernard. Le dernière fois qu'elle l'avait vu, après le décès de Bernard, elle avait trouvé indécent qu'il soit venu accompagné d'une femme. Pourquoi l'avait-il blessée encore? Peut-être craignait-il de trouver un homme au bras de Carole et son orgueil avait trouvé ce subterfuge pour dissimuler sa jalousie? Elle souhaita qu'il fasse une très brève incursion dans la vie de sa fille afin de ne pas la perturber de nouveau, elle qui venait à peine de se lier d'amitié avec René.

De la fenêtre de sa chambre, Carole vit un taxi s'arrêter devant sa maison. Il était quinze heures. Philippe tendit un billet au conducteur, prit une mallette et sortit. Les visages de Bernard et de Luc se superposèrent alternativement à celui de Philippe. Les images étaient troublantes. La même virilité dans le geste et la démarche, la même élégance en tenue décontractée, la même belle tête bouclée, le même regard expressif. Philippe regarda la maison, laissa sa mallette près de la porte et se dirigea vers le lac. Carole changea son point d'observation et le vit, immobile, le regard fixé sur l'île d'en face ou sur un vague point à l'horizon. Elle n'osa l'interpeller, sachant combien ces instants devaient être significatifs pour lui. Au bout d'une trentaine de secondes, il sonna et Carole l'accueillit. Il l'embrassa sur les deux joues et, saisi d'admiration, il balaya du regard la pièce.

— Wow! Suis-je bien à la résidence de Madame Carole Alain? dit-il, moqueur, avec un joli et léger accent anglais qui la fit sourire.

— Nous avons terminé les réparations hier.

— Nous?

— Ma mère habite avec moi. Sa résidence a pris feu. Elle a tout perdu. Tu veux visiter?

— Oui, bien sûr.

Rendus au salon, Philippe se pencha pour embrasser Mme Alain qui était assise dans son fauteuil roulant et écoutait de la musique de chambre. Elle ébaucha un sourire à peine perceptible et le salua froidement.

— Je viens d'apprendre que le feu a dévasté votre résidence. Croyez bien que je compatis, Madame Alain.

Voyant l'humeur de sa mère, Carole enchaîna :

— On continue.

— Oui, avec plaisir.

Dans la chambre de Bernard, il lui dit :

— C'est très beau, Carole, mais les plus belles images sont là! dit-il en se servant de son index pour pointer sa tempe.

Mme Paradis arriva accompagnée de Gabriel à qui la maîtresse demanda de répéter une sonatine de Clementi. L'enfant s'exécuta avec brio, content d'avoir pour la première fois un public inhabituel et la mère de Carole s'enorgueillit des compliments que Philippe fit à l'enfant et au professeur. Carole lui signala qu'il était grand temps de partir s'ils ne voulaient pas faire attendre Maître Dumas. Elle laissa la maison en disant à Mme Paradis de ne pas les attendre pour le souper. En chemin, Philippe lui dit :

— Carole, je ne suis pas venu pour m'approprier de l'argent. Je ne veux rien. Ça t'appartient, Carole.

— Pas plus qu'à toi! Je ne suis pas réduite à la mendicité comme tu peux voir.

— Alors trouve une cause à laquelle Bernard aurait adhéré et donne ma part. Je signerai les chèques et je te les ferai parvenir lorsque je les recevrai.

Carole n'était pas surprise de la générosité de Philippe. Il en avait toujours été ainsi. Il déposait régulièrement des sommes importantes dans le compte bancaire de son fils et lui faisait aussi parvenir de quoi subvenir amplement à ses besoins. Elle aurait aimé qu'il soit plus généreux de son temps. C'était probablement sa façon de compenser pour son absence et un moyen pour se déculpabiliser un peu. Elle se rallia à sa suggestion, mais pensa qu'elle donnerait volontiers à une association regroupant des fils de père manquant.

Le notaire, dérangé par l'heure tardive de ce dernier rendez-vous, accéléra la procédure si bien qu'au bout d'une quinzaine de minutes, les formalités étaient remplies. Dehors, l'été célébrait son arrivée en grande pompe. Le soleil brillait dans un ciel d'azur et sa douce chaleur procurait une sensation agréable.

— Carole, sais-tu ce qui me ferait plaisir?

— Non.

— On devrait aller marcher dans le Vieux-Québec. Ensuite aller souper à la terrasse du Diablotin. Tu te souviens, nous y étions allés avec Bernard.

— C'est une excellente idée.

Carole aurait voulu profiter des moments agréables qu'elle vivait. Elle sentait les regards d'admiration que portaient certains passants sur leur couple. Son compagnon était charmant, séduisant même, la promenade intéressante, mais une tension nerveuse intense l'habitait. Elle était plus attentive à ses propres angoisses qu'à son interlocuteur. Aborder la question du divorce ne la préoccupait pas, mais comment savoir s'il avait eu des relations avec Maryse Dulude dix-neuf ans plus tôt sans qu'il juge sa curiosité bizarre, sans qu'il devine le motif de sa question, sans briser le climat d'amitié qui régnait, sans faire transpirer ses aigreurs et sa frustration? Ses calculs pour plaire l'épuisaient et l'asservissaient encore sous le joug du mensonge. Elle en avait des crampes à l'estomac et son coeur battait à tout rompre. Elle décida d'attendre au souper, moment plus propice aux échanges. Elle axa donc la conversation sur leur fils.

— J'ai fait enregistrer sur vidéocassettes les films super 8 que nous avions pris quand Bernard était petit. J'en ai une copie pour toi. J'ai aussi des vidéocassettes plus récentes, des photos. J'ai donné tout ce qu'il avait à ses amis. J'ai pensé qu'il aurait aimé que je fasse ça.

— Tu as très bien fait. Je suis très content pour les cassettes. J'aimerais beaucoup, si tu veux bien sûr, qu'on les regarde après le souper.

— Oui, je veux bien.

— Parle-moi de Bernard. Si tu savais comme j'en ai besoin!

— Je comprends.

Au cours de leur promenade, ils échangèrent longuement sur les succès scolaires de leur fils, ses amis, sa beauté et son charisme qui attiraient la gent féminine, ses performances dans tous les sports qu'il pratiquait, sa joie de vivre qui s'exprimait aussi dans le plaisir de la découverte, ses projets de voyage...

Attablés à une terrasse autour d'un grand cru, Philippe risqua :

— Est-ce qu'il parlait de moi?

— Si tu l'avais entendu parler à ses amis quand il est revenu de son voyage à Atlanta! Puis quand il est revenu de Paris! Tu étais son idole!

— Vraiment?

— Il était très fier de toi.

— Pourquoi n'a-t-il pas voulu venir l'année suivante?

— Tu le sais très bien, Philippe. Il s'était engagé dans une équipe-élite de soccer. Il savait qu'on avait besoin de lui. Il était le meilleur! C'était un mordu du sport... puis, à l'adolescence, les amis, c'est important.

— Si tu savais comme je regrette, Carole. J'aurais dû venir le voir jouer. Je n'osais pas. Je savais très bien que tu ne m'aurais pas accueilli à bras ouverts et avec raison . J'y pensais souvent et plus le temps passait, plus c'était difficile. Je n'ai pas eu le courage... puis Bernard avait rompu les liens, lui aussi. Il ne téléphonait plus, n'écrivait presque plus.

Ses yeux luisants disaient sa peine. Lui répondre équivalait à l'écraser comme une fourmi, alors qu'il se faisait si petit, si fragile et si grand à la fois. Petit, parce qu'il était écrasé sous le poids de ses remords et de sa peine et grand parce capable d'avouer ses erreurs, d'exprimer sa vulnérabilité. L'accabler davantage aurait probablement déclenché une agressivité instinctive, le seul choix qui s'offre à celui qui est attaqué, soit celui de se défendre en attaquant à son tour et cette attitude l'aurait indisposé dans l'atteinte de son but. Carole entama alors sa deuxième coupe de vin, et comme elle ne portait pas beaucoup l'alcool, elle ressentit une langueur bienfaisante l'envahir, une douce langueur qui engourdissait son stress, l'annihilait même. Délibérément, elle laissa planer, un regard perdu dans le ciel et attendit une réaction qui ne tarda guère.

— À quoi penses-tu, Carole?

— C'est bizarre, je pensais à un de mes copains à l'école. Il a eu un fils qui a maintenant l'âge de Bernard. Ginette, la mère, qui était mariée à l'époque, ne lui a jamais révélé qu'il était le père. Il vient de l'apprendre... Il n'a jamais eu d'enfant avec sa femme.

— Comment l'a-t-il appris?

— La mère de Ginette, avant de mourir. Elle ne pouvait plus garder le secret.

— Cette femme, Ginette, est-elle toujours mariée avec le même homme?

— Non, elle est divorcée depuis longtemps. Elle vit seule avec son fils.

— Comment peut-il être sûr que c'est son fils?

— La ressemblance est frappante. Il s'est organisé pour le voir, incognito. Le pire, c'est qu'il a conçu cet enfant alors qu'il était marié et il vit toujours avec la même femme. Tu vois le problème? Il a toujours rêvé d'avoir un fils et maintenait qu'il en a un, il ne sait pas quoi faire. Il m'a demandé conseil et je ne sais vraiment pas quoi lui dire.

— Ouf! soupira-t-il. C'est compliqué! La grand-mère aurait dû mourir avec son secret!

— Tu penses?

— Oui. D'abord, il risque de briser son mariage. Ensuite, l'homme qui s'est toujours considéré le père de l'enfant va être blessé profondément. Le garçon va ensuite juger la conduite de sa mère et celle de son père biologique. Ça ne peut qu'entraîner des souffrances.

— Tu le penses vraiment?

— Oui.

— Tu te fiches des souffrances de mon copain?

— Son père, c'est celui qui s'en est occupé toute sa vie.

Le raisonnement de Philippe la rassurait. Sa tête lui disait de se taire pour épargner des souffrances. Elle avait promis à René de ne jamais révéler le secret à Maryse et à Luc, mais elle n'avait pas promis de ne rien révéler à Philippe. Pouvait-elle faire entièrement confiance à Philippe? Son besoin de savoir si Luc était le demi-frère de Bernard était si intense qu'elle enchaîna :

— Si je te disais que toi aussi tu as un fils de l'âge de Bernard que tu ne connais pas...

— Quoi! Qui est la mère?

La question darda Carole en plein coeur. Il avait eu donc plusieurs aventures même les premières années de leur union!

— Tu me parles des choses qui se sont passées il y a presque vingt ans! Comment veux-tu que je me rappelle?

— Oui, il y a dix-neuf ans précisément. Au début de notre mariage. Je veux savoir si tu ferais des démarches pour que la vérité soit connue.

— Non, si la mère veut toujours garder le secret, sauf que j'aimerais le voir, sans lui parler. Qui est la mère, Carole?

— Si tu me jures de ne jamais lui en parler.

— C'est juré. Je te donne ma parole. Sur la tête de Bernard.

— Maryse Dulude.

Il feignit l'oubli ou l'ignorance.

— Elle était avocate dans le Bureau Pratte-Côté-Ferland de Québec. Elle était spécialisée dans le règlement des griefs du syndicat des gens de l'air.

— Oui, je me souviens. Une aventure d'un soir sans conséquence.

— Sans conséquence!

— Tu comprends très bien ce que je veux dire. Comment as-tu su cela?

— C'est sans importance.

— Tu l'as vu?

— Oui.

— Comment s'appelle-t-il?

— Luc.

— Je veux le voir avant de repartir.

— C'est possible. Après le souper, nous irons le voir... juste le voir. Il est pompiste dans une station d'essence pas très loin d'ici. C'est un travail de vacances. Je t'y conduis à la condition que tu n'aies aucune réaction devant lui.

— Tu peux me faire confiance.

Carole avait le vin gai. Enfin, elle savait! La réponse tant attendue la comblait. Elle pourrait former une famille avec René, Luc et Hélène. Elle retrouverait Bernard à travers Luc, aimerait le Philippe des beaux jours à travers lui et Hélène serait la fille qu'elle avait toujours rêvé d'avoir. Ils terminèrent leur repas rapidement. Ils avaient hâte tous les deux de voir Luc.

Des bandes roses et violacées striaient le couchant et le temps avait conservé sa douceur. Une ambiance de fête régnait dans la rue. Des centaines de personnes se baladaient sur la Grande Allée comme pour fêter l'arrivée des premières belles soirées de l'été. Carole invita Philippe à prendre le volant, mit des verres teintés, noua ses longs cheveux et les camoufla sous la casquette de Bernard qu'elle avait délibérément laissée sur la banquette arrière de son véhicule. C'était pratiquement tout ce qui lui restait de son fils et cette casquette restait le symbole de sa présence constante. Ainsi coiffée, elle espérait moins se faire remarquer par Luc. Philippe se laissa guider jusqu'au poste d'essence. En arrivant à la station, deux voitures faisaient le plein et il eut tout le loisir d'observer le pompiste. Il resta bouche bée. Luc était le sosie de Bernard et il se revoyait en lui quelque vingt ans plus tôt. Vint trop rapidement son tour. Il demanda le plein et resta dans le véhicule. Le jeune homme était avenant, souriant. Il lava soigneusement le pare-brise et remercia Philippe du généreux pourboire qu'il lui avait donné.

En route pour la maison, il voulut tout savoir sur lui. La peur qu'il ne tienne pas sa promesse commença à s'insinuer dans l'esprit de Carole comme un parasite véreux. Elle devait donner l'information au compte-gouttes. Elle se borna à lui dire qu'il était étudiant au cégep, qu'il vivait avec son père et sa jeune soeur et que la famille semblait à l'aise pour ne pas qu'il ressente le besoin de l'aider financièrement. Elle ne savait pas où demeurait Maryse ni le nom de son père. Philippe la regarda, incrédule. Pour Carole, le chapitre était clos. La radio diffusait une ballade dont les paroles du refrain accrochèrent Carole.

Toi avec qui j'ai choisi de faire route
Je te connais pour t'avoir rêvé mille fois
Toi à qui j'avais dédié mon amour
J'ai toujours espéré ton retour, ton retour

Le fantôme qu'elle avait aimé et détesté tant d'années était de retour, tout près, aussi beau que dans ses rêves, aussi désarmant qu'un enfant repentant. Pour l'amour, il avait le doigté du virtuose et la perfidie du séducteur. Ses souvenirs la plongèrent au début de leur union où elle avait vécu une ivresse vertigineuse, puis son départ avait laissé de grands vides nauséeux, comme un mal de vivre dont elle n'avait pas réussi tout à fait à se guérir. L'amour de Bernard et son travail avaient constitué le seul analgésique à sa souffrance morale. « Attention, Carole, lui dit une petite voix intérieure, cet homme porte le masque de l'amour, ce soir! »

Rendus devant la maison, Philippe lui fit remarquer le véhicule posté tout près, le même véhicule qu'il avait vu à son arrivée et dont le conducteur semblait de faction. Elle feignit l'ignorance et l'indifférence. Pendant que Mme Paradis et son fils se retiraient, ils s'installèrent au sous-sol pour ne pas déranger Mme Alain qui dormait déjà. Avant de visionner la première cassette, Carole voulait régler définitivement sa situation matrimoniale.

— Philippe, il faudrait bien qu'on rende notre situation plus conforme à la réalité. J'aimerais qu'on entame les procédures du divorce.

— Tu veux te remarier?

— Pas nécessairement.

— J'avais pensé... te demander de venir vivre avec moi à Paris ou à Atlanta si tu préfères. Avant, tu disais que tu ne voulais pas déraciner Bernard, tu voulais qu'il reste dans le milieu où il était heureux. On pourrait faire un essai, Carole. Je t'ai toujours cherchée dans toutes les autres femmes que j'ai connues. Tu habites ma pensée depuis toujours. J'ai besoin de toi.

— Tu es un papillon, Philippe. Tu as besoin de butiner pour te prouver... je ne sais quoi. J'ai trop souffert. Je serais incapable de te faire confiance. Comment veux-tu que ça fonctionne dans ces conditions?

— Carole, tu me condamnes sans me donner de sursis!

— Explique-moi alors pourquoi tu es venu au salon funéraire avec une femme de l'âge de Bernard?

— Carole, tu es une femme très séduisante et tu le sais. La plus belle que j'ai jamais rencontrée. Je t'imaginais devant le cercueil de notre fils au bras d'un homme. J'étais incapable de le supporter. Cette femme n'est rien pour moi. Si tu savais combien je l'ai regretté. Je te demande pardon.

— C'est trop tard, Philippe. Restons amis. Au sujet du divorce, je ne te demande rien. Pour la maison, je paierai la moitié de son évaluation. Ça te convient?

— Non, je ne veux pas d'argent. La maison, c'est toi qui l'a entretenue pendant toutes ces années. C'est toi qui l'a rénovée. Tu m'enverras les papiers et je signerai.

Carole se leva pour insérer la cassette. Elle saisit la télécommande du téléviseur. Dès les premières images de leur mariage, elle zappa. Philippe s'opposa gentiment.

— Tu auras tout le loisir de revoir la cassette chez toi. Moi, je veux voir Bernard.

— En France, vos vidéocassettes sont incompatibles avec nos magnétoscopes!

— Alors, tu les regarderas à Atlanta.

Philippe comprit à ce moment qu'il avait vraiment perdu sa femme. Bernard avait toujours pris une grande place et, curieusement, maintenant qu'il n'était plus là, il prenait toute la place.

Une scène d'une tendresse et d'une beauté inouïe tira les larmes de Carole. Bernard avait deux ans et saluait de la main son père qui le quittait, revêtu de son uniforme de pilote. Un gros plan de son visage leur fit voir sa lippe boudeuse. Le père sortit de son véhicule, lui tendit les bras et Bernard accourut. Dans sa précipitation, il trébucha sur le boyau d'arrosage et tomba. Philippe prit tendrement le petit bonhomme dans ses bras et l'embrassa. La caméra avait capté son sourire radieux.

Philippe se leva de son siège, s'assit à ses côtés et entoura de ses bras les épaules de sa femme. Elle enfouit sa tête au creux de son épaule et ne put endiguer le déferlement. Il était incapable de parler. Il vivait les mêmes émotions déchirantes. Il appuya sa tête sur la sienne et son coeur voulait éclater de remords.

— Je pensais être capable de les regarder, mais c'est trop tôt. Je te laisse. Tu peux coucher ici si tu veux. Prends la chambre d'invité.

Carole se retira dans sa chambre et attendit en vain les bienfaits d'un sommeil réparateur. Plus il tardait, plus son pouls s'accélérait, plus son coeur palpitait. Cet homme avait chamboulé toute sa vie et juste au moment où elle envisageait de reconstituer une famille avec René, il lui faisait miroiter, avec des accents de sincérité, une vie de rêve. Ses regrets, sa tristesse, sa générosité, sa vulnérabilité l'avaient émue au plus haut point. Elle avait heureusement réussi à se détacher de son emprise. L'aimait-elle encore? Elle ne savait le dire. Il était si séduisant! Il avait l'air si sincère! Elle se rappela les nombreux scénarios de femme trompée dans lesquels elle avait joué un triste rôle et son angoisse lui donna des crampes. Les vidéocassettes qu'elle avait refusé de visionner en sa compagnie défilaient dans sa tête. Elle avait l'impression d'être une voyageuse dans un train en marche, n'ayant aucun contrôle sur les paysages qui se succédaient sans interruption à sa fenêtre. À bout de forces, elle se leva et chercha dans la pharmacie les somnifères de sa mère. Elle en prit un et, comme c'était la première fois, il agit rapidement.

Quand elle se leva, le lendemain, une note traînait sur l'îlot de la cuisine. Sa mère, Mme Paradis et Gabriel étaient sortis pour la journée. François, son chauffeur, était venu les chercher. Au programme : magasinage, cinéma, souper. Le retour était prévu pour vingt heures. Délicatesse de la part de sa mère pour la laisser seule avec Philippe ou fuite pour ne pas avoir à lui parler? La deuxième hypothèse lui sembla plus plausible. L'horloge marquait onze heures. Elle avait dormi comme un loir. Elle jeta un coup d'oeil sur le lac et vit Philippe qui nageait le crawl comme un pro. Elle endossa son maillot et se jeta à l'eau. Elle nagea quelques brasses. Philippe s'approcha. Il avait les yeux bouffis.

— Tu as visionné les trois cassettes?

— Oui. Plus d'une fois. Je n'avais pas vu les deux dernières. Quand tu te sentiras capable, Carole, j'aimerais les revoir avec toi. J'aurais beaucoup de questions à te poser.

— D'accord. Tu n'as pas beaucoup dormi?

— Je suis habitué au décalage horaire. Je dormirai dans l'avion.

— Tu pars à quelle heure?

— À dix-huit heures. Je prendrai l'avion pour Dorval tout à l'heure et de là à Mirabel.

— Tu veux que je te conduise à l'aéroport?

— Ça me ferait plaisir, mais je ne veux pas te déranger. Je peux très bien prendre un taxi.

— Ça ne me dérange pas du tout.

Elle plongea et se retourna sur le dos laissant la douceur de l'eau caresser sa peau. Au début de leur mariage, à la pénombre, l'eau avait souvent été témoin de leurs ébats amoureux et ces souvenirs vivaient, intenses, dans sa mémoire. Philippe avait repris son crawl et la rasait comme il le faisait à l'époque, mais son bras ne venait pas ceindre sa taille... Combien de fois s'était-il amusé, dans leurs jeux puérils, à la couler pour l'enlacer ensuite amoureusement? Durant une fraction de seconde, elle faillit mimer un accrochage, mais se ravisa. Elle sortit de l'eau et alla préparer le petit déjeuner. Il la retrouva quelques minutes plus tard dans un peignoir de ratine turquoise, les cheveux relevés et noués. Il la regarda avec admiration.

— C'est bien ce que tu veux, Carole, le divorce? On pourrait tout effacer et recommencer à neuf.

— J'ai trop peur. J'ai trop souffert.

— Fais tes bagages et viens passer une semaine avec moi à Paris.

— Justement, j'y vais la semaine prochaine avec une amie. Tu te souviens de Lyne?

— Oui.

Carole avait pensé retarder son voyage depuis qu'elle avait été suivie, mais elle venait de prendre sa décision. Elle irait à Paris avec Lyne. Elle ferait confiance à René et à ses policiers pour protéger sa mère. Peut-être auraient-ils trouvé le coupable avant son départ?

Avant de partir, Philippe lui demanda de faire un détour pour voir son fils une dernière fois.

— Il ne travaille pas l'après-midi. Juste le soir.

— Montre-moi où il demeure.

— Non, Philippe, tu as promis. Sur la tête de Bernard. Je t'ai fait confiance.

— Pourquoi me l'as-tu dit?

— Je voulais savoir s'il est le demi-frère de Bernard.

— Maintenant que tu le sais, que vas-tu faire?

— Rien... Peut-être plus tard... s'il avait des problèmes, s'il arrivait quelque chose à ses parents, je pourrais m'arranger pour l'aider sans qu'il le sache.

— J'aimerais que tu gardes le contact, Carole. S'il a besoin d'aide, je suis là. Donne-moi de ses nouvelles. Promets-le-moi.

— D'accord.

Philippe inclina le dossier de son siège et demanda à l'agent de bord de l'ignorer. Il était si fatigué. Une fatigue inhabituelle qu'une bonne nuit de sommeil n'arriverait pas à réparer. Une fatigue qui portait le nom de regret, repentir et remords. Carole était plus séduisante que jamais. Comme elle avait changé! Elle n'était plus la femme possessive et soupçonneuse qu'il avait laissée. Sa demande de régulariser leur situation matrimoniale lui avait fait croire qu'un autre homme avait pris sa place et pourtant, il avait eu l'impression que tout n'était pas perdu. Il n'était pas homme à rendre les armes sans lutter et Paris serait peut-être l'arène où s'engagerait le combat décisif. « Il y a, dans certains destins, des hasards qui s'apparentent peut-être à un choix », pensa-t-il.

Toute la nuit, il avait vu des grands pans de la trop brève vie de Bernard où le héros qu'il aurait dû être à ses yeux s'était transformé en un lâche fugitif. Il n'arriverait jamais à se pardonner. Comment Carole pourrait-elle le faire? Un sentiment de solitude atroce l'accabla. Ses parents, décédés dans un accident d'automobile depuis au moins quinze ans, lui manquèrent soudainement. Comme il aurait voulu avoir un frère ou une soeur! Ses nombreuses conquêtes n'avaient vraiment jamais comblé son besoin d'aimer. Le souvenir de ses boulimies sexuelles lui laissa un goût amer. Il prit soudain une décision. La première chose qu'il ferait aussitôt qu'il serait à Atlanta serait de voir son avocat afin de révoquer les dispositions de son testament. Son fils, dont il venait d'apprendre l'existence, serait son légataire universel. Sa maison à Atlanta, son appartement à Paris, tout ce qu'il avait lui reviendrait. C'était sa seule façon de réparer. Carole l'approuverait, elle qui n'avait pas besoin d'argent et dont la mère était fortunée. Il ne comprenait pas encore très bien pourquoi elle lui avait révélé ce secret. Une série de pourquoi parfois résolus et toujours renaissants le harcelait. Finalement, il s'assoupit jusqu'à Paris.

De retour à la maison, Carole téléphona à René qui attendait impatiemment son appel. Luc avait invité sa copine à se baigner et Hélène était entourée de ses amis. Une musique infernale retentissait dans le combiné. Il invita Carole qui se désista encore. Il lui proposa d'aller la voir chez elle. Luc et les autres assureraient la garde d'Hélène. Il les quitta donc pour deux heures, rassuré, sachant qu'il pouvait être rejoint sur son cellulaire en tout temps.

Quand il arriva, Carole remplissait la mangeoire des rouges-gorges. Elle eut droit à une étreinte empreinte de passion au cours de laquelle des centaines de graines se disséminèrent sur la pelouse.

— Ils sauront bien les retrouver, dit René en souriant. Une semaine sans te voir, c'est l'enfer, comme dirait Hélène.

— Je suis contente de te voir aussi. Tu veux visiter la maison?

— J'aimerais visiter ta chambre, lui dit-il à l'oreille.

— Wow! Suis-je bien à la résidence de Madame Carole Alain?

« C'est bizarre!, pensa Carole. Il a prononcé exactement les mêmes paroles que Philippe hier soir. » Elle avait lu quelque part que les gens séparés attiraient par la suite toujours le même type de personnes que leur ex-conjoint parce que la vie se chargeait de les confronter à des problèmes qu'ils n'avaient pas su régler. En quoi Philippe et René se ressemblaient-ils? Physiquement, ils étaient très séduisants tous les deux, mais sur d'autres plans, elle ne connaissait pas suffisamment René pour se prononcer. Chose certaine, il était très attaché à ses enfants et cette seule caractéristique avait beaucoup d'importance à ses yeux.

Elle lui fit visiter toutes les pièces dont chacune avait un cachet particulier. Ses exclamations d'admiration et ses yeux écarquillés par l'étonnement ne laissaient planer aucun doute sur la beauté du nouveau décor. Après avoir fait le tour du propriétaire, il la souleva et, tout en l'embrassant, il la porta dans sa chambre et la déposa délicatement sur son lit.

— Où est cachée ta mère?

— Dans la penderie, dit-elle tout bas.

— Elle est suspendue... à nos lèvres?

— Chut...

Les mots s'arrêtèrent, capturés par un baiser brûlant qui attisa les feux de l'amour couvant depuis une semaine. Et quand la flamme, qui semblait inextinguible, s'étouffa quelque peu, le temps réclamait son dû. Il appela Luc qui l'informa que Maryse venait de téléphoner.

— Merde! Qu'est-ce que tu lui as dit?

— Que tu étais parti à l'épicerie. Inquiète-toi pas, on est toute la gang, pis on s'est commandé des pizzas.

— J'arrive dans une heure.

— Qu'est-ce qui se passe? demanda Carole.

— J'avais promis à Maryse de ne pas quitter Hélène d'une semelle! C'est la première fois que je la laisse et elle téléphone!

Il composa son numéro et lui donna des nouvelles de sa fille.

— Passe-moi Hélène, dit-elle. J'ai oublié de lui dire quelque chose tout à l'heure.

Il pressa la paume de sa main sur le microphone et dit, tout bas, à Carole :

— Elle veut parler à Hélène.

Carole, nerveuse elle aussi, resta bouche bée.

— Hélène est à la salle de bains. Elle te rappellera.

— Je peux attendre.

— Tu la connais! Ça risque d'être long. Elle te rappelle dans cinq minutes, d'accord?

— D'accord. Ton invitation à souper tient toujours?

— Naturellement. À samedi.

René appela Hélène et lui révéla le subterfuge. Le plus sérieusement du monde, elle l'invectiva, refusa catégoriquement d'être complice d'un mensonge. Des éclats de son rire cristallin s'ensuivirent.

— T'inquiète pas, avait-elle ajouté, je l'appelle. Aie, papa, si elle veut te parler, est-ce que je lui dis que tu es à la salle de bains? Après une minute, je lui dirai que je t'ai « flushé ».

— S'il y a un problème, dit-il en riant, tu sais comment me rejoindre sur mon cellulaire. À tantôt.

— C'est réglé, Carole. On a encore une heure à nous.

— Ton enquête piétine encore?

— On a reçu 208 appels et ça continue de rentrer. Trente agents sont impliqués dans l'affaire.

La sonnerie de son cellulaire le fit sursauter.

— Papa, Charles est ici. Il veut te voir tout de suite.

— J'arrive.

Il partit comme une flèche, promettant à Carole de l'appeler en soirée.

Chapitre 11

— Viens au sous-sol. Ici, on ne s'entend pas parler. Tu as découvert quelque chose? demanda René.

— Tu te souviens de John Davis, le professeur de l'Université McGill? La neige qu'il cachait dans son aspirateur central va lui coûter cher, fit Charles.

— Oui. Il n'est pas sorti de prison. La Fouine aussi.

— Jeudi matin, on a reçu un appel d'une femme qui a refusé de s'identifier. Elle nous a donné le nom et même l'adresse d'un certain Kevin Davis. J'ai fait le lien. Tu te souviens que le professeur nous avait dit de téléphoner à un de ses confrères qui devait nous confirmer que durant le festival étudiant, l'année précédente, il avait été ciblé par ses étudiants pour la course à l'exploit? Il avait alors noté sur une feuille le nom et le numéro de téléphone de ce confrère. J'avais gardé le papier. Après avoir reçu l'appel, j'ai cherché le papier et j'ai vérifié. Le nom correspondait effectivement à un professeur de McGill, mais le numéro de téléphone était celui de Kevin Davis, son fils. Nous avons fait délivrer un mandat d'arrêt et nous sommes allés le cueillir pour le questionner.

— Est-ce qu'il a parlé?

— Naturellement, il a un excellent alibi. Il a passé toute la soirée chez lui avec son amie. Mieux que ça, une copine de la femme est venue les visiter en soirée. C'est ce qu'elle dit, en tout cas.

— Est-ce qu'il a un frère jumeau?

— Oui, il l'a avoué. Alvin Davis. Adresse inconnue naturellement. Notre homme ressemble comme deux gouttes d'eau à l'assassin de Linda, sauf qu'il a les cheveux bruns, pas de barbe. Attends que je te raconte le reste! Il était assis devant nous; on était trois à le cuisiner. Il gardait toujours les mains dans ses poches! C'est pas courant, assis, les deux mains dans les poches! Au bout de cinq minutes à peu près, il nous a demandé la permission d'aller aux toilettes. Il suait à grosses gouttes, ses poches de pantalon étaient trempées. L'eau coulait sur le siège où il était assis. Ça correspond parfaitement à l'étrange maladie dont tu m'as parlé. Jusque là, ca va bien.

— C'est quoi le problème?

— On se promenait autour de lui. J'ai réussi à lui arracher quelques cheveux en faisant semblant de m'accrocher les pieds et de tomber. Tu aurais dû voir Jean. Il se mordait les lèvres pour ne pas rire.

— Que dit le test d'ADN?

— Le test confirme que les cheveux de la personne qui a agressé Hélène et les siens ne proviennent pas de la même personne. Même chose pour les deux cheveux de la personne qui a tué Linda. Ça ne coïncide pas, mais tu sais que des tests préliminaires sont souvent peu concluants. Il aurait fallu que je lui en arrache un peu plus.

— T'es-tu assuré de la discrétion du technicien?

— C'est un ami. J'envisage la possibilité que les jumeaux aient délibérément brouillé les pistes et, dans ce cas, ça va être difficile d'incriminer Kevin Davis.

— Hélène peut l'identifier. Il y a aussi le numéro de téléphone donné par son père. Garde-le précieusement au cas où on pourrait s'en servir comme pièce à conviction.

— Ça va être la parole d'Hélène contre la sienne! Il a un excellent alibi et si le test d'ADN est négatif, ce sera erreur sur la personne, on a déjà vu ça! Preuve insuffisante! Dans l'énervement, on dira que John Davis s'est trompé de numéro de téléphone!

— Est-ce que le numéro de téléphone de Kevin Davis et celui du confrère de John Davis se ressemblent?

— Oui, malheureusement! Deux numéros seulement diffèrent. On a affaire à la puissante gang de l'est. On a fait coffrer Stefano Rossi, alias La Fouine, et John Davis, alors ils se sont vengés. Et ils se sont organisés pour ne pas se faire prendre. Ils s'amusent à nos dépens.

— Tu oublies qu'on peut faire témoigner la psychiatre. Demain, je m'informerai davantage sur l'hyperhidrose. Je veux savoir si c'est une maladie congénitale, si un jumeau identique est nécessairement affecté du même mal. J'aimerais savoir aussi quel est le pourcentage de la population atteinte.

— On ne peut pas faire condamner quelqu'un sur une coïncidence!

— Ça va faire beaucoup de coïncidences, tu ne trouves pas? Tu vas venir demain avec Hélène?

— Oui. Je suis sûre qu'elle acceptera.

— Tu ne dois pas la laisser une minute, René. C'est la seule qui peut l'identifier.

— Oui, je sais. Ce Kevin Davis, est-ce qu'il a un petit accent anglais?

— Il parle très bien français, mais il a un léger, très léger accent, je te dis à peine perceptible. Hélène en avait-elle parlé?

— Non, mais je vais lui demander. Je ne pense pas que la personne qui fait les téléphones de menaces à Carole ait un d'accent. Elle m'en aurait parlé! Je vais vérifier quand même. Il doit avoir un complice.

— Rappelle-moi comment s'appelle son frère?

— Alvin Davis.

— Vous ne savez pas où le trouver?

— Pas encore. Kevin nous a dit qu'il ne savait pas où il était, qu'il ne l'avait pas vu depuis cinq ans.

— Sa mère vit-elle encore?

— Non. C'est ce qu'il nous a dit. On fait des recherches. Il dit qu'il n'a pas d'autres frères et soeurs.

— Son amie, vous avez fait une enquête?

— Elle est barmaid, sa copine est serveuse. Au même bar. Le bar appartient à son chum, Kevin Davis. Nous avons questionné des employés, des habitués surtout, tous ont dit qu'elles n'étaient pas là ce soir-là.

— Est-ce qu'elles avaient l'habitude de travailler le vendredi soir?

— Oui, mais ce soir-là, elles se sont fait remplacer. L'amie de Kevin Davis avait mal à la tête. C'est ce qu'elle a dit au gérant.

— Et l'autre?

— Rendez-vous chez le coiffeur. Elle avait des noces le lendemain. On a vérifié. Elle a même confié au coiffeur qui la connaît bien qu'elle allait voir sa copine malade et son chum tellement grippé qu'il était au lit. Elle l'a même nommé. Je te le dis, Kevin Davis a un alibi solide.

— A-t-il déjà retenu les services d'un avocat?

— Le meilleur en ville! Le criminaliste Joël Brousseau. Le bonze de la pègre montréalaise!

— Oui, je sais. Les jumeaux ont-ils des dossiers criminels?

— Non. Ça va être difficile de garder Kevin en tôle longtemps. Ça presse pour qu'Hélène vienne l'identifier. Maître Brousseau connaît les procédures! Si Hélène pouvait nous donner plus d'informations!

— La psychiatre voulait la soumettre à une séance d'hypnothérapie. Je m'y suis carrément opposé. Si elle n'a pas perdu conscience au moment du viol, tu imagines ce qu'elle va revivre!

— Je comprends. Mais si elle a vraiment perdu conscience comme elle le prétend, elle ne vivra pas le viol. Il y a sûrement des détails qu'elle pourrait révéler.

— Non! Il n'en est pas question! Sa peur durant le trajet, dans la cabane... Je préfère ne pas y penser.

— Il faudrait réussir à localiser où il l'a emmenée.

— Elle ne sait rien, elle avait les yeux bandés. Tout ce qu'elle a dit, c'est qu'elle n'entendait pas de bruit et que ça sentait l'étable.

— S'il y avait des animaux, il y avait aussi du monde pas loin. Il a dû l'emmener dans une grange, une écurie ou une remise quelconque. Elle n'a pas parlé de circulation automobile. Si on savait où il l'a amenée, on pourrait chercher des empreintes. Il en a sûrement laissé. Hélène a dit que ses mains dégoulinaient de sueur. Donc, il ne portait pas de gants.

— Je vais lui parler ce soir. Je vais lui expliquer toute la situation. Elle va nous aider.

— Tu ne veux pas la soumettre à l'hypnothérapie pour ne pas qu'elle revive son drame et tu es prêt à le lui faire revivre consciemment en la questionnant. Tu es illogique, René.

— Voyons Charles, il y a toute une différence! Si elle est hypnotisée, elle va revivre les mêmes émotions tandis qu'avec moi, elle n'a plus peur, elle sait que l'événement est passé et qu'elle est en sécurité.

— Peut-être que la personne qui hypnotise peut lui suggérer de ne ressentir aucune émotion?

— Ça, je ne suis pas sûr que ça va marcher. Je ne veux pas prendre de chance.

— Je vais me renseigner sur le sujet.

— Vous avez vérifié la marque de voiture de Kevin Davis?

— Oui. Une Ford Tempo blanche, 1994.

— Elle était stationnée devant son appartement ce soir-là?

— Oui. Un voisin nous a dit que Kevin Davis avait pris sa place de stationnement, ce qu'il n'avait pas l'habitude de faire. Il est monté à son appartement et son amie est venue déplacer le véhicule.

— Incroyable! Ils ont pensé à tout! Ça veut dire que notre homme a pris une voiture de location identique à la mienne. C'est ce qu'Hélène a dit. Vous avez visité les centres de location d'autos, les garages?

— Non.

— Il faut mettre tous les agents là-dessus. Il faut faire l'inventaire de tous les endroits où on loue des autos et les visiter avec le portrait-robot. Ils vont peut-être se souvenir de cette personne qui a exigé une Toyota Corolla noire ou une auto qui lui ressemble. Si on ne trouve rien à Montréal, on cherchera à Québec. Si on peut prouver qu'il a loué une voiture, connaître le nombre de kilomètres qu'il a parcouru dans une journée, il n'aura d'autre choix que d'avouer.

— On a affaire à une fine mouche! Il pourrait très bien avoir emprunté la voiture de quelqu'un qu'il connaît ou l'avoir volée.

— C'est certain, mais il ne faut rien négliger. Il faut vérifier dans tous les postes de police les déclarations de vols d'autos, enquêter sur les gens qu'il fréquente. Au fait, où travaille-t-il?

— Je te l'ai dit, il est le propriétaire du bar où travaille son amie et l'autre fille qui lui a fourni un excellent alibi.

— Il faut enquêter sur les filles aussi. Mettre leur téléphone sous écoute.

— On se voit demain?

— À demain. Merci.

Après le départ de Charles, René réussit à rejoindre la psychiatre d'Hélène, qui était de garde à l'hôpital. Après s'être identifié, il lui demanda :

— Docteure Lebel, concernant l'hyperhidrose, j'aimerais avoir plus de renseignements.

— Je ne suis pas dermatologue, mais un confrère m'a renseignée un peu.

— Voici ma question. Si un des jumeaux identiques est affecté par cette maladie, l'autre le sera-t-il nécessairement?

— C'est possible, mais ce n'est pas toujours vrai. Si la glande thyroïde secrète exagérément, ce qui peut entraîner des sueurs plus ou moins abondantes, les deux peuvent en être affectés. Remarquez que j'ai bien dit « peuvent ». Mais il y a d'autres causes : l'alcoolisme, l'hypoglycémie. Des hyperhidroses généralisées d'origine psychoaffective sont parfois observées aussi.

— Est-ce que cette maladie est rare? Autrement dit, quel pourcentage de la population peut en être affecté?

— Il n'y a pas d'études scientifiques qui le démontrent, mais cette maladie est un motif fréquent de consultation, d'après mon confrère. C'est certain qu'il y a différentes intensités. Quand je lui ai parlé de ce qu'Hélène m'avait dit, que le creux de sa main était rempli de sueur, il m'a dit que ce cas-là est assez rare.

— Est-ce que vous accepteriez de témoigner en cour pour rapporter les propos d'Hélène?

— Oui, bien sûr, mais pour le reste, vous feriez mieux de faire comparaître un spécialiste. Je peux en parler à mon confrère dermatologue si vous voulez.

— Je vous remercie beaucoup pour votre collaboration, mais n'en faites rien pour l'instant. Le procès, s'il a lieu, se déroulera à Montréal, alors je demanderai quelqu'un de plus près.

— Vous avez trouvé le coupable?

— On est sur une bonne piste. Je vous remercie encore, Docteure.

René était déçu : motif fréquent de consultation, aucune statistique, pas nécessairement congénitale. Comme Luc partait reconduire sa copine et les amis d'Hélène quittaient, le moment était propice pour lui parler.

— Tu as téléphoné à Maryse?

— Oui. La première fois que je lui ai parlé, elle m'a demandé si j'étais toujours d'accord pour venir avec Nathalie. Elle voulait nous emmener samedi après le souper. Nathalie aimerait mieux rester ici. Moi aussi. Nos amis sont tous ici. Là-bas, on ne connaît personne.

— Qu'est-ce que tu lui as répondu?

— Ben... j'ai dit que j'aimais mieux la psy d'ici que celle de Trois-Rivières.

— Comment a-t-elle réagi?

— Elle paraissait déçue, c'est certain.

— Pourquoi voulait-elle te parler la deuxième fois?

— Elle m'a parlé d'un blouson qu'elle voulait m'acheter. Elle voulait savoir si je l'aimerais. Tu vois qu'elle n'est pas fâchée.

— Tu as parlé à Charles?

— Oui. Regarde, il a signé mon plâtre. Il voulait me faire peur. Il disait qu'il allait me tirer dans la piscine.

— J'ai beaucoup de choses à te raconter, Hélène.

— Quoi?

— Charles pense avoir trouvé ton agresseur. Demain, nous irons l'identifier. Si on n'y va pas, ils vont devoir le relâcher.

— Comment ça va se passer?

— Rassure-toi, il ne te verra pas, il ne t'entendra pas. Tu seras dans une pièce avec Charles et moi. Tu verras quatre ou cinq hommes parmi lesquels il y aura celui qu'on soupçonne. La pièce est munie d'une vitre spéciale pour voir sans être vu. Si tu le reconnais, tu nous le dis. C'est aussi simple que ça! Peux-tu me dire s'il avait un accent anglais?

— Non, je ne me rappelle pas... si, peut-être un petit peu... à peine... sa façon de prononcer crisse quand il sacrait. Tabernak au lieu de tabarnak... juste quand il parlait fort.

Il lui donna tous les renseignements que Charles lui avait fournis et, par une kyrielle de questions auxquelles elle consentit à répondre, il tenta de découvrir des indices, des petits détails dont elle avait oublié de parler et qui pouvaient peut-être avoir une importance capitale. À part le léger accent anglais, il apprit que le plancher de bois rugueux était couvert de brins piquants. Comme des poils de balai. « De la paille », se dit René. Il escomptait davantage de cet interrogatoire. Quand il risqua sa question sur sa prétendue perte de conscience, il reçut un oui catégorique empreint de colère.

— Combien de fois tu vas me le demander encore?

Il l'approcha pour l'entourer de ses bras et aussitôt, elle le repoussa fermement comme par un réflexe conditionné.

— Touche-moi pas, s'écria-t-elle.

— Hélène, je le sais que c'est difficile pour toi de revivre ces moments-là. Excuse-moi, je n'aurais pas dû te questionner si longtemps.

Elle alla se blottir dans ses bras et se mit à sangloter.

— Pardonne-moi, papa. C'est pas à toi que j'en veux. Tu comprends.

— Oui, ma grande. Va te reposer pour être en forme demain.

Hélène se retira dans sa chambre, triste et silencieuse.

— Carole, j'ai hésité avant de t'appeler, il est tard.

— J'étais en train de lire.

— Veux-tu me dire, Carole, quand tu as reçu les deux téléphones anonymes si la voix de ton interlocuteur avait un accent anglais?

— Pas du tout, dit-elle, sans aucune hésitation. Un fort accent québécois. Tu aurais dû l'entendre sacrer.

— Tu es absolument certaine?

— Oui. Vous avez trouvé le coupable?

— C'est possible. Demain, je descends à Montréal avec Hélène pour l'identifier.

— Elle n'est pas trop traumatisée à cette idée?

— Elle sait qu'elle peut difficilement s'y soustraire, mais je ne peux pas te dire que ce sera aisé. Je te raconterai.

— Pauvre petite!

— Hélène est forte, elle va s'en sortir. J'aime mieux y croire. Quand je la vois s'amuser avec ses amis, on croirait qu'il n'est rien arrivé, mais quand elle revient de sa thérapie, elle est si triste. J'aimerais pouvoir l'aider, mais je ne sais trop comment.

— Continue de lui montrer que tu l'aimes, c'est ça la meilleure thérapie. Dis-lui combien elle est importante pour toi.

— Tu as raison. Tu es très importante pour moi, Carole.

— Tu vois, je ne suis pas en thérapie et j'ai besoin, moi aussi, d'entendre ça.

— Je préfère te montrer que je t'aime.

— Tu oublies que mon téléphone est sous écoute. L'agent Bouchard doit s'amuser!

— Je ne te retiens pas plus longtemps alors. J'ai hâte de te revoir. À demain.

Hélène monta dans la voiture de son père avec son sac à dos dans lequel il l'avait vue déposer cinq ou six cassettes. René avait pensé que le trajet serait long et pénible dans ce tintamarre ponctué de musique électronique, de synthétiseur, de hard rock. C'était peut-être sa façon d'oublier la gravité de l'acte qu'elle allait poser ou sa manière de lui dire qu'elle ne voulait plus engager la conversation sur l'épineux sujet.

Aussitôt que la voiture fut engagée sur la route, un vacarme assourdissant retentit à ses oreilles. Il diminua quelque peu l'intensité du son pour ne pas alimenter sa tension et son agressivité, mais sa sensibilité auditive était mise à rude épreuve. Il se demanda comment la rejoindre dans son monde où elle l'avait délibérément exclu. Après deux pièces, sa patience et ses nerfs étaient à fleur de peau. Il avait du mal à se contenir. Il devait lui apprendre à respecter les autres. Il pressa le bouton de la radiocassette et lui dit :

— Hélène, ça serait plaisant si tu me faisais apprécier ta musique et moi, je te ferais connaître la mienne. Tu pourrais me faire écouter une chanson que t'aimes, me dire pourquoi tu l'aimes. Moi, je ferais la même chose après. Chacun notre tour pour que ce soit plus juste.

Elle le regarda, perplexe. Comme elle avait un sens aigu de la justice, le dernier mot de son père avait fait basculer son consentement.

— OK Je vais te faire entendre *Coma* de Guns N'Roses. J'aime ça parce que ça défoule. Quand t'es écoeuré, t'écoutes ça. C'est comme si tu libérais ton énergie, tu sors de ton coma.

René écouta en faisant taire ses préjugés.

— Désolé. Je n'arrive pas à apprécier ça. Tu veux que je te dise la vérité, n'est-ce pas?

— Oui.

— À mon tour, maintenant. Je vais te faire entendre *Le phoque en Alaska* de Michel Rivard.

— Je la connais, on l'a étudiée à l'école.

— L'aimes-tu?

— Oui.

— Les paroles sont touchantes, écoute-les encore.

Elle lui fit entendre ensuite *Sad but true* de Metallica. *Power of love*, de Céline Dion, les rallia. Le trajet ainsi agrémenté de musique et de communication parut court et très plaisant. Rendus au poste de police,

Charles les conduisit dans une salle où une grande fenêtre s'ouvrait sur une autre pièce vide.

— Je reste devant la vitre et va lui montrer, René, ce que tu vois, dit Charles.

Charles tapa avec son index sur la vitre et l'expérience, concluante, sembla la rassurer. Deux autres policiers se joignirent au groupe pour observer, à son insu, ses réactions. René l'avait exigé pour avoir comme témoins des agents qui n'étaient pas impliqués dans l'affaire. René regarda Hélène et la sentit très nerveuse. Il se plaça derrière elle et posa affectueusement ses mains sur les épaules de sa fille. Le premier homme rentra. Grand, brun, frisé, au début de la trentaine, il correspondait au portrait sommaire qu'elle avait fait du coupable. Les observateurs ne décelèrent chez elle aucune réaction. Le deuxième, le troisième et le quatrième la laissèrent indifférente. Ils étaient tous grands, bruns, frisés, début de la trentaine. La vue du dernier déclencha un cri :

— C'est lui! J'en suis sûre.

Les cinq hommes avaient reçu l'ordre de rester là une minute, le temps qu'Hélène puisse bien les observer.

— Prends ton temps, Hélène, lui dit René.

Ses yeux se promenèrent très rapidement du premier au quatrième, mais le dernier retint toute son attention.

— Regarde, papa, c'est le seul qui cache ses mains derrière son dos. Elles doivent être remplies de sueur.

— Tu es bien certaine que c'est lui?

— Oui. J'ai mal au coeur. J'ai envie de vomir.

— Suis-moi.

Il l'entraîna dans la salle de bains pendant que Charles invita ses deux confrères, ses deux amis et le présumé coupable à se retirer. Hélène remit son déjeuner et se regarda dans la glace. Le miroir refléta sa pâleur.

— C'est fini, ma grande. Tu as fait ce que tu devais faire et je t'en remercie.

— C'était bien celui que vous soupçonniez?

— Oui. Viens avec moi, je vais dire un mot à Charles et on s'en retourne chez nous.

— Alors Charles, le procureur peut maintenant porter une accusation.

— Espérons qu'il n'accordera pas de libération sous caution.

— Je m'occupe de ça demain. Maintenant, il faut faire émettre un mandat de perquisition, lui couper une touffe de cheveux et demander au laboratoire d'effectuer des tests plus exhaustifs. On va passer par la filière officielle si on veut que ça soit valide en cour. Ça peut prendre du temps avant d'avoir les résultats. Demande à ton ami de faire accélérer les délais. Il ne faut pas oublier non plus les relevés de location de voitures.

— Papa, ça va être long encore?

— J'arrive.

Avec son plâtre, Hélène s'installa de peine et de misère à l'arrière du véhicule. Elle appuya sa tête sur l'oreiller que son père lui avait apporté et dormit ou fit semblant durant tout le trajet. Les neurones du cerveau de René s'activaient à un rythme effréné. Il était certain de détenir le coupable, mais il avait beau retourner le problème sous tous ses angles, il lui manquait une preuve formelle. Si le test d'ADN s'avérait négatif, ce qu'il craignait, si la perquisition dans son appartement était infructueuse, si aucune preuve de location d'auto n'était trouvée ou aucune déclaration de vol d'auto ressemblant à la sienne, le témoignage d'Hélène serait insuffisant pour le faire condamner. Même l'étrange maladie dont il était affecté à un degré pourtant élevé pouvait être attribuable à son état de stress lors de sa détention et de la séance d'identification. « Motif courant de consultation, avait dit la psychiatre. Des hyperhidroses d'origine psychoaffective sont parfois observées. » Il avait l'impression de livrer un combat de titan dans lequel les adversaires avaient machiné un plan diabolique infaillible. Il devait pourtant y avoir une faille, il fallait la trouver. S'il pouvait connaître l'endroit de la séquestration, il pourrait sûrement y trouver des empreintes... S'il lui restait cette seule alternative, accepterait-il qu'Hélène se soumette à l'hypnothérapie? Les battements de son coeur s'accélérèrent à cette seule pensée. Il y jongla toutefois jusqu'à son arrivée à Québec.

Le lendemain matin, il voulut en avoir le coeur net. Il prit le bottin et chercha dans l'index des pages jaunes la rubrique hypnothérapie. La liste faisait état de seize centres. Il choisit une agence accréditée et appela sous le couvert de l'anonymat.

— Monsieur, je suis journaliste. Je suis en train de rédiger un article et j'ai besoin d'informations sur un cas.

— Je vous écoute, monsieur.

— Une adolescente a vécu une séquestration et un viol. Elle prétend qu'elle a perdu conscience au moment du viol. Serait-il possible, en l'hypnotisant, de lui faire revivre son drame, mais sans les émotions qui sont liées à tout ça?

— Oui, ce serait possible, mais dans quel but? demanda-t-il d'un ton réprobateur.

— Révéler des indices qui pourraient faire condamner le coupable.

— Des études à Concordia ont révélé qu'il existe une mémoire « falsifiée », c'est-à-dire altérée. Si l'adolescente ne veut pas en parler du tout, sa mémoire falsifiée va opérer et elle ne dira rien. De toute façon, en cour, ça n'a aucune valeur.

— Elle pourrait nous donner des indices qu'elle a omis de nous révéler tout de suite après le drame?

— Oui. Encore une fois, si elle le veut bien.

— Merci, monsieur.

La semaine s'écoula lui apportant chaque jour son lot de mauvaises nouvelles. Sa seule consolation : il avait réussi à force d'arguments à obtenir que le juge refuse la libération sous caution de Kevin Davis. La perquisition de son appartement n'avait rien donné, aucun garage ou agence de location n'avaient vu ce client et pour finir, les résultats préliminaires du test d'ADN avec plusieurs cheveux de Kevin s'étaient avérés négatifs. Généralement, les études exhaustives confirmaient toujours les premiers résultats. Le procureur de la couronne n'avait que la parole d'Hélène, le témoignage de la psychiatre et d'un dermatologue et le numéro de téléphone du coupable écrit par son père sur un petit papier. Pire encore, la cour refuserait sûrement cette pièce à conviction relative au procès du père et non du fils. De plus, ce numéro de téléphone ne prouvait rien.

— René, lui avait dit Charles, je me suis renseigné sur l'hypnothérapie. Hélène n'aurait pas à revivre les émotions qui l'ont perturbée. L'hypnothérapeute cesse la séance n'importe quand. Il faut qu'on trouve l'endroit où il l'a emmenée, sinon on est perdu.

— Moi aussi, je me suis renseigné, mais je ne suis pas capable de lui demander.

— Veux-tu que je le fasse?

— Pas question! Si jamais je m'y résigne, c'est moi qui vais lui en parler. Tu sais que ça ne peut constituer une preuve en cour?

— Oui, mais ce qui nous intéresse, c'est le trajet pour trouver l'endroit. Si ça continue, l'enquête préliminaire va déterminer qu'il n'y a même pas matière à procès!

— Tu sais que si Hélène avait des réticences, l'hypnothérapeute ne pourrait rien faire.

— Tu pourrais lui faire comprendre que c'est la seule issue.

— Je vais y penser. Je te rappelle dans une heure.

Hélène déjeunait sur le patio, toute seule.

— Charles vient de m'appeler. Ils vont être obligés de libérer le coupable.

— Quoi! Ils sont fous! Je l'ai identifié! J'ai fait tout ça pour rien? dit-elle furieuse.

Il lui expliqua clairement les faits. Son alibi irréfutable rendait la tâche très ardue.

— Qu'est-ce que vous allez faire?

— Essayer de trouver l'endroit où il t'a séquestrée. Tous les agents sont là-dessus, mais il nous manque des informations.

— J'ai dit tout ce que je savais.

— Oui, mais il y a peut-être des détails que tu as oubliés.

— Si je les ai oubliés, comment veux-tu que je m'en rappelle? fit-elle rageuse.

— Il y a un moyen.

— Lequel?

— Si tu acceptais de te faire hypnotiser.

Devant son silence, il continua :

— As-tu déjà vu une séance d'hypnose?

— Oui, à l'école.

— On pourrait demander à ta psychiatre. Je serais là pour lui suggérer les questions à poser. Tu répondrais juste aux questions qui vont nous aider à trouver l'endroit. C'est toi qui décides. Si tu ne veux pas,...

— Si je ne veux pas, qu'est-ce qui arrive?

— Rien, sauf que...

— Le salaud va se promener dans la nature.

— C'est ça.

— C'est le seul moyen?

— Je n'en vois pas d'autre. Je suis désolé.

— Le détecteur de mensonges?

— Il n'est pas obligé de s'y soumettre. Ça ne peut constituer une preuve valide en cour.

— Justement, s'il refuse, ça veut dire qu'il est coupable.

— Ce n'est pas toujours interprété comme ça.

— Quand?

— Tu acceptes?

— Je n'ai pas le choix. Alors quand?

— Le plus tôt possible. Cet après-midi, si tu veux.

René appela la psychiatre. Son horaire chargé lui permettait difficilement de lui consacrer du temps. Il réussit à la persuader de l'importance de cette démarche en lui faisant connaître l'urgence de la situation. Elle annula donc deux rencontres et se rendit disponible à l'heure convenue.

Hélène ne s'objecta pas à ce que Charles soit présent. Il tenait à y être pour suggérer, lui aussi, les questions à poser. Ils se retrouvèrent à l'hôpital.

La thérapeute leur demanda de la laisser seule avec Hélène au début de la séance. Pendant ce temps, ils jetèrent sur papier des mots pour suggérer les questions à poser après que la voiture eut emprunté la bretelle Sainte-Catherine où la description des lieux s'avérait extrêmement difficile puisque Hélène avait les yeux bandés : route droite, courbe, côte, pavage asphalte, gravier, terre, vitre de l'auto ouverte, fermée, arrêt, bruits, vitesse, temps, odeurs.

Une fois en état hypnotique, la psychiatre leur fit signe d'entrer. Charles enclencha le magnétophone. La praticienne débuta l'interrogatoire. Elle formulait des questions fermées auxquelles Hélène ne pouvait répondre que par un oui ou un non. Elle paraissait sereine et coopérait bien. À quelques reprises, la thérapeute lui suggéra des mots qui avaient le pouvoir de la détendre davantage et l'effet semblait immédiat.

Le travail progressait lentement, comme les images latentes d'une photographie qui se dévoilent peu à peu sous l'action d'une solution chimique. Tout à coup, la révélation de précieux indices les fit redoubler d'attention. Une fois que l'agresseur lui eut bandé les yeux et qu'il l'eut bâillonnée, il s'était allumé une cigarette et avait abaissé la vitre. Il avait continué sa route tout droit à une allure qui lui paraissait normale, puis s'était arrêté quelques secondes. « Probablement un feu de signalisation », pensa René. Il avait roulé encore un peu, avait mis son clignotant et avait tourné à sa gauche. Quand la thérapeute lui demanda si elle avait entendu des bruits inhabituels, la réponse fut affirmative. René écrivait sur une feuille des mots qu'elle formulait en questions.

— C'étaient des bruits de personnes?

— Non.

— Des bruits d'animaux?

— Non.

— Des bruits de choses?

— Oui.

— Une alarme?

— Oui.

— De police?

— Non.

— De pompiers?

— Non.

— Une alarme de maison?

— ...

— Une alarme de voiture?

— ...

L'agresseur s'était arrêté de nouveau, avait tourné à droite, roulé quelques minutes, emprunté une route pavée de gravier et s'était arrêté. Il l'avait ensuite agrafée par un bras et l'avait poussée à l'intérieur où elle était tombée sur un plancher de bois rugueux. Des brins piquaient ses jambes. Il lui avait alors lié les pieds et une corde la retenait à quelque chose, de sorte qu'elle ne pouvait bouger, puis il était parti. Odeurs de moisissure, odeurs d'étable. Bruits d'oiseaux qui volent. « Des chauves-souris », pensa René. Elle attendit là des heures. Puis il était revenu. René demanda à la thérapeute de cesser la séance. Elle lui suggéra de nouveau de rester calme et lui dit qu'elle allait maintenant se réveiller fraîche et dispose.

— Vous avez appris des choses? demanda Hélène.

— Oui. Ça va nous aider. Merci ma grande.

De retour à la maison, René et Charles convoquèrent pour le lendemain matin presque tous les enquêteurs sur l'affaire. Ils se procurèrent des cartes routières de la région et, en écoutant à nouveau l'enregistrement, ils tracèrent les chemins possibles en planifiant dans les moindres détails le travail de chacun.

Chapitre 12

Les vacances estivales étaient enfin arrivées! Carole avait demandé à René de la délivrer du pion qui la suivait pas à pas aussitôt qu'elle sortait. Sa mère avait dépisté l'homme qui était toujours posté près de sa demeure et s'inquiétait de plus en plus de sa présence. Carole ne voulait pas donner d'explications à sa mère. Il s'y était d'abord opposé fermement, mais, avec insistance, elle était revenue sur le sujet. Avec maintes réticences, il avait finalement capitulé. « Après tout, le coupable n'est-il pas emprisonné? » disait-elle. Que sa mère soit sous surveillance discrète durant son voyage à Paris, cela, elle l'exigeait. C'était même une condition sine qua non à son départ, mais d'ici là, elle ne voulait plus se sentir constamment épiée.

Prudent, René n'avait pas voulu laisser Hélène seule, craignant une vengeance de la bande à Davis. Chaque soir, il invitait Carole à venir le rencontrer. Toujours, elle refusait. Hélène avait besoin de la présence exclusive de son père, avait-elle dit. La perturbation psychologique qu'elle venait de subir supporterait mal le partage de l'affection de son père avec une étrangère. Le moment n'était pas vraiment propice.

Sa valise était prête; elle partait pour Paris dans deux jours. La veille de son départ, René ne put résister à la tentation de la voir, d'autant plus qu'il avait une bonne nouvelle à lui annoncer. Il avait demandé à Charles de rester avec Hélène. Vers vingt heures, sa voiture se gara dans l'entrée de sa maison. Mme Alain se réjouit de le voir arriver.

— Carole, cria-t-elle. Ton oiseau de malheur arrive.

— Maman, s'il te plaît, il s'appelle René.

Surprise et contente, elle ne prit pas le temps de se changer et alla l'accueillir en maillot à sa voiture.

— Je fais l'école buissonnière, dit-il. Charles est à la maison.

— Viens, on va aller s'asseoir dans le gloriette. Il fait tellement chaud ce soir!

— Oh! La professeure de français veut m'épater! La dernière fois, c'était un kiosque si je me rappelle bien? lui dit-il en souriant.

— Je voulais juste voir ta réaction, lui dit-elle, moqueuse. Il a connu des heures de gloire, vois-tu. Tu te souviens?

— Je vais aller saluer ta mère et je reviens.

Sa politesse ne se démentait pas. Sa mère pouvait bien en être entichée! Elle l'accompagna à l'intérieur et en profita pour préparer des rafraîchissements.

— Bonsoir, Madame Alain. On est très bien ici!

— J'ai fait installer un appareil de climatisation. Juste avant la canicule!

— Si vous avez besoin de quelque chose durant l'absence de Carole, n'hésitez pas à m'appeler. Je vous laisse mon numéro.

— Merci, René. Mme Paradis et Gabriel restent avec moi. François est disponible aussi en cas de besoin.

— Veux-tu te baigner? L'eau est très bonne, dit Carole.

— Je n'ai pas apporté mon maillot.

— Prête-lui celui de Philippe. Il l'a oublié la semaine dernière, dit Mme Alain.

— Non merci, dit-il froidement. J'ai passé une partie de l'après-midi dans la piscine. Une autre fois, si tu veux, se reprit-il plus cordialement.

— Viens, on va aller s'asseoir dans le kiosque, dit-elle devant sa mère.

Carole n'avait pas élaboré sur la visite de Philippe. Le refus de René de revêtir son maillot laissait percevoir davantage un brin de jalousie qu'une certaine délicatesse de sa part. Elle fit mine de rien et sortit avec un cabaret contenant des limonades. Une fois à l'extérieur, il lui dit :

— On a trouvé l'endroit où Hélène a été séquestrée.

— Ah oui? Où?

— À une trentaine de kilomètres de chez nous. Dans le rang Saint-Étienne. Pas loin d'ici. Au fond d'un chemin de terre, il y avait une vieille cabane à sucre décrépite dont le toit était effondré. Une cabane en ruine qui a déjà servi il y a cinquante ans à peu près. À côté, une autre petite cabane qui servait d'écurie. Une stalle d'un côté avec des vieux harnais. Il restait encore de la paille sur le plancher. Ça sentait encore le cheval. La moisissure aussi.

— Il y avait des empreintes?

— Tout avait été effacé sur la clenche de la porte, mais notre criminel a fait une grave erreur.

— Laquelle?

— Il y avait une casquette qui traînait à terre. Une casquette qui paraît récente. C'était écrit White Grove dessus. Et quelques cheveux dedans.

— Qu'est-ce qui était écrit dessus? lui demanda-t-elle, interloquée.

— White Grove. Pourquoi?

— J'en ai vu une dans un magasin il n'y a pas longtemps.

« Coïncidence hallucinante », pensa Carole.

— Alors?

— Une première analyse de l'ADN confirme que ce sont bien les cheveux de Kevin Davis.

— Ouf! Je vais partir en paix. Maman n'a plus besoin de surveillance!

— On va laisser un agent quand même.

— Pourquoi?

— Toute notre équipe vérifie maintenant les informations qu'on a reçues par téléphone. On est maintenant rendu à 234 appels. Il faut absolument trouver le jumeau. Celui qui a tué Linda.

— Tu penses qu'il va vouloir venger son père et son frère?

— On ne veut prendre aucune chance. Il avait aussi un complice. Celui qui t'a téléphoné.

— Moi qui étais toute contente! Tu n'es pas trop rassurant!

— Tu peux partir sans inquiétude. Je voulais juste que tu comprennes que je ne peux pas enlever mon pion, comme tu l'appelles. Du moins celui qui surveille la maison, mais je vais lui demander de changer de voiture et de s'éloigner un peu. De se faire plus discret. Je voulais aussi te demander l'adresse et le numéro de téléphone de ton hôtel. Quinze jours sans te parler, c'est trop long.

— Je vais chercher les coordonnées de l'hôtel.

Une fois à l'intérieur, Carole lui signifia qu'elle prendrait une dizaine de minutes pour aider sa mère à se mettre au lit. Celle-ci aimait bien, le soir, s'installer confortablement dans sa chambre et, avant de s'endormir, écouter sa musique : son somnifère. Au retour, René n'était plus dans le kiosque. Elle entendit le clapotis de l'eau. Elle s'approcha.

— Tu as changé d'idée?

Il tendit les bras pour l'inviter. La pénombre voila leur nudité et l'eau, véhicule fluidique, les transporta dans les méandres de douces voluptés.

Le lendemain, Carole écouta d'une oreille distraite les dernières recommandations de sa mère. Elle pensa soudainement qu'elle se conduisait comme Bernard avant son excursion fatale. Elle lui prêta alors une oreille plus attentive souhaitant ainsi conjurer le mauvais sort dont son fils avait été le jouet. Comme une petite fille obéissante, en ironisant un peu, elle promit d'être prudente et sage. « Non, maman, je ne parlerai pas aux étrangers » avait-elle dit, moqueuse.

— Carole, ne ris pas de moi.

— Maman, j'ai quarante ans! La vie commence à quarante ans!

Encore une fois, les dernières paroles de Bernard percutèrent son esprit. « L'avenir m'appartient », avait-il dit. Sa dernière phrase ressemblait drôlement à la sienne! Elle n'eut plus le goût de se moquer et s'excusa auprès de sa mère.

Pour son baptême de l'air, Lyne s'assit près du hublot et Carole s'installa à ses côtés. La nouveauté de l'expérience excita Lyne au plus haut point. Sa vessie réclama à plusieurs reprises une évacuation urgente, particulièrement après les turbulences dues aux perturbations atmosphériques, si bien qu'elle dut céder sa place de choix à son amie. Au moment du changement de place, Carole ressentit inconsciemment le besoin de tourner la tête vers l'arrière. Juste derrière elle, un homme au regard furtif lorgnait dans sa direction. Son regard dur, froid comme le marbre, la terrassa. La haine se lisait dans ses yeux. « L'autre jumeau! » pensa-t-elle. Il avait les mêmes traits que celui du portrait-robot qu'elle avait vu à la télé, mais quelque chose de différent aussi. Ses cheveux semblaient moins fournis, mais plus longs et plus clairs, ses sourcils plus arqués, sa paupière supérieure plus affaissée. « Carole, tu t'affoles pour rien, pensa-t-elle pour se rassurer. L'humeur de cet homme est justifiée. Le va-et-vient constant de Lyne l'agace. »

— Qu'est-ce qui se passe, Carole?

— Ne te retourne pas tout de suite. L'homme en arrière de nous me regardait drôlement. Il avait l'air enragé.

— Il souffre probablement de constipation. J'ai de la gomme laxative dans mon sac à main.

Lyne se pencha pour prendre son sac à main que Carole retenait fermement avec son pied, sachant qu'elle était bien capable de lui en offrir. Leur petit jeu les fit éclater de rire. Carole se leva à son tour pour examiner davantage le visage de l'homme. Il avait incliné son siège et paraissait dormir. Il ne semblait plus aussi menaçant. Un film comique annihila ensuite leur nervosité respective.

Un tapis roulant transporta les deux voyageuses dans un réseau de tubulures, manifestations d'une ingénieuse et étonnante modernité. Une scène inhabituelle saisit Carole. Dans une cavalcade effrontée, à grandes enjambées, deux adolescents s'amusaient à courir à fond de train en sens inverse sur le chemin mécanique comme pour se mesurer ou défier le temps. Leur précipitation, les bonds prodigieux qu'ils faisaient contrastaient étrangement avec la quiétude des passagers qu'ils rencontraient. Une vision hallucinante s'imprima dans l'esprit de Carole. Le tapis roulant lui suggéra l'idée d'un tapis volant et la course, une poursuite effrénée. Presque en même temps, elle associa le tapis volant à l'avion qu'elle venait de prendre et la poursuite à la peur qu'elle avait ressentie d'être suivie par l'homme qui l'avait toisée dans l'avion. Cette perception visuelle irréaliste la troubla. Le moindre incident devenait pour elle sujet d'interrogations, d'analyse sur les effets de la projection de ses pensées dans le monde matériel. « Décidément, la théorie de Bernard va me rendre folle! » se dit-elle. Elle souhaita ardemment que son esprit soit chloroformé à ces idées durant son voyage.

— Que j'aimerais pouvoir faire ça! dit Lyne avec envie en regardant les deux garçons. On se marre bien! ajouta-t-elle avec un accent typiquement parisien.

La réplique avait finalement fait sourire Carole. Après avoir récupéré leurs bagages, leurs yeux cherchèrent en vain Philippe dans la foule bigarrée qui déambulait dans l'aérogare. Après une trentaine de minutes d'attente fébrile, de suppositions vraisemblables et d'hypothèses incongrues sur son retard, Lyne suggéra :

— Tu as son numéro de téléphone. Je surveille les valises, va l'appeler.

— J'aimerais mieux qu'on se débrouille toutes seules, fit Carole.

— Donne-moi son numéro.

Lyne n'arrivait pas à trouver un seul appareil où elle pouvait déposer des pièces. Tous les usagers utilisaient une carte d'appel. Penaude, elle retourna voir Carole fermement décidée, elle aussi, à se débrouiller sans l'aide de Philippe.

— Écoute Carole, tout le monde parle français ici. On va s'informer.

La première personne à qui elles demandèrent des informations questionna impatiemment :

— Vous allez où?

— Rue Montmartre.

— Prenez la navette qui vous conduira au RER. Descendez à la station Châtelet Les Halles. Prenez ensuite Strasbourg Saint-Denis, porte de Clignancourt, ensuite Montmartre, porte Balard.

La dame avait débité l'information comme une collégienne récite un texte appris par coeur. Lyne se mordillait les lèvres pour ne pas éclater de rire.

— Voulez-vous répéter plus lentement, dit Carole. Je note.

— Oui... Vous verrez, c'est très bien indiqué. Dans moins de quarante minutes, vous serez rendues. Vous êtes Québécoises?

— On l'sait, répliqua Lyne.

Les yeux de Carole dardaient des poignards.

— Vous dites? demanda la dame.

— C'est ça, nous sommes Québécoises, dit Carole.

— Lyne, s'il te plaît, retiens-toi, dit Carole, après avoir quitté la dame. Qu'est-ce qu'on fait? On prend un taxi?

— Pas question! Vive l'aventure!

Elles entrèrent effectivement à l'hôtel sans encombre, en moins de temps que la dame leur avait prédit. On leur avait dit qu'un véhicule était superflu pour visiter Paris et elles le comprirent vite en constatant la surprenante efficacité des transports en commun. L'hôtel combla leurs attentes.

— Un vrai palace! murmura Lyne en entrant.

Un grand lustre de cristal surplombant le hall d'entrée accrocha tout de suite leur regard. La moquette moelleuse gris anthracite semblait fraîchement posée. Elles ralentirent, regrettant de ne pas avoir essuyé leurs pieds sur le seuil et craignant de voir leurs empreintes marquer le somptueux tapis. Un fauteuil de velours émeraude invita Lyne à s'affaler.

— As-tu vu les tableaux? On se croirait dans un musée! On va prendre des photos. Les filles vont voir qu'on se mouche pas avec des pelures d'oignons à Paris.

— Lyne, viens. On va s'enregistrer.

Avec les yeux d'un enfant dans un magasin de bonbons, elle se leva et suivit Carole. À la réception, un message les attendait. Philippe s'excusait de n'avoir pu les accueillir à l'aéroport. Il leur expliquerait... Il viendrait les chercher à dix-neuf heures pour dîner. Le temps de s'installer, de se rafraîchir, elles partaient avec leur caméra et un plan de Paris, se promettant bien de faire attendre Philippe. Dans l'excitation du moment, elles ne ressentaient pas encore les effets du décalage horaire.

Il faisait une chaleur à faire suer un chameau et le vent avait dû souffler comme un boeuf pour décimer les nuages. On percevait à peine quelques cirrus effilochés à l'horizon. Avant de s'engouffrer dans une bouche de métro, elles se baladèrent au gré de leur fantaisie.

— C'est bizarre! On n'a pas l'impression d'être dans l'une des plus grandes villes au monde, dit Lyne.

— C'est vrai. Les édifices n'ont rien en commun avec les gratte-ciel de New York.

— Tu vois, cinq, six étages au plus. Ce petit air vieillot est assez joli! Ça ressemble un peu à ce qu'on voit dans le Vieux-Québec.

— Oui, mais à une toute autre échelle.

— On va voir la tour Eiffel?

— D'accord.

Émerveillement! Fascination! Les deux Québécoises comprirent pourquoi Paris demeurait depuis plus d'une dizaine d'années la capitale des congrès. Quelle vue spectaculaire du haut de la tour! Les « imagophiles » s'en donnèrent à coeur joie. Après leur descente sur terre, elles s'assirent, observant des amuseurs publics qui retenaient l'attention des badauds. La vogue était aux personnages qui exécutent des mouvements au ralenti. Ailleurs, des exploits en patins à roues alignées. Comble de l'insulte, un pigeon se délesta sur la tête de Carole! Toute une flaque! Les rires de Lyne attirèrent un touriste qui s'exprimait en français avec un accent italien. Il ouvrit son sac et en sortit une bouteille d'eau. Un lavage de tête en règle au pied de la tout Eiffel!

— Vous êtes Québécoises?

— Oui, s'empressa de répondre Carole avant que Lyne ne répète sa plaisanterie de mauvais goût. Et vous?

— Carlo Rizzuto. J'habite Rome. Vous devriez visiter les égouts de Paris. C'est juste là, dit-il en leur indiquant l'entrée. J'en arrive.

— Vous êtes sérieux? demanda Carole après ce qui venait de lui arriver.

— Ça pue? demanda Lyne.

— Un peu... Je pensais que ce serait pire. Vous savez, Paris est la seule ville au monde où l'on peut visiter les égouts. Il y a plus de deux millions de rats là-dedans. Les galeries ont servi de refuge aux voleurs et aux combattants de la Résistance durant la Deuxième Guerre mondiale. Vous avez lu le roman de Victor Hugo, Les Misérables?

— Oui, dit Lyne. Jean, le héros, s'est sauvé avec l'amoureux de sa fille sur ses épaules, pour échapper aux troupes révolutionnaires.

— Tu te souviens, Lyne, de la série télévisée La Belle et la Bête? La Bête vivait dans les égouts.

— Erreur! Dans les catacombes.

— Il paraît que les ouvriers découvrent toutes sortes d'objets : des bijoux, des armes à feu. Des animaux aussi : des serpents, des crocodiles...

— Des crocodiles?

— Oui, un bébé crocodile qui avait été jeté aux toilettes et il a survécu.

— Il y a du monde qui travaille là-dedans?

— Plus de cinq cents ouvriers.

— Qu'est-ce qu'ils font?

— Ils entretiennent tout ça pour qu'il n'y ait pas d'engorgement.

— Qu'est-ce que tu en penses? On y va? demanda Lyne

— Non, merci! Juste à y penser, le coeur me lève.

— Vous savez, le sous-sol de Paris avec son métro, ses égouts et ses catacombes est un véritable gruyère!

— Un véritable quoi? demanda Lyne, qui voulait s'assurer qu'elle avait bien compris.

— Gruyère. C'est une variété de fromage avec des trous, dit l'Italien.

— L'image est savoureuse, dit Carole en souriant.

— Vous devez aimer le gruyère! dit-il le sourire aux lèvres.

— Et ça pue, du gruyère? demanda Lyne.

— Moins que les égouts, dit-il en riant.

Carole regarda sa montre, signe que l'étranger interpréta comme le moment de se retirer.

— Je vous souhaite un très beau séjour, mesdames.

— Tu es assez subtile, Carole…

— Je commence à être fatiguée. Tu te rends compte? Ça fait à peu près trente heures qu'on n'a pas dormi. Et Philippe doit nous attendre à l'hôtel.

— Allons-y.

Lorsqu'elles franchirent le seuil de la porte de l'hôtel, Philippe était confortablement assis dans un fauteuil, une revue à la main. Il se confondit en excuses. Un véhicule avait tamponné le pare-chocs arrière du taxi qu'il avait emprunté. Rien de bien grave, mais les policiers étaient intervenus, avaient exigé sa version des faits et ainsi l'avaient considérablement retardé. Une fois à l'aéroport, il les avait cherchées en vain. Puis, il avait rencontré un confrère qui lui avait demandé de le remplacer sur le vol Paris-Londres au début de l'après-midi. « Cet homme a un charme fou », pensa Lyne. Carole, subjuguée par la similitude de ses traits avec ceux de Bernard, le regardait sans l'écouter. La ressemblance avec Luc aussi lui rappela qu'elle n'avait pas liquidé toute la rancoeur qui refluait en elle. Il sourit et elle vit se creuser une jolie fossette sur ses joues basanées.

— Tu as l'air fatiguée, Carole.

— Les effets du décalage horaire, dit Lyne qui avait saisi l'absence de son amie.

— Aimeriez-vous mieux que je vous laisse vous reposer? Avez-vous soupé?

— Oui, dit Carole.

— Non, dit Lyne en même temps.

Le manque de sommeil et la fatigue aidant, les deux amies s'esclaffèrent.

— Les gonzesses se bidonnent à ce que je vois, répliqua-t-il avec un fort accent du Midi.

La blague déclencha une explosion de rires qui força Lyne à chercher éperdument les toilettes. Elle demanda à un groom la salle de bains. Comme il semblait ne rien comprendre, il lui dit :

— What can I do for you?

— Le cabinet de toilette... la salle d'eau, cria Philippe, riant de plus belle.

Les jambes serrées, le dos légèrement courbé, elle se dirigea désespérément vers la porte indiquée. La scène déclencha encore des rires qui jaillissaient toujours au retour de Lyne.

— Alors, on va manger?

— D'accord, firent-elles encore ensemble.

— Donne-nous une vingtaine de minutes et on y va, dit Carole.

— Vous avez choisi le restaurant? demanda Philippe.

— On te laisse le choix, dit Carole. Monte avec nous à la chambre. Tu pourras te commander un apéro pendant qu'on va se préparer.

Carole avait promis de téléphoner à sa mère, histoire de la rassurer et de se rassurer. Comme elle composait les premiers chiffres, Philippe lui fit remarquer juste à temps :

— Carole, il est une heure de la nuit au Québec!

— J'avais complètement oublié. Je me reprendrai demain, tu as raison.

La soirée s'était déroulée admirablement. Les vins, exquis, la cuisine, une aventure gastronomique digne des plus fins palais, l'ambiance, chaleureuse, la discussion, animée, passionnante. Philippe avait eu le don de lui faire oublier tous ses soucis. Elle avait retrouvé le Philippe des premières années de son mariage : leurs sourires complices, son regard admiratif. « Carole, ne tombe pas dans le piège une autre fois », se dit-elle. Il souhaitait leur consacrer tout son temps si elles le désiraient. Il projetait des visites intéressantes.

En sortant du restaurant, Carole eut un choc. Elle tira la jupe de Lyne et lui marmonna à l'oreille : « L'homme dans l'avion, il nous suit. » Mine de rien, Lyne se retourna et, à son signe de tête, Carole comprit qu'elle l'avait reconnu aussi.

— Qu'est-ce qui se passe? demanda Philippe.

— Carole s'inquiète pour rien. Il y avait un gars dans l'avion qui la regardait drôlement et il nous suit. Carole a pourtant l'habitude d'être regardée!

— Pas de cette façon, répliqua-t-elle froidement.

— OK, on change de direction, ordonna Philippe.

L'homme, imperturbable, poursuivit sa marche, frôlant Carole.

— Ouf! Qu'il puait! Avez-vous senti?

— Non, répondit Philippe.

— Non, répondit Lyne. Je suis éreintée. J'ai hâte d'être dans mon lit! Carole, tu t'inquiètes pour rien.

— Je viens vous chercher à quatorze heures?

— Pas avant.

Philippe héla un taxi. En route, la pensée de Carole se fixa sur l'odeur fétide qu'elle était seule à avoir flairée. Pas une odeur de tabac ni d'alcool, une nauséabonde moisissure qu'elle n'arrivait pas à identifier. Tel un éclair, l'image des égouts de Paris surgit dans son esprit. Pourquoi ses compagnons n'avaient-ils rien senti? Soudain, un bruit incongru suivi d'une puanteur se propagea dans l'habitacle du véhicule.

— Excusez-moi, je n'ai pas pu me retenir, fit Lyne en ayant du mal à contenir son fou rire.

Philippe ne put s'empêcher de s'esclaffer tandis que pour Carole, cet incident avait une toute autre connotation. « Je suis trop impressionnable, trop sensible », pensa-t-elle.

Avant de s'endormir, elle pria Bernard de l'aider à ne pas basculer dans la folie. Elle craignit que seulement y penser pouvait faire advenir la chose. Peut-être n'était-elle pas prête à recevoir ces révélations? Elle s'endormit sur ces mots : « Help! Bernard, help! »

Le lendemain, elle se réveilla ayant clairement en tête le rêve qui avait habité son sommeil. « Quel rêve étrange! » se dit-elle. Une statue, grandeur humaine, était exposée sur un socle dans un champ. Elle mouvait gauchement sa tête de mouton, son corps de femme et ses membres, comme ceux d'un ours velu et pataud. À la file indienne, une foule attendait devant une porte pour voir le phénomène. Une femme donna une pièce et entra. Carole l'entendit hurler de peur. Sa peur devint la sienne. Un vieillard, hésitant, franchit la porte. Il sortit en larmes par une autre porte. D'abondantes larmes coulaient sur ses propres joues. Chacun ne voyait pas la réaction des autres. Toute la gamme des émotions y passait et chacune différait d'une personne à l'autre. Un adolescent riait à gorge déployée, un enfant souriait béatement. Carole visionnait la scène d'en haut, perméable à toutes les émotions des gens.

— Lyne, si tu savais le cauchemar que je viens de faire!

— Raconte.

Elle narra avec force détails le rêve bizarre. Lyne écoutait, le sourire en coin.

— Ta statue, est-ce qu'elle bêlait ou grognait? On dit qu'un rêve, c'est la réalisation d'un désir. T'as le choix, Carole. Préférerais-tu être mouton ou ours? Tu n'aurais pas vu un pigeon par hasard dans ton rêve? Toi qui aimes tellement les oiseaux! dit-elle en ricanant.

Carole envia Lyne d'avoir un tel sens de l'humour et de ne pas se torturer par tant de questions sur le sens de sa vie. Pour elle, la vie était une fête perpétuelle. Comme son amie était une experte dans l'art de dévier les sujets de conversation quand elle craignait qu'ils s'enlisent dans la morosité, Carole garda pour elle les réflexions que ce rêve suscitait. Quel message son subconscient lui livrait-il? Elle se rappela soudain la phrase de Bernard : « Ce ne sont pas les événements qui troublent les gens, mais l'idée qu'ils se font des événements. » Comment expliquer alors qu'elle soit si perturbée par la souffrance des gens? Se poser la question équivalait à recevoir la réponse. Effectivement, elle était trop sensible, trop affectée par les malheurs des autres. Mais être heureux ne pouvait découler d'une attitude indifférente devant les souffrances! Non! Son coeur et sa raison s'y objectaient. Pourquoi les gens réagissaient-ils différemment devant la statue? Oui, les gens réagissent différemment devant une épreuve. Cela, elle ne pouvait le nier. Mais la mort de leur enfant ne pouvait provoquer, pour des mères, des réactions diamétralement opposées! Elle aurait voulu que tout soit noir ou blanc. La difficulté de compréhension venait des zones grises, celles où la vérité est différente selon les personnes. Après tout, pensa-t-elle, Bernard est peut-être venu à mon aide cette nuit en me faisant réaliser ma trop grande sensibilité.

— Tu te rends compte, Carole, on a dormi presque douze heures. On fait venir le petit déjeuner au lit?

— Oui. Je commande deux chocolatines et du café. Ça te va?

Après le déjeuner, Carole tenta en vain de rejoindre sa mère au Québec. Une voix enregistrée répondit qu'il n'y avait pas de numéro correspondant à celui composé. Elle se reprit par deux fois. Inquiète, elle appela René qui lui apprit que sa mère avait reçu un autre téléphone de menace, qu'elle avait noté le numéro d'où provenait l'appel et l'avait transmis à la police après avoir tenté en vain de rejoindre son directeur d'école parti en vacances. Elle était maintenant sûre de ne plus avoir d'appels de ce genre puisqu'elle avait exigé qu'on change son numéro. Il lui donna son nouveau numéro et la rassura en lui répétant qu'un policier était toujours de faction près de chez elle. Elle lui demanda comment il savait tout cela. « Par les policiers qui ont répondu à son appel de détresse », lui avait-il dit. Elle lui fit remarquer qu'il perdait de bonnes chances d'épingler l'agresseur.

Il n'avait pas le choix, la compagnie de téléphone ne pouvait refuser cette demande à une cliente. Autrement, il aurait été obligé de lui révéler la vérité et elle aurait été morte d'inquiétude. Encore il lui répéta qu'elle lui manquait beaucoup et qu'il avait hâte de la revoir.

Carole téléphona à sa mère qui ne comprenait pas comment elle avait eu son nouveau numéro. Prise au dépourvu, Carole lui dit qu'elle avait téléphoné chez Mme Paradis et Gabriel le lui avait donné. Elle devait taire la vérité parce que sa mère ne savait pas encore que René était enquêteur pour la Sûreté du Québec. Elle avait hâte que sa mère termine les longues explications que René venait de lui donner pour téléphoner à Gabriel le plus vite possible. Elle composa le numéro de Mme Paradis, ayant appris par sa mère que Gabriel était chez lui et qu'il arriverait d'une minute à l'autre pour sa leçon de piano. Elle lui demanderait le nouveau numéro de téléphone et ainsi, sa mère ne pourrait détecter son mensonge. Comme elle se trouvait malhabile d'avoir inventé cette histoire! Elle aurait tout simplement pu dire que René le lui avait donné puisqu'elle lui avait dit qu'il travaillait pour la compagnie de téléphone. Et si Gabriel n'était pas là? Et si Gabriel n'était pas encore au courant du nouveau numéro? Ses pulsations cardiaques s'accélérèrent. À la quatrième sonnerie, la voix essoufflée de Gabriel se fit entendre.

— Gabriel?

— Oui.

— C'est Carole. J'essaie de téléphoner à ma mère et je ne peux la rejoindre. Est-ce qu'elle a toujours le même numéro de téléphone?

— Maman a dit qu'elle avait changé.

— Peux-tu me donner le nouveau numéro?

— Je le sais pas par coeur. Maman l'a écrit sur un petit papier.

— Va le chercher.

Après une longue minute, il revint.

— Je ne le trouve pas.

— Va chercher encore. Prends ton temps, je ne suis pas pressée.

Après une longue attente, il revint.

— Je ne le trouve pas.

— Regarde à terre, il est peut-être tombé. Regarde près du téléphone.

— Je vais voir.

— Non, il n'y a rien.

— Gabriel, ne raccroche pas. Va voir ta maman et demande-lui juste à elle. Ensuite reviens me le dire au téléphone.

Carole attendit au moins cinq minutes. Elle était en nage. Sans réfléchir, elle avait gonflé un ballon qui risquait de crever à tout instant.

— Carole, je l'ai!

— Est-ce que tu l'as dit à ma mère? demanda Carole haletante.

— Non, elle n'était pas dans la cuisine.

— Donne-le moi.

Elle fit mine d'articuler distinctement chacun des chiffres et remercia l'enfant. Elle composa de nouveau le numéro et, par chance, Mme Paradis était au bout du fil. En changeant sa voix, elle aurait prétexté un faux numéro si sa mère avait répondu. Elle soupira d'aise en demandant à Mme Paradis de ne pas se poser de questions sur son manège, qu'elle lui expliquerait à son retour, qu'elle n'avait pas à s'inquiéter. Sa conversation n'avait pas alerté Lyne, occupée à prendre sa douche.

Philippe arriva à l'heure convenue. Pendant quelques secondes, Carole resta interloquée. Il portait un bermuda de lin écru et une chemise sport sable enjolivée d'hiéroglyphes égyptiens. Une chemise identique à celle de René! La seule variante de sa tenue était qu'il avait troqué le pantalon pour un bermuda. Comme toute son attention était concentrée sur sa chemise, il lui demanda :

— Tu n'aimes pas ma chemise?

— Au contraire, elle est superbe!

— Vous êtes prêtes?

— Oui, allons-y.

Toute la journée, ils n'eurent d'autre guide que leur fantaisie. Leur balade les avait entraînés sur des sites pittoresques et touristiques d'intérêts différents. Une excursion en bateau-mouche leur avait permis de voir les principaux monuments de la capitale. Au cimetière du Père Lachaise, Lyne avait cherché en vain sur les inscriptions des stèles le nom d'un vague ancêtre. En arrivant, elle avait demandé naïvement et le plus sérieusement du monde au gardien si les morts avaient été enterrés par ordre alphabétique. La vieille blague usée n'avait pas amusé le gardien. Carole avait fait semblant de ne pas la connaître et s'était éloignée tandis que Philippe, qui ne la connaissait pas beaucoup, n'avait tout de même pu s'empêcher d'éclater de rire à la vue du visage renfrogné de l'homme. Pour amuser Carole et Philippe, Lyne avait demandé trois « morrons » grillés qu'ils avaient dégustés devant l'Arc de triomphe autour duquel un énorme rond-point tournait au cauchemar pour les automobilistes qui devaient faire des miracles pour ne pas se toucher. L'intérêt du spectacle s'était accru lorsqu'un véhicule, par inadvertance, en avait tamponné un autre. Ils avaient déambulé sur l'avenue des Champs-Élysées, prolongeant leur agréable promenade. Carole et

Lyne étaient tellement absorbées par l'attrait de la nouveauté que leur fatigue s'était volatilisée Philippe avait suggéré de prendre un taxi pour se rendre visiter l'arche de la Défense.

— Ça ne paraît pas si loin, on le voit là-bas! dit Carole.

— Encore trente minutes de marche au moins.

— Si tu es si fatigué, jeune homme, nous prendrons un taxi, dit Lyne.

Vers vingt heures, la faim les tenaillait. Philippe les emmena dans un grand restaurant où ils sablèrent le champagne. Ils se délectèrent ensuite de l'exquise et raffinée cuisine française arrosée de vins capiteux suggérés par le sommelier. En sortant du restaurant, Carole ne put retenir un cri. L'homme qu'elle avait craint dans l'avion était adossé à l'immeuble voisin et semblait l'attendre.

— Regarde, il est encore là! dit-elle.

Philippe, un peu grisé par le vin, fanfaronna.

— Je vais lui régler son cas, dit-il. Laisse-moi faire.

Crâneur, il se dirigea vers lui. Il l'empoigna par la chemise au niveau du torse en lui disant :

— T'as fini de les suivre?

— C'est pas tes crisses d'affaires, dit-il, en saisissant l'avant-bras droit de Philippe. C'est toé qui va payer, tabarnak.

Il le poussa à quelques pas dans la ruelle attenante, à l'abri des éclairages. Carole et Lyne, d'abord figées, se mirent à crier pour ameuter les passants. Philippe était seul, gisant au sol, recroquevillé, les deux bras compressant son estomac. Une dizaine de personnes s'étaient jointes à elles. Il réussit à prononcer le mot ambulance et s'évanouit. Carole réalisa tout à coup la gravité de la situation.

— Appelez une ambulance, cria-t-elle.

L'agresseur ne s'était pas contenté de lui donner une bonne leçon, il l'avait bel et bien poignardé. Sa chemise était maculée de sang. Carole s'accroupit, souleva sa tête et fut secouée de larmes. « Bernard, conjura-t-elle, fais que ton père ne meure pas. C'est trop injuste! Il t'aimait tant, Bernard. C'est de ma faute! J'aurais dû avertir René. Mon Dieu, aidez-le! »

Lyne éloigna l'attroupement des badauds qui affluaient. La sirène de l'ambulance se fit enfin entendre. Le gyrophare d'un véhicule annonçait la venue des policiers. Un des agents les invita à monter dans sa voiture et suivit l'ambulance. Aux questions du policier, Carole fut incapable de répondre tellement elle était ébranlée par les sanglots et prise par son monologue intérieur. Lyne prit la relève et raconta ce qu'elle savait.

Rendues à l'hôpital, l'ambulancier leur dit qu'il était vivant, sans plus. Carole n'écoutait toujours pas les questions du policier, elle suppliait de nouveau son fils de sauver son père comme s'il détenait un pouvoir sur la vie et la mort. Soudain elle se ressaisit et demanda qu'on la conduise expressément à un téléphone. Elle composa le numéro de René. Un coup d'oeil sur sa montre lui dit qu'il était cinq heures du matin au Québec. À la quatrième sonnerie, il répondit enfin.

— Allô! fit René ensommeillé.

— C'est Carole. Ton jumeau est à Paris. Il vient de poignarder Philippe.

— Quoi! Veux-tu répéter ça?

— Je suis à l'hôpital avec Lyne, dit-elle en pleurant. Un policier nous a emmenées.

— Passe-moi le policier.

— Attends, je te le passe.

— Monsieur, celui qui vient de poignarder l'homme est un dangereux criminel recherché au Québec. Je m'appelle René Martin et je dirige la brigade chargée de le retrouver. Je vous fais parvenir par télécopieur dans moins d'une heure son portrait-robot. Il faut qu'il parvienne le plus vite possible à Roissy et Orly. Pouvez-vous vous en charger?

— Oui, vous pouvez compter sur moi. J'en parle à mon supérieur tout de suite.

Il lui donna le numéro du télécopieur, les coordonnées du poste où il était assigné, celles de son supérieur, celles de l'hôpital. René lui demanda d'assurer la sécurité des deux femmes. Il demanda ensuite de parler à celle qui avait téléphoné.

— Carole, je prends le premier avion. Sois sans crainte, le policier garantit votre protection. Je te retrouve où?

— Je serai à l'hôtel ou à l'hôpital. Tu as les deux numéros?

— Oui.

— Il est gravement blessé?

— Oui, je pense, dit-elle en éclatant de nouveau.

— Courage, j'arrive.

Carole retrouva Lyne. Pendant que le policier appelait son chef, un médecin vint lui dire qu'il avait besoin de son autorisation pour effectuer une très délicate intervention. La lame avait perforé le poumon droit, il avait perdu beaucoup de sang et il devait procéder à l'ablation d'un poumon.

— Mon Dieu! Vous allez le sauver?

— On espère, madame.

Chapitre 12

Carole passa une partie de la nuit assise dans la salle d'attente avec Lyne à qui elle raconta toute l'histoire.

Chapitre 13

À l'aube, René réveilla Charles à Montréal. Sur-le-champ, celui-ci se rendit chez la personne qui détenait toutes les clés dont il avait besoin pour effectuer son travail. Il se rendit ensuite au bureau et télécopia au poste de Paris le portrait-robot de Kevin avec les modifications concernant les cheveux et la barbe. Il les télécopia aussi aux aéroports de Mirabel, Dorval, Sainte-Foy, Toronto et aux postes frontaliers. Il se chargea aussi de réserver deux billets sur le premier départ pour Paris. René communiqua ensuite avec le supérieur de l'agent à qui il avait parlé pour s'assurer de sa collaboration. Le plus urgent étant pallié, il prit son sac de voyage rangé sur la tablette supérieure de sa penderie. Dans son énervement et sa précipitation, il fit tomber la malle au-dessous. Le bruit réveilla Luc et Hélène à qui il raconta les récents événements. Il proposa à Hélène de la conduire chez Maryse ou de tolérer à toute heure du jour ou de la nuit la présence d'un policier dans la maison jusqu'à son retour.

— Tu vas revenir quand? demanda-t-elle inquiète.

— Je ne sais pas. Je ne pense pas être très longtemps.

— Je voudrais rester chez Nathalie.

— Hélène, ce n'est pas possible, dit-il fermement. Sa mère travaille, tu le sais. On ne peut pas demander à Mme Fiset de garder un agent jour et nuit.

— Alors, je reste ici.

— Très bien. Pour la nourriture, Luc, tu iras chercher ce qu'il faut. Je vous laisse de l'argent, vous commanderez au restaurant si vous voulez. Luc, je te demande d'être ici le plus souvent possible. Je vous laisse deux numéros où me rejoindre.

— Ça va, t'inquiète pas, dit Luc.

— On pourrait demander à Maryse de venir. Qu'est-ce que vous en pensez?

— On est capable de se débrouiller, on n'est pas des enfants. Fais-nous donc confiance, dit Hélène.

— Allez vous recoucher. Je vous réveillerai avant de partir.

Il réveilla trois agents, dont une femme qu'il connaissait bien et en qui il avait une confiance inébranlable, qui se remplaceraient chez lui aux intervalles de huit heures. Il émit des directives strictes auxquelles ils consentirent allègrement. Pour eux, ce travail était inespéré avec la chaleur qui sévissait. Ils auraient le loisir de se rafraîchir dans la piscine. Il mentionna aussi l'obligation de conduire Hélène à ses séances à l'hôpital. Ne sachant s'il devait avertir la mère de Carole, il hésitait et plus il tergiversait, plus son précieux temps fuyait. Finalement, il se dit que Carole n'était pas en danger et qu'il ne l'inquiéterait pas inutilement. Il préférait attendre son avis. Il lui restait à avertir Maryse qui téléphonait régulièrement à la maison, presque tous les jours, et à qui il avait promis de ne jamais laisser Hélène seule. Il inspira profondément et composa son numéro. Il était sept heures; elle était probablement levée.

— Bonjour Maryse.

— Qu'est-ce qui se passe? demanda-t-elle énervée.

— Rien de grave. Je tenais à t'avertir que je dois absolument partir quelques jours. Il y aura un policier en permanence dans la maison.

— Je vais la chercher. Tu avais promis! dit-elle furieuse.

— Je tiens à ce qu'elle poursuive ses traitements ici. Tu n'as pas à t'inquiéter. Le criminel est en prison. Viens faire un tour si tu veux.

— Dis à Hélène que je serai là cet après-midi.

— D'accord. Merci.

René se prépara un café et mangea en vitesse quelques galettes à la mélasse. Il s'attarda ensuite sous la douche. Les jets d'eau chaude avaient la propriété de le détendre et pour finir, l'eau presque froide le revigorait. Il avait besoin de cela, particulièrement ce matin-là. Il n'avait pas aimé l'intonation de Carole quand elle avait dit : « Ton jumeau est à Paris. » Plus que l'intonation, l'utilisation de l'adjectif possessif l'agaçait. Comme si c'était sa faute si son mari avait été poignardé! Indirectement, il était responsable, mais de l'entendre de sa bouche avait été très pénible. Il avait pourtant tout fait pour la protéger. Il tenta de se convaincre que sa réaction était normale dans les circonstances. Il réveilla Hélène pour lui dire que Maryse viendrait en après-midi.

— Tu lui as dit! dit-elle d'un ton plus réprobateur qu'interrogatif.

— Écoute, Hélène, je n'ai pas de cachette à faire à ta mère, rétorqua-t-il impatiemment. Elle n'a pas dit qu'elle viendrait habiter ici, juste faire un petit tour pour s'assurer que tu es bien. Tu sais ce que je lui avais promis.

Le carillon de la porte d'entrée se fit entendre.

— Viens, je vais te présenter le premier agent. Ils seront trois à se relayer toutes les huit heures.

— J'arrive.

René ouvrit à l'agent Lessard et le présenta à Hélène. Luc se leva aussitôt pour le connaître. Le premier contact sembla bon et René partit rassuré. Il fila à Montréal rejoindre Charles. Celui-ci s'affairait au bureau depuis l'aube. Dès l'arrivée des employés, il put les mettre à contribution pour effectuer l'énorme tâche que René lui avait assignée. La plus grande partie de la brigade sur l'affaire devait poursuivre le travail de vérification des appels afin de découvrir le repaire de Davis au cas où il transiterait durant la nuit par un poste frontalier sans surveillance. Les autres se posteraient aux aéroports. Une secrétaire leur annonça qu'elle avait enfin réussi à obtenir deux billets pour Paris à dix-huit heures trente. Charles alla faire ses malles et René poursuivit le travail.

Lyne et Carole bondirent de leur chaise à la vue du chirurgien. Carole, incapable de cristalliser sa pensée, avait peur de ses propres questions et resta muette.

— La blessure est plus grave qu'on l'avait pensé. La rate a été perforée aussi. Pour l'instant, il n'y a rien à faire. Dans toute intervention de ce genre, on se lance dans l'aléatoire. Vous feriez bien d'aller vous reposer.

— Il a des chances, docteur? demanda Lyne.

— Sa situation est très critique, mais tant qu'il reste un fil de vie, il faut garder l'espoir. On a vu bien des cas qui défient toutes les règles de la logique. Les prochaines douze heures seront cruciales dans son cas. Je compte sur vous pour aviser ses parents immédiats.

— On peut le voir? demanda Carole en larmes.

— Si vous voulez... suivez-moi.

La technologie médicale s'acharnait à maintenir en vie le corps de Philippe que l'acier avait torturé. De le voir ainsi, inconscient, sous intubation, branché à des appareils de survie et de contrôle, rendait la scène lamentable. Carole s'approcha du lit et invoqua encore Bernard d'intervenir auprès de Dieu s'il existait.

— Carole, viens-t-en, chuchota Lyne.

— Il ne se réveillera pas avant quelques heures, dit l'infirmière tout bas. Ensuite, il aura des sédatifs intraveineux.

— Vas-y toi, moi, je reste. Demande au policier, il va te conduire à l'hôtel.

— Si tu restes, je reste aussi. As-tu quelqu'un à avertir?

— Non. Oui. Frank Miller.

— Écris-le. C'est qui?

— Le meilleur ami de Philippe. J'ai son numéro dans mon carnet d'adresses.

Carole s'assit dans un fauteuil et épia en silence le moindre mouvement de ses yeux ou de sa bouche. Lyne arriva soudain et lui dit que Frank était en route. Elle s'assoupit et Carole pria. Tout à coup, l'électrocardiogramme s'affola. L'infirmière arriva et sonna le médecin. Au moment où deux médecins arrivèrent à son chevet, le graphique se régularisa. Philippe dessilla tout à coup les yeux. Carole s'approcha et lui prit la main. Il vit Carole et dit péniblement :

— Je veux voir mon fils, dit-il indistinctement.

Il perdit conscience de nouveau.

— Mesdames, voulez-vous sortir, s'il vous plaît, ordonna l'un des deux médecins.

Carole était dans un état émotionnel frisant l'hystérie. Avait-il dit : « Je veux voir mon fils » ou « Je vais voir mon fils »?

— Qu'est-ce qu'il a dit? demanda-t-elle à Lyne.

— Je veux voir mon fils.

— Tu es certaine?

— Je ne suis pas sûre... Il a peut-être eu un enfant que tu ne connais pas. Il faudrait faire des démarches pour le retrouver.

Carole resta de marbre. Elle n'avait pas tout raconté à Lyne. Elle avait sauté un chapitre. Elle était enfermée dans un terrible dilemme. Si elle voulait accéder à ce qui semblait être l'ultime demande de Philippe, elle devait avouer à René qu'elle avait révélé à Philippe que Luc était son fils. Son amour serait-il assez fort pour supporter une telle trahison? Juste y penser la fit frissonner. Et pourtant Philippe allait peut-être payer de sa vie pour le courage ou la témérité d'avoir voulu la protéger. Si elle faisait la même demande à Philippe, il ferait tout pour qu'elle voie son enfant une dernière fois. Sa conscience lui dictait de faire des démarches pour faire venir son fils Luc, mais les obstacles à franchir lui semblaient insurmontables.

Chapitre 14

René et Charles franchirent les contrôles douaniers de l'aéroport Charles-de-Gaulle. Ils se rendirent aussitôt au bureau du directeur de la sécurité où son adjoint les attendait. Tel que convenu, tout avait été mis en branle pour détecter l'assaillant québécois. Un policier offrit ensuite ses services pour les conduire à l'hôpital.

Plus d'une journée s'était écoulée depuis l'agression. Carole, Lyne, Frank et Mary, la jeune femme avec qui Philippe était venu aux funérailles de Bernard, se relayaient au chevet du malade. Dans son délire, Philippe avait demandé à Carole une autre fois de voir son fils et il s'était encore évanoui. Frank, son ami depuis quelque vingt ans, pilote comme lui chez Delta, ne lui connaissait pas d'autre fils que Bernard, celui qui était décédé il y avait un peu plus d'un mois. Le médecin administrait des antipyrétiques pour faire baisser sa forte fièvre, mais l'hyperthermie se maintenait anormalement élevée. Frank dit à Carole que le décès de son fils l'avait beaucoup affecté et c'était la raison pour laquelle il le réclamait sans cesse. La forte fièvre qu'il avait, donnait, d'après l'infirmière, de fausses perceptions de la réalité. Une troisième fois, il réclama Carole. Frank se retira et lui laissa toute la place. Philippe la regarda dans les yeux et elle fut incapable de soutenir son regard. Il réussit à articuler :

— Luc, je veux voir... Je laisse tout ce...

Et il s'éteignit dans un râle. René était entré dans la chambre sans que Carole ne l'ait vu. Il avait tout entendu. Carole pleurait à chaudes larmes, anéantie. Il s'approcha d'elle et l'entoura de ses bras. Elle sursauta et quand elle le vit, elle se réfugia au creux de son épaule. Il l'entraîna à l'extérieur de la chambre. Soudain, ses jambes flageolèrent, elle perdit conscience et s'affaissa à ses pieds. Le médecin demandé constata que sa respiration semblait faible, son pouls irrégulier. Sur son ordre, René la souleva et la déposa délicatement sur le lit dans la chambre attenante. Le médecin leva quelque peu ses jambes et prescrivit un anxiolytique tandis que l'infirmière préparait un soluté. Elle ouvrit les yeux, un peu perdue. Puis, quand elle vit Lyne et René, elle devint impuissante à contenir le flot de larmes qui ruisselaient sans cesse. L'infirmière lui présenta un comprimé et lui dit :

— Vous êtes épuisée. C'est un sédatif inoffensif. Ça va vous faire dormir. Vous en avez besoin.

— Repose-toi, Carole. Je veille sur toi. Je m'occupe de tout, ajouta René en lui prenant la main et en l'embrassant sur la joue.

Les larmes continuaient de se déverser sans qu'elle ne soit capable d'émettre le moindre mot.

— Je reste ici, ne t'inquiète pas. Je t'aime, Carole.

Elle se calma un peu pendant que René continuait de la rassurer comme si elle était une petite fille, comme si c'était sa fille Hélène, puis elle s'assoupit. D'un geste de la main, René signifia à Lyne de se retirer de la chambre et il la rejoignit dans le corridor.

— Dis-moi comment c'est arrivé?

René, Charles, Frank et Mary se joignirent à Lyne pour entendre la narration du tragique événement. Trois hommes, dont un photographe, se présentèrent soudain, harcelant de questions le petit groupe. Charles essaya de convaincre les deux journalistes et le photographe qu'il fallait attendre avant de sortir la nouvelle. La famille n'était pas encore informée et il ne fallait surtout pas alerter l'agresseur qui pourrait user de subterfuges pour filer à l'anglaise.

— Il utilisera d'autres moyens que les voies habituelles s'il se sait pourchassé, répéta Charles. Et tout est en oeuvre pour l'épingler.

— Le libre accès à l'information, monsieur, qu'est-ce que vous en faites, hein? Qu'est-ce que vous en faites du droit du public à être informé?

Le ton montait et René vit l'urgence d'intervenir. Il dit calmement :

— Messieurs, tout ce qu'on peut vous dire, vous le savez déjà. Oui, un homme a été poignardé. Il est mort. Vos sources vous ont sûrement dit où ça s'est passé. On ne peut rien dire de plus parce que ça pourrait compromettre la vie de certaines personnes. Je suis sûr que vous êtes assez professionnels pour comprendre cela.

— Il s'agit d'un Québécois?

— Je regrette, je ne peux rien vous dire. Plus tard, s'il vous plaît. Au revoir, messieurs.

Juste avant de se retourner, René fut ébloui par un éclair de magnésium. Un deuxième flash visa Lyne, Frank et Mary. Au même moment, René reçut une décharge d'adrénaline et empoigna la caméra. Sa colère était telle que les trois réunis n'auraient pu la lui enlever. Il ouvrit rapidement l'appareil pendant que Charles et Frank tentaient de retenir les trois récalcitrants qui voulaient s'en emparer. Il leur tourna le dos, retira la pellicule, déroula la bobine pour l'exposer à la lumière et leur remit.

L'altercation avait ameuté deux infirmières qui ne savaient trop comment réagir.

— Nous allons porter plainte, cria le photographe, furieux.

— Faites-le donc tout de suite, un policier est là.

René tira au photographe un billet de cinquante francs, leur tourna le dos et alla s'assurer que Carole dormait toujours. Il s'assit sur une chaise près du lit et se calma en la regardant dormir. Des bruits de conversation lui parvenaient du couloir. Les journalistes étaient toujours là. Il sortit et le policier qui les avait conduits à l'hôpital lui demanda son nom et son adresse afin de remplir les formalités de la plainte qu'ils avaient effectivement logée.

— Jacques Plamondon, 440 boulevard Lévesque, Laval, Québec, débita-t-il.

Il savait que son comportement agressif était pleinement justifié et n'était nullement incommodé par cette accusation, mais il avait faussé son identité afin de ne pas voir son nom étalé dans des journaux québécois. Le groupe se retrouva dans une petite salle d'attente. René demanda à Frank :

— Est-ce que Philippe a eu d'autre enfant que Bernard?

— Non, répondit Frank.

— Où demeurait-il?

— Il avait un pied-à-terre ici et une maison à Atlanta.

— Il vivait avec quelqu'un?

— On habitait ensemble depuis un an, s'empressa de dire la jeune femme qui semblait avoir compris, mais qui s'exprimait en anglais.

— Tu connais d'autres personnes qu'il faudrait avertir?

— Des amis, dit Mary. Je m'en occupe.

— Quant à moi, je m'occupe d'aviser notre directeur de personnel et les confrères de Philippe, ajouta Frank.

— Penses-tu qu'il a rédigé un testament? Il faut connaître ses dernières volontés et les faire respecter. Il faut savoir s'il a manifesté le désir d'être incinéré ou enterré, s'il faut rapatrier son corps au Québec.

— On n'a jamais parlé de ça, mais je connais son avocat à Atlanta. C'est un ami commun.

Il regarda sa montre.

— Je vais attendre avant d'appeler. Il est trop tôt là-bas.

— Lyne, tu as l'air fatiguée. Veux-tu aller dormir un peu à ton hôtel? demanda René.

— Je ne veux pas laisser Carole toute seule ici.

— Je vais rester avec Carole et quand elle va se réveiller, on ira te retrouver. Le policier va t'accompagner et il va rester de faction devant ta porte. Tu n'as rien à craindre.

— D'accord, dit-elle.

— Frank, je retourne au studio de Philippe, dit Mary. J'attends ton téléphone.

— Oui, compte sur moi.

— Madame, s'il vous plaît, si les journalistes vous importunent, je vous demanderais de ne pas donner d'informations, dit Charles.

— Oui, bien sûr.

— Qu'est-ce qu'on fait maintenant? demanda Charles.

— On attend que Carole s'éveille, dit René.

L'infirmière qui s'était occupée de Carole passait. Charles lui demanda :

— Vous n'auriez pas un lit disponible où je pourrais dormir un peu en attendant que notre amie se réveille?

— Juste à côté. Prenez la chambre des résidents.

— Merci. Et toi?

— Moi, je vais dans la chambre de Carole. Il y a un bon fauteuil. Je veux être là quand elle se réveillera.

René s'affaissa dans le fauteuil et regarda Carole. Sous le drap blanc, elle paraissait plus mince, plus fragile. Son visage était crispé par l'angoisse. Son sommeil semblait peuplé de fantômes. Il se leva et s'approcha à pas de loup. La tentation de s'étendre à ses côtés et de lui entourer la taille de son bras, comme pour la protéger, devint impérative. Il y résista difficilement afin de ne pas la faire sursauter. Il ferma les yeux pour se reposer et pensa à elle. Depuis la mort de son fils, la vie l'avait confrontée à des stress incroyables. Des scènes pénibles, aussi dérangeantes que des visiteurs importuns, accaparaient son esprit : sa poursuite par une voiture, les menaces de mort, la peur d'être suivie, agressée comme Hélène, la pensée d'avoir reconnu Bernard à la vue de Luc, l'accueil de sa mère chez elle et la tolérance de ses caprices, sa présence lors de l'agression de Philippe, son impossibilité d'accéder à son ultime demande, sa mort. Il craignit tout à coup que, par sa faute, elle dépasse le seuil de tolérance que son appareil psychique pouvait tolérer. Non, il ne lui reprocherait sûrement pas d'avoir cherché à savoir auprès de Philippe si Luc était son fils. Il ferait semblant de ne pas avoir entendu les dernières paroles de Philippe. De toute façon, Carole avait promis de ne jamais en parler à Luc et à Maryse et Philippe était parti avec son secret. Ses pensées, comme des hôtesses hospitalières, se firent graduellement plus calmes et l'invitèrent à la détente et au sommeil.

Quelques gémissements entrecoupés de sanglots le réveillèrent brusquement. Il se précipita au chevet de Carole. Comme il allait la tirer de sa sombre nuit, elle se retourna du côté opposé, semblant délivrée des scènes oniriques qui l'avaient hantée. Sa montre-bracelet lui indiqua qu'il avait dormi tout près de quatre heures. Courbaturé, il fit quelques exercices d'étirement en bâillant et repassa dans sa tête sa stratégie. « Que j'ai été bête! », ragea-t-il. Il n'avait même pas fait vérifier quel nom figurait sur le billet d'avion du jumeau! Lyne lui avait pourtant dit quel siège il occupait dans l'avion! Il réveilla Charles. Ils appelèrent Lyne qui leur donna le nom du transporteur, le numéro du vol et le numéro du siège qu'elle avait occupé pouvant ainsi déduire le numéro de siège de l'assassin de Philippe. Un copain de René, lui aussi sur l'affaire, se chargea d'aller cueillir l'information à Mirabel dès l'ouverture des bureaux le lendemain. Avec le billet et le nom de l'homme, ils pouvaient connaître par l'agence de voyages qui avait vendu le billet la date, l'heure et le numéro du vol de retour.

Carole se réveilla la tête vide, sans désir et le coeur plein de remords. La glace lui réfléchit ses yeux rougis, ses paupières gonflées. Philippe était mort par sa faute pour la protéger. Elle aurait dû écouter son intuition et ne pas entreprendre ce voyage. Après sa poursuite en voiture, elle avait été tellement inquiète! Elle avait eu peur de laisser sa mère. Elle aurait dû avertir René lorsqu'elle avait cru reconnaître le jumeau dans l'avion. Elle aurait dû parler plus tôt à Lyne qui n'aurait pas banalisé cette rencontre. Elle aurait dû informer Philippe qu'elle était poursuivie par un dangereux criminel. Elle aurait dû lui promettre de faire les démarches pour qu'il voie son fils une dernière fois. Elle aurait dû dire à René qu'elle avait trahi leur secret. Les « aurait dû » déclenchèrent de nouveau une crise de larmes qu'il lui était impossible de refréner. Sur ces entrefaites, René entra. Le contact de son corps intensifia la crise. Il la laissa épancher ses pleurs.

— Carole, si tu savais comme je déplore ce qui est arrivé. Jamais je n'aurais pensé qu'il t'aurait suivie jusqu'ici.

— C'est de ma faute si Philippe est... fit-elle en sanglotant, incapable de terminer sa phrase.

— Tu n'as rien à te reprocher. Tu te culpabilises inutilement. Viens, on va retrouver Lyne à l'hôtel. Ensuite on ira manger, on en a bien besoin.

René lui présenta Charles et un taxi les conduisit à l'hôtel. Comme Carole refusait de sortir pour dîner, ils commandèrent leur repas à la chambre, repas qu'elle laissa figer dans son assiette. À l'heure convenue, Frank apprit à René que Philippe n'avait pas rédigé de testament, que tous ses biens revenaient de droit à ses héritiers légaux, en l'occurrence sa femme, et qu'elle seule devait prendre la décision concernant la dépouille mortelle de son mari. René informa Carole dont le coeur se serra à la pensée de la dernière phrase de Philippe : « Je laisse tout ce…» Tout revenait à Luc. Elle ne savait pas si René était dans la chambre lorsque Philippe avait prononcé ses dernières phrases, mais elle respecterait la dernière volonté de Philippe. Au moins celle-là. Ses efforts pour se contenir étaient vains. Bernard n'avait été d'aucun secours et c'est ce qui l'affectait davantage. Elle pensa qu'elle ne devait compter que sur elle-même et elle n'en avait plus la force ni le goût. Jamais elle n'avait vécu de solitude si intense.

— Philippe sera enterré auprès de Bernard. C'est ce qu'il aurait souhaité, parvint-elle à articuler dans un sanglot.

— Pour le reste, demanda René, que fais-tu?

— Dis à Frank que j'aimerais le rencontrer demain. Je lui ferai signer une procuration pour tout liquider.

René transmit le message et Frank promit de venir le lendemain. René et Charles louèrent une chambre à l'étage supérieur, la seule vacante. À cinq heures du matin, la sonnerie du téléphone les réveilla. Leur ami enquêteur les appelait de Montréal. Il avait réussi à connaître l'identité du voyageur qui occupait le siège 13 B. Il s'agissait d'un dénommé Alvin Morris résidant au 1015 rue Saint-Paul, à Saint-Côme. Après vérification, il s'était avéré que l'adresse était inexistante. Le billet de retour avait été émis pour le lundi prochain, à sept heures. Le numéro du vol, 705, avec Air Canada.

— Alvin Morris, Alvin Davis, ça rime en crime! dit René.

— Ça va être un jeu d'enfant de l'épingler. On n'a même pas besoin de notre portrait-robot.

— On peut dormir sur nos deux oreilles maintenant.

— Carole veut toujours partir demain? Tu vas les accompagner?

— Non, je veux être là lundi. Je vais demander au policier de les accompagner. Ça ne me dérange pas de lui payer son billet.

— Tu te feras rembourser.

— Je ne veux pas manquer ça pour tout l'or du monde. Je te jure qu'il va passer un mauvais quart d'heure.

— Dans ce cas, tu ferais peut-être mieux d'accompagner Carole.

— On ne sera pas trop de deux pour le ramener.

Le lendemain, René fit les démarches pour que le corps de Philippe soit rapatrié et que le directeur du Salon funéraire s'occupe d'envoyer quelqu'un le chercher à l'aéroport. Auprès d'Air Canada, il réussit à changer la date des billets de retour de Carole et Lyne et à obtenir un billet supplémentaire pour le policier français qui avait accepté de les accompagner. Le départ était prévu pour dix heures, le lendemain matin.

— Reste si tu veux, avait dit Carole à Lyne. René et Charles seront ici encore quatre jours.

— Non, c'est trop pénible. Ils vont passer leur temps à se disputer pour avoir la faveur d'être avec moi. Je ne suis pas capable de briser une si belle amitié, dit-elle, moqueuse. Nous reviendrons quand ce bandit sera emprisonné, fit-elle plus sérieuse.

— Je suis tellement désolée pour toi. Tu peux compter sur moi pour rembourser le prix de ton voyage.

— On parlera de ça plus tard. Pour l'instant, tu devrais téléphoner à ta mère.

— Tu as raison.

Mme Alain s'était surtout intéressée à la sécurité de sa fille et lui avait presque ordonné de rentrer sur-le-champ. Carole n'avait rien révélé de la poursuite dont elles avaient été l'objet avec Philippe. Une fois son énervement passé, quand elle avait senti la peine de sa fille, elle s'était montrée désolée pour Philippe.

Frank arriva au début de l'après-midi, un journal à la main. À son arrivée, Carole se blottit dans ses bras. Les liens d'amitié qui l'avaient uni à Philippe depuis toujours le rendirent plus cher à ses yeux maintenant qu'il était parti. Il était probablement le seul, à part elle, à avoir autant de peine.

— C'était comme mon frère, dit-il. Plus qu'un frère.

— Je sais. Tu as appris comment c'est arrivé? Il voulait me protéger.

— Oui. Philippe était comme ça avec ses amis. Très généreux.

— On retourne chez nous demain matin à dix heures.

— Tu veux que je vous accompagne?

— Non merci, Frank. René a demandé au policier et il a accepté. J'ai quelque chose à te demander.

— Je t'écoute.

— Au sujet de tout ce qui appartenait à Philippe, j'avais pensé te faire signer une procuration pour tout liquider.

— Oui. Si tu veux, je peux m'en occuper.

— Il y a quelque chose auquel je tiens. Les vidéocassettes et les photos de Bernard que je lui ai données quand il est venu chez moi. Le reste, tu en fais ce que tu veux, c'est à toi. Pour la maison et l'appartement, tu peux les mettre en vente.

— Les meubles, la voiture, les vêtements...

— Tu gardes tout.

— Si je comprends bien, je te ferai parvenir uniquement les sommes résultant de la vente de ses deux propriétés. Les indemnités des compagnies d'assurance et de son fonds de retraite et les sommes restantes de ses comptes bancaires te parviendront par la poste à la condition que tu leur fasses parvenir un certificat de décès. Je t'écrirai pour te faire connaître les adresses.

— Dis-moi, Frank, cette femme qui était là hier, celle qui est venue aux funérailles de Bernard, elle comptait beaucoup pour Philippe?

— Il y a eu une femme qui a compté vraiment dans la vie de Philippe et c'est toi.

— Il te l'a dit?

— Oui. Souvent il me parlait de toi et de Bernard. Il voulait revenir, mais il avait peur d'essuyer un refus. Il était trop fier. Il se sentait tellement coupable aussi. Dans tous ses déplacements, il traînait une photo de vous deux avec Bernard. Il disait que ça lui portait chance.

Carole l'avait écouté tout ouïe, mais la dernière révélation lui brisa le cœur : « lui portait chance » avait-il dit.

— I am stupid, dit Frank. Excuse-moi, Carole. Je n'aurais pas dû te dire ça.

Lyne tenta en vain de la consoler. Frank, visiblement mal à l'aise, incapable de voir pleurer une femme, lui demanda le numéro de la chambre de René et promit de revenir. Il frappa à la porte et Charles ouvrit. Il entra précipitamment et étala le journal sur le lit. Il affichait le visage d'un condamné à mort.

— Qu'est-ce qui se passe? demanda René.

— Vous avez lu les journaux?

— Non, dirent-ils à l'unisson.

René s'empara du journal et Frank lui montra le portrait-robot et le titre sur la partie inférieure droite du verso de la une. « Un dangereux criminel québécois vient régler ses comptes à Paris.»

— Osti! ragea René.

Pendant que René dévorait l'article, Charles réalisa à quel point la situation était grave. C'était la première fois qu'il entendait René sacrer. Après avoir lu l'information, René tendit le journal à Charles qui le parcourut avidement. « Mardi, le 10 juillet à 21 h 30, au sortir du restaurant Le Faisan d'or, sis à la Défense, un Québécois d'une quarantaine d'années, pilote de ligne chez Delta, a été poignardé à mort. Le suspect, un dangereux criminel du Québec, court encore. Son portrait-robot a été délivré dans les aéroports internationaux du pays. Au moment du crime, le pilote était accompagné de deux Québécoises en visite à Paris.»

— Comment ont-ils su ça? demanda Charles.

— Ils ont dû interroger les serveurs du restaurant. Il a sûrement payé avec sa carte de crédit, alors c'est facile de savoir son nom. C'est peut-être la femme qui était avec toi hier, Frank?

— Mary? Non, je suis sûr d'elle, je la connais bien.

— Le portrait-robot? Comment ont-ils pu l'avoir? dit Charles.

— Facile! Tous les agents des contrôles de sécurité l'avaient. Ce journal, il a un gros tirage? demanda René.

— Un des plus importants à Paris, dit Frank.

— Qu'est-ce que tu ferais à sa place si tu avais vu ça dans le journal? demanda René à Frank.

— Je louerais une auto. Les pays limitrophes ne manquent pas. L'Espagne, l'Italie, la Suisse, la Belgique... Je me dépêcherais de franchir la frontière. À bien y penser, il ira peut-être à Londres.

— Pourquoi?

— D'abord, parce que c'est proche. Ensuite, un instinct peut-être, il est anglophone. Après il va prendre un billet pour les États-Unis. Rendu là, c'est facile de rentrer au Canada sans même être importuné par les contrôles douaniers.

— Pour traverser en Grande-Bretagne, le tunnel ou le bateau?

— Le ferry à Calais, de là à Dover. Il y a moins de contrôle.

— Toi, Charles, qu'est-ce que tu ferais?

— Il ne faut pas oublier que ces jumeaux sont très astucieux. Rappelle-toi les cheveux qu'ils ont laissés sur les lieux des crimes juste pour brouiller les pistes. Rappelle-toi aussi l'alibi de Kevin. Avec eux, tout est planifié dans les moindres détails. Ils jouent avec nous comme un chat avec une souris. Ils cherchent toujours à nous défier, à nous prouver qu'ils sont les plus fins. S'il n'a pas lu le journal, il va être là, c'est certain. S'il a lu le journal, c'est différent. Alvin Davis se doute-t-il que nous savons qu'il voyage sous le nom d'Alvin Morris? Là est toute la question. S'il ne le sait pas, il peut se présenter lundi prochain à Roissy à l'heure de son vol de retour, mais transformé un peu pour ne pas être reconnu. Par exemple, il peut porter des lunettes, une fausse moustache, avoir changé sa coupe de cheveux.

— Tu oublies son passeport! Les contrôleurs le reconnaîtraient sur sa photo, rétorqua René.

— Il peut changer la photo de son passeport. Tu sais comme moi qu'il y a des spécialistes pour ce genre de travail dans tous les pays du monde. Il peut même l'avoir prévu avant de partir.

— S'il a tout prévu, il doit savoir qu'il est possible de trouver sous quel nom il voyage avec le numéro de son siège dans l'avion.

— Dans ce cas, il a peut-être deux faux passeports. Un pour l'aller et un pour le retour, dit Charles.

— Ce n'est pas possible! Le douanier se demanderait comment il est entré en France si le passeport n'est pas estampillé, fit René.

— Tu as raison.

— Il y a beaucoup de postes frontaliers dans chaque pays limitrophe? demanda René à Frank.

— Je ne sais pas exactement. Juste l'Espagne en compte dix-sept!

— Il nous reste quatre jours. Supposons qu'il a seulement un passeport délivré au nom d'Alvin Morris. On va faire parvenir cette information et le portrait-robot à tous les postes frontaliers de la France et c'est urgent. Avec la collaboration des policiers français, ça devrait être possible. Nous, on va s'organiser pour prendre le même vol. Si nous n'avons pas de nouvelles des frontières et s'il n'est pas dans l'avion lundi, alors on peut croire qu'il est déjà parti ou qu'il a décidé de retarder son retour. Dans ce cas, aussi bien chercher une aiguille dans une botte de foin.

— Je vous laisse, dit Frank. Je retourne voir Carole quelques minutes et ensuite je vais chercher Joan à l'aéroport. C'est ma femme. Elle arrive dans deux heures d'Atlanta et elle ne sait pas que Philippe est mort. Vous allez me donner des nouvelles? demanda-t-il avant de partir.

— Oui, répondit René.

Frank retourna voir Carole. Celle-ci avait préparé sur une feuille la procuration par laquelle Frank devenait l'exécuteur testamentaire et lui donnait le droit d'agir en son nom pour la vente des deux propriétés de Philippe. Frank et Carole signèrent la formule et Lyne y apposa sa griffe comme témoin. Carole lui mentionna qu'elle irait consulter son notaire la semaine prochaine pour s'assurer que ce papier avait une valeur légale. Frank lui promit une visite au Québec aussitôt que les transactions seraient effectuées. Carole lui demanda la photo que Philippe traînait continuellement avec lui dans ses déplacements et Frank promit de la lui faire parvenir.

Carole souffrit que René ne daigne pas la rencontrer de la journée. Il lui avait simplement téléphoné pour lui dire que Charles et lui avaient des affaires très urgentes à régler. Il était pourtant juste à l'étage supérieur de l'hôtel! Qu'il confie sa sécurité et celle de Lyne à un étranger l'avait peinée aussi, mais elle avait affiché son habituelle compréhension. Elle s'était cloîtrée dans sa chambre, refusant même la proposition de Lyne d'aller dîner dans la salle à manger de l'hôtel accompagnée du policier.

Lyne s'était liée d'amitié avec le policier qui avait presque l'âge de son père. En pensée, il lui avait fait visiter certains sites pittoresques avec un enthousiasme incroyable qu'il lui communiquait avec des mots et des expressions populaires, des plaisanteries triviales. Lyne, qui avait le don de tirer profit des situations désagréables, s'amusait comme une folle, oubliant même sa copine qui, silencieuse, rangeait ses vêtements dans sa valise. L'humeur triste de Carole lui donna soudain l'impression qu'il était indécent de rire autant. Pour Carole, tout était devenu sujet de souci, d'irritation, de chagrin. Elle dévia alors la conversation sur la nécessité de faire ses malles, elle aussi, et invita le policier qu'elle appelait familièrement Brice à regarder la télé.

Carole régla le réveille-matin pour qu'il sonne à six heures et se recroquevilla dans le lit, face au mur. Deux heures plus tard, alors qu'elle n'avait toujours pas réussi à s'endormir, René appela, s'excusant de n'avoir pu le faire avant.

— À quelle heure partez-vous de l'hôtel demain?

— À sept heures.

— J'irai te voir vers six heures trente si tu permets.

— Si tu veux, s'était-elle contentée d'ajouter comme si elle n'était touchée par rien ni par personne.

— Nous avons réussi à avoir la collaboration de la police. Toutes les frontières seront avisées. S'il n'est pas déjà passé, on a de bonnes chances.

Carole ne savait rien de l'article paru dans le journal et comprenait difficilement ce qu'il avait à faire.

— Tu ne dis rien, Carole?

— Je suis fatiguée. À demain.

Le lendemain matin, avant leur départ, René n'était pas encore arrivé.

— Tant pis! dit Carole.

Dans son for intérieur, elle se dit qu'elle n'allait quand même pas commencer à mendier sa présence. Elle ne l'avait jamais fait et ne commencerait pas aujourd'hui.

— Il a sûrement mal régler son réveil, dit Lyne. Je vais l'appeler.

Lyne appela à la chambre et la voix ensommeillée de René lui répondit :

— J'arrive. Attendez-moi, fit-il rapidement.

À peine deux minutes plus tard, il était rendu. Ses excuses semblaient laisser Carole indifférente. Ses activités de la veille aussi. Elle accepta de livrer son message à Luc ou à Hélène de son éventuel retour pour le lundi. Pendant qu'il lui parlait, elle s'affairait à ranger ses articles dans son sac comme si elle était plutôt préoccupée par ce qu'elle faisait. La lumière qui brillait dans ses yeux était éteinte. Il avait hâte que cette affaire soit réglée afin de retrouver la femme qu'il avait connue. La culpabilité le saisit de nouveau et l'idée de laisser tomber ce métier pour revenir au droit l'effleura. Hélène avait payé, Philippe était mort et Carole en souffrait beaucoup. Tous des innocents! Et jusqu'où s'arrêterait la rancune de cet homme qui voulait venger son père et son frère? Un élan de regret et de tendresse l'emporta. Derrière elle, il la saisit par la taille et lui souffla à l'oreille :

— Je t'aime, Carole.

Elle recula sa tête contre la sienne et se dégagea presque aussitôt à la vue de Lyne et du constable français, Brice. René prit les valises de Carole. Charles arriva pour les saluer. Il agrippa celles de Lyne et ils descendirent à la réception de l'hôtel en silence comme on va à un enterrement. Un taxi les attendait.

René et Charles déjeunèrent à l'hôtel et se rendirent ensuite à la préfecture de police, là où les services de direction étaient installés. La veille, ils avaient obtenu les numéros des télécopieurs de tous les postes frontières. Ils avaient photocopié à plusieurs exemplaires le portrait-robot et René avait rédigé la lettre d'information. Ils avaient fait parvenir le tout aux postes les plus près de Paris : l'Angleterre, la Belgique, l'Allemagne. Ce matin, ils répétaient l'opération avec la Suisse, l'Italie et l'Espagne. Il ne leur restait plus qu'à se croiser les doigts pour conjurer le sort.

— J'ai une idée, dit Charles. Si on s'organisait pour passer au bulletin de nouvelles à la télé? Des millions de personnes travailleraient pour nous. De toute façon, l'information a été divulguée dans le journal.

— J'ai peur. Supposons qu'il n'a pas vu l'information dans le journal, on est pas mal sûr de le coincer lundi. Par contre, s'il l'a vu, ça pourrait nous aider, c'est certain. Toi, si tu avais commis un meurtre, est-ce que tu lirais les journaux le lendemain?

— C'est la première chose que je ferais.

— Moi aussi. Mais si je mets ça sur une balance, d'un côté, nous avons la quasi certitude de l'avoir lundi s'il n'a pas lu l'article et de l'autre, même si nous faisons un appel à la télé, nous ne sommes pas sûrs de le trouver. Il peut très bien changer son look pour devenir méconnaissable. Alors, moi, j'aime mieux jouer sûr. Qu'est-ce que tu en penses?

— Je suis d'accord. On a la fin de semaine à nous. Qu'est-ce qu'on fait?

— On visite Paris. Je vais d'abord téléphoner à Hélène.

— Carole va le faire demain matin!

— Oui. Je voulais juste la forcer à entrer en contact avec elle. Carole n'a pas accepté de la voir encore. Elle dit toujours que c'est trop tôt. Rappelle-moi de téléphoner à la préfecture toutes les heures.

— Je vais mettre mon alarme.

Chapitre 15

Alvin Davis, alias Alvin Morris, s'était levé tôt pour acheter un exemplaire de chacun des principaux quotidiens de la capitale. Il s'était procuré Le Figaro, le Libération, Le Monde et France-Soir. Il les avait parcourus méticuleusement et aucun article ne faisait état de son crime de la veille. Il avait esquissé un sourire de satisfaction. Il avait passé la journée dans sa chambre minable à faire des Mot-Mystère. Le lendemain matin, il retourna se procurer les quotidiens. De retour dans sa chambre, il les tira sur son lit et, à genoux sur le parquet, les étala et les feuilleta soigneusement à tour de rôle. Il ne lui restait plus que le Libération. À la page deux, la vue de son portrait-robot le stupéfia. Il avala l'article. Ses glandes sudoripares s'activèrent démesurément. Les paumes de ses mains, pleines de sueur, dégoulinaient sans cesse sur le papier déjà trempé. Il prit un cachet et s'étendit sur son lit. Ce qu'il craignait venait d'arriver. Il avait eu la malchance d'avoir choisi, sans le savoir, un siège juste derrière la femme du flic. De plus, il avait commis une grave erreur. Il aurait dû changer sa physionomie. Elle avait été étalée sur tous les écrans de télé du Québec, mais il voulait utiliser le passeport falsifié qu'il détenait déjà. En avoir un nouveau coûtait très cher et son faussaire exigeait un délai qu'il ne pouvait pas lui accorder. Comment avait-il pu être si imprudent! Son père et son frère ne lui pardonneraient jamais!

Il tenta de se calmer, mais sa suée, trop abondante, l'empêchait d'analyser froidement la situation. Le médicament n'agissait pas encore. Il se leva et prit un autre cachet. Il relut l'article et se sentit coincé comme un rat. Les aéroports étaient surveillés et il ne douta pas un instant que les frontières le fussent également. La blonde avait sûrement indiqué le numéro du siège qu'il occupait dans l'avion et il leur était facile de connaître le nom d'emprunt qu'il avait utilisé sur son billet et sur son passeport. Donc, ils connaissaient aussi le numéro de son vol de retour. S'il n'avait pas lu les journaux, il serait tombé dans une souricière. Quel intérêt les deux flics avaient-ils à faire paraître ces informations? Il avait beau se creuser la tête, il n'arrivait pas à comprendre. Il leur aurait été si facile de l'épingler à l'aéroport. La seule hypothèse qui lui parut valable était de l'empêcher de sortir du pays et de faire en sorte que sa face soit reconnue par un ou plusieurs des millions de lecteurs qui l'avaient vue dans le journal. La même tactique qui avait réussi au Québec avec son frère! Décidément, ils n'avaient pas beaucoup d'imagination! Il retourna la question dans sa tête et balaya du revers de la main cette hypothèse. « Il ne faut pas sous-estimer un adversaire de la taille de René Martin », pensa-t-il. Cet article pouvait être paru à son insu. Cette deuxième hypothèse lui sembla plus plausible quoique la provenance du portrait-robot l'intriguait toujours. Il devait maintenant songer à passer à l'action. Il ne pouvait dorénavant se terrer indéfiniment dans cette piaule.

Il échafauda son plan et sortit frapper à la porte de la chambre attenante à la sienne. Un vieil alcoolique, avec qui il avait eu maille à partir au sujet de l'utilisation de la salle de bains commune, lui entrebâilla la porte. Il était le seul qu'il connaissait et qui était prêt à tout pour une bouteille. L'acoquinement était indispensable à la réussite de son plan. Le petit homme à la peau chiffonnée striée de purpura, à la mine patibulaire, étalait sans contredit son état de manque.

— Qu'est-ce que tu veux? demanda-t-il impatiemment.

— Je viens t'offrir de quoi t'acheter une bonne bouteille.

Ses yeux s'allumèrent et il le fit entrer.

— Écoute-moi bien. Ça doit rester entre nous deux, sinon je ne donnerais pas cher de ta peau. Tu vas aller dans un salon de coiffure pour homme et tu vas m'acheter une bouteille de teinture brune.

— De la teinture?

— Oui, pour teindre les cheveux, idiot. Ensuite une fausse moustache brune aussi, une paire de ciseaux, un rasoir jetable et une casquette. J'ai une copine qui doit venir et je veux lui faire une surprise. Moi, je ne sais pas où me procurer ça. Répète ce que tu vas acheter.

— La teinture brune, une moustache brune, une casquette, une paire de ciseaux.

— T'as oublié le rasoir jetable. Passe-moi un papier. Je vais écrire tout ça. Dépêche-toi.

Il enfila ses pantalons et son chandail qui traînaient sur le plancher.

— Tu n'as pas un chandail plus propre? lui demanda-t-il, ne voulant pas qu'il attire l'attention sur son accoutrement.

— Non.

— Attends, je vais t'en prêter un. Rase-toi la barbe pendant ce temps-là.

Le chandail, trop grand, lui descendait aux genoux.

— Rentre-le dans ton pantalon. Prends ça pour payer. Je t'en donnerai le double quand tu reviendras. Tu ferais mieux de revenir parce que moi, je vais te retrouver. Compris?

Alvin attendait depuis près d'une heure. Il suait d'angoisse et recommençait à dégoutter. L'ivrogne arriva enfin en titubant quelque peu, un sac à la main. Il lui arracha et le sac et le chandail. Comme il réclamait son dû, Alvin lui cria :

— Va te faire foutre! Tu comprends ça!

Il regretta ensuite ses paroles. Il était plus sage de s'en faire un ami.

— Attends, lui dit-il sur un ton moins agressif.

Il lui remit alors deux billets de cinquante francs que l'ivrogne saisit rapidement et il détala. Alvin retourna chez son voisin quelques secondes plus tard pour lui emprunter un miroir. Comme il était déjà parti, il dut se résigner à utiliser la salle de bains commune. À regret, il coupa les mèches de cheveux qui tombaient sur sa nuque, rasa sa barbe et posa, sans la fixer, l'horrible petite moustache en croc sous son nez. Cette petite touffe de poils l'horripilait. Il tailla les poils qui retroussaient aux deux extrémités sans être satisfait du résultat. Il demanderait à son voisin de lui en acheter une plus touffue. Il lut ensuite attentivement la feuille d'instructions qui accompagnait la bouteille de teinture. Soudain, les pressions d'un usager le chassèrent de la salle de bains. Il retourna à l'évier quelques minutes plus tard et appliqua la teinture. Il rinça ensuite les gants de plastique qu'il venait d'utiliser et les conserva précieusement. Il revint à la chambre le temps que le produit agisse. Au bout de vingt minutes, il rinça sous la douche le liquide qui lui brûlait les yeux. Il sécha ses cheveux avec une serviette et se regarda dans la glace. Il était assez satisfait du résultat de sa coloration. Il était la copie de Kevin de qui il avait toujours voulu se démarquer en se faisant teindre les cheveux blonds. Il revêtit un short et un tee-shirt blanc sur lequel était écrit la devise du Québec : « Je me souviens. » Il colla sa petite moustache, prit sa caméra en bandoulière, ses verres fumés, sa casquette et partit à la chasse.

À la première quincaillerie qu'il vit sur son chemin, il entra et acheta un contenant de sacs-poubelle, les plus grands qui se faisaient, une boîte de chaux, une corde et une roulette de ruban gommé. Il retourna ensuite cacher ses précieux objets sous son lit, puis s'engouffra ensuite dans une bouche de métro pour se rendre à la tour Eiffel, là où les touristes affluaient en cette période de l'année. Il cherchait un Québécois aux yeux et aux cheveux bruns d'approximativement un mètre quatre-vingts qui portait une moustache touffue comme il se procurerait le lendemain et surtout qui voyageait seul. Rendu au Champ-de-Mars, il s'assit sur la pelouse et épia les passants. Au loin, il vit s'approcher un homme qui semblait correspondre aux caractéristiques qu'il cherchait. Plus l'homme approchait, plus Alvin crut qu'il constituait une proie idéale. Il portait un tee-shirt avec l'inscription : « On est tu ben en vacances. » Il pouvait maintenant voir ses yeux bruns. Il se leva et régla sa marche sur la sienne.

— Avec un tee-shirt comme le tien, c'est pas difficile de voir d'où tu viens, dit Alvin.

— Le tien est tout aussi révélateur.

— Tu voyages seul?

— Non, ma femme est allée aux Galeries La Fayette avec sa soeur qui demeure ici.

— Salut!

Il reprit son poste d'observation à l'affût d'une nouvelle proie. Il pensa soudain avoir débusqué un gros gibier, mais son accent italien frustra ses espoirs. Un soleil de plomb rendait le temps suffocant et aurait déshydraté un chameau. Plus le temps passait et plus sa chasse s'avérait vaine, plus il transpirait à grosses gouttes. Sa casquette était trempée. Il prit un cachet, épongea son visage et ses mains avec des mouchoirs de papier et s'étendit sur l'herbe.

Dans toutes les fibres de son corps, une lutte s'engagea entre sa peur de ne pas être capable de sortir de ce pays et sa fierté d'avoir réussi à filer au nez de René Martin. Il le haïssait tellement! Par sa faute, son père et son frère croupissaient en prison. Son père avait été congédié de McGill où il enseignait depuis vingt ans, avait été démis de son poste de conseiller spécial de son ami ministre et la honte avait jeté sa mère dans un état d'abattement et de dépression qui l'avait poussée à faire une tentative de suicide. Tout ce gâchis pour le seul fait d'avoir recelé de la drogue. Lors de la saisie, il n'avait fait que tirer en l'air pour se défendre contre une meute de chiens et René Martin l'avait inculpé de tentative de meurtre. Non, ce flic n'aurait pas sa peau. Il montrerait à son père qu'il était plus fin que Kevin. Il les vengerait, même s'il avait raté son contrat sur Carole Alain pour faire payer à son maudit flic le coût d'avoir détruit sa famille. La récompense du chef pour la tête de la femme était perdue. Il avait été trop impulsif. Il avait zigouillé un homme pour qui il n'avait pas de mandat. Les paroles de son père lui revinrent en tête : « You are as stupid as your mother! You can't achieve anything. » La haine et sa colère contre lui-même lui donnèrent des ailes. Il se leva et s'approcha de la tour. Il suivit un autre homme qui lui répondit en anglais. Il ne pouvait descendre à Vancouver parce que son portefeuille s'amenuisait rapidement et ne lui aurait pas permis de louer un véhicule ou de prendre un avion pour le Québec.

De déception en déception, il retourna à sa chambre à la fin de la soirée, espérant trouver le jour suivant la personne qu'il cherchait. Le lendemain matin, il demanda à son voisin d'aller lui acheter une très grosse moustache. Si elle s'avérait trop dense, il lui serait facile de la réduire. À sa satisfaction, il arriva au bout de trente minutes avec la postiche désirée.

Il partit tôt et choisit comme destination la cathédrale Notre-Dame, complètement indifférent à la beauté et à la sainteté des lieux. La foule dense et silencieuse lui permettait difficilement de déceler, parmi elle, des individus seuls. Il sortit à l'extérieur et se posta à quelque trente mètres de l'entrée. Il y resta tout l'avant-midi. Quatre essais infructueux mirent sa patience à rude épreuve. Le premier avait un menton en galoche, le second, un nez aquilin, le troisième venait de San Francisco et le quatrième avait les yeux bleus. Les répliques de son père « You're stupid, you can't achieve anything » lui martelaient toujours l'esprit. Il devait réussir à sortir de ce pays. Il décida de se rendre à l'Arc de triomphe. Comme il se dirigeait vers une station de métro, il croisa un touriste qui flânait. Il avait sa stature, des traits réguliers, une moustache brun foncé assez fournie, les yeux bruns, à peu près son âge, bref un homme à qui il pouvait ressembler sur une photo passeport. Il le suivit de très près et, délibérément, mit son pied sur le talon de sa chaussure.

— Excuse-moi, j'étais distrait.

— C'est rien.

— Québécois?

— Oui, de Québec. Toi, c'est facile à voir sur ton tee-shirt.

— Tu voyages seul?

— Oui. J'aime aller où je veux quand je veux. Ne pas avoir de comptes à rendre à personne.

— Moi aussi. On fait un bout ensemble?

— D'accord. Je m'en vais sur l'avenue des Champs-Élysées.

— C'est drôle! Je me dirigeais justement là. C'est quoi ton nom?

— Crête. Alain Crête. Et toi?

— Alvin Morris. Est-ce que tu viens d'arriver?

— Non. Je suis arrivé lundi dernier. Une semaine, c'est trop court!

— Tu repars donc lundi?

— Oui.

— On a dû prendre le même avion. Tu pars à dix heures avec Air Canada?

— Oui.

— Moi aussi.

Dans quel terrible dilemme le hasard l'enfermait! Il avait enfin trouvé la proie idéale, mais il hésitait à appâter le gibier. L'individu prenait le même vol que celui qu'il devait prendre où René Martin et sa bande de flics l'attendaient. Combien de temps chasserait-il avant de trouver quelqu'un d'aussi ressemblant? Un flot d'idées contradictoires se heurtaient dans sa tête et l'empêchaient de suivre la conversation. Le danger était grand de s'enferrer pour ensuite se faire ridiculiser encore par son père. Par contre, il voyagerait avec le passeport d'Alain Crête et il lui ressemblait tellement! Avec sa moustache, ses cheveux bruns, ses lunettes et sa casquette, il était un homme complètement différent.

— Qu'est-ce que tu fais comme travail? demanda Crête.

Il s'entendit lui répondre :

— J'enseigne à Laval.

— Tu enseignes quoi?

Il se ressaisit. Il avait failli dire en sciences politiques. Le désir inconscient de s'approprier la réussite professionnelle de son père, même s'il avait brisé son enfance et son adolescence, lui aurait fait commettre une bourde. Il lui répondit :

— En littérature anglaise.

— Tu as entendu parler du prof d'économique de McGill? Un certain Davis, je pense. Il a fait la manchette des journaux dernièrement.

— Oui. Une histoire de drogue, je pense. Toi, qu'est-ce que tu fais?

— Je suis machiniste au Grand Théâtre.

Il se voyait raconter à son père comment il avait réussi à défier le brillant René Martin et à déjouer sa gang de poireaux dans l'un des plus gros aéroports du monde. Son père serait fier de lui. Non, il n'était pas qu'un bon à rien, un peureux et un « looser ». Il avait quand même rempli le contrat du chef concernant Linda.

— C'est la première fois que tu viens à Paris? demanda Crête.

— Oui.

Sa décision était prise. Il se concentrerait dorénavant sur son rôle de compagnon agréable ni trop collant ni trop autoritaire. Il devait se rendre à sa chambre pour lui prendre son passeport, son billet d'avion et les autres papiers qui pouvaient l'identifier. Il regarda sa montre et compta rapidement dans sa tête. Plus que quarante-trois heures avant de s'envoler. Un cadavre pouvait bien se conserver trente-six heures dans un sac de plastique recouvert de chaux sans dégager d'odeur! Quand on le découvrirait, il serait arrivé, c'est certain. Avec une psychologie consommée, il s'intéressa à son condamné à mort en sursis.

— Toi?

— Non, la deuxième.

— Qu'est-ce qui te plaît davantage ici?

— La langue! J'aime parler aux gens, ne pas avoir de problèmes pour demander des renseignements. L'anglais, je le comprends un peu, mais j'ai de la difficulté à m'exprimer. C'est pas à Québec qu'on peut pratiquer.

— Tu as raison. Avais-tu des projets précis pour ce soir?

— Non. Je marche tellement durant la journée que le soir, je me couche tôt. Je suis brûlé.

— Il ne nous reste pas beaucoup de temps avant notre départ. Ce serait le fun si on faisait quelque chose de spécial. À deux, c'est plus agréable, dit Alvin avec enthousiasme.

— Qu'est-ce que tu suggères?

— N'importe quoi. Ce que tu veux. Un spectacle, une tournée des bars, une bonne bouffe. Qu'est-ce que tu en penses?

— Oui, ça m'intéresse.

— Choisis.

— Toi, qu'est-ce que t'aimerais le plus?

— Difficile pour moi, c'est la première fois que je viens. Comme toi, je ne suis pas sorti le soir.

— Un spectacle de filles en tenue très très légère, j'aimerais ça. Deux copains m'en ont parlé.

— Pourquoi pas? Il est quinze heures trente. Voici ce que je te propose. Je retourne me changer à l'hôtel au cas où on ne pourrait pas rentrer en short. Je pourrais te retrouver à ton hôtel vers dix-huit heures trente. On pourrait aller manger et ensuite on ferait la fête à Pigalle.

— Ça me va. Penses-tu qu'il faut mettre un veston?

— Je suis sûr que non. Il fait trop chaud. Tu me donnes l'adresse de ton hôtel?

— Tiens, j'ai une carte professionnelle. T'auras pas de difficulté à trouver?

— Pas de problème, je parle français. C'est quoi le numéro de ta chambre?

— T'auras pas besoin de monter, je t'attendrai à la réception.

— Juste au cas où...

— 216.

Ouf! il avait eu chaud! Il arriverait plus tôt pour monter à la chambre. S'il l'attendait à la réception, il s'intéresserait à son hôtel en vue d'un éventuel voyage et manifesterait son désir de visiter la chambre.

Rendu chez lui, il prit une douche pour se détendre. Puis, il aiguisa la lame de son poignard sur le support du sommier de son lit. Il s'y étendit ensuite et visualisa chacun des gestes à poser afin qu'aucun bruit ne soit émis pour ne pas alerter les voisins. Il allumerait la télé en arrivant. Il trouverait un prétexte. Avant de partir, il prit sa roulette de ruban gommé et attacha son arme sur la face intérieure de sa jambe gauche. Sur sa jambe droite, il fixa un sac de plastique dans lequel il avait préalablement déversé une partie de la chaux qu'il avait achetée. Quand il était jeune, son père en déposait régulièrement sur les excréments dans le cabane où ils déféquaient à leur camp de pêche. Cette poudre blanche avait la propriété de réduire les émanations nauséabondes. Dans son slip, il étala un sac-poubelle et, après avoir revêtu son pantalon, il mit dans sa poche une corde d'approximativement un mètre. Il était fin prêt. Il s'assura que sa moustache était bien fixée, prit sa casquette et sortit.

Il arriva vingt minutes avant l'heure fixée. Crête n'était pas à la réception. Le plus discrètement possible, il prit l'escalier. Dans le couloir, il rencontra une femme de chambre. Une pensée d'angoisse lui traversa l'esprit comme un éclair. Il n'avait pas pensé que la préposée au ménage visitait les chambres tous les jours. Dans sa chambre misérable, personne n'était venu faire le ménage! « Stupid! » aurait dit son père. Si elle découvrait le cadavre le lendemain, soit le dimanche, il était fait comme un rat. À la réception, on connaissait son nom et le jour de son départ. Indécis, il frappa à la porte. La télé était ouverte.

— Excuse-moi, j'arrive un peu plus tôt. J'ai pensé que ça me prendrait plus de temps.

— Je suis prêt. J'écoutais la télé en attendant.

— Tu permets que j'aille aux toilettes?

— C'est là.

Il s'épongea avec des papiers-mouchoirs et s'assura encore une fois que sa moustache tenait bien. Il ruisselait.

— C'est bien la chambre! Es-tu capable de dormir avec ce petit rouleau-là?

— Le traversin ? Difficile. Je l'aplatis au centre. Chaque fois que la femme de chambre vient, elle lui redonne sa forme originelle.

— Ça m'intéresse cet hôtel pour un prochain voyage, mais la femme de chambre, elle te laisse dormir le matin?

— Je ne sais pas à quelle heure elle vient, je pars toujours de bonne heure le matin pour visiter.

— Est-ce que tu as un petit carton que tu peux accrocher à la porte? Tu sais comme aux États-Unis. C'est écrit : « Do not disturb. » Autrement dit : « Laissez-moi dormir en paix. »

— Non, je n'ai pas vu ça ici.

— La garde-robe a l'air assez grande.

— Oui. Regarde.

Un coup d'oeil rapide lui laissa entrevoir la possibilité d'y dissimuler le sac derrière ses vêtements suspendus aux cintres. Il était sûr que la penderie ne faisait pas l'objet d'un ménage quotidien. Le moment ultime de sa prise de décision approchait.

— Alors, on y va? demanda Crête.

— D'accord, lui dit-il.

Il avait décidé d'attendre au lendemain, la veille de son départ, pour mettre son plan à exécution. Ainsi il mettrait toutes les chances de son côté. « Not so stupid, daddy », pensa-t-il et il se jura d'être aussi diplomate que son père avec Crête.

Il laissa Crête choisir le restaurant et se surpassa pour être un joyeux commensal. Il joua la carte de l'humour et lui raconta comme s'il les avait vécues personnellement des aventures imaginaires auxquelles il ajouta des détails croustillants qu'il avait entendu narrer par son père dans le salon de la maison familiale alors qu'il épiait les conversations, caché au haut de l'escalier. Sa future victime s'amusait beaucoup de ses blagues et l'intérêt qu'il s'efforçait de manifester alimentait la discussion. Après le repas, ils s'acheminèrent rue Pigalle.

— Profitons-en, dit Crête, c'est notre dernière soirée.

— Et demain?

— Lundi matin, lever à cinq heures, alors laisse-moi te dire que je vais me coucher tôt.

Aussi vite qu'un éclair, la lumière se fit. Son cerveau faisait travailler ses méninges à un rythme accéléré. Même s'il commettait son forfait le lendemain soir en trouvant un prétexte pour se rendre à sa chambre et même s'il subtilisait tout ce qui pouvait identifier le cadavre, si la femme de chambre trouvait le corps à dix heures, l'heure de son départ, les policiers pouvaient, durant les six heures de son vol, communiquer avec les compagnies d'aviation qui avaient un départ pour Québec ce matin-là et s'enquérir si un individu du nom d'Alain Crête figurait sur la liste des passagers. Il savait qu'à la réception de l'hôtel, on connaissait son nom, son adresse et le jour de son départ. « I am dumb! se dit-il. I should have though of that before! » Une idée lui traversa l'esprit. À la concierge, il dirait, ce soir, qu'il prolongeait son séjour d'une semaine. Il lui demanderait de quoi changer les draps de son lit et demain matin, il lui donnerait même une avance pour les prochaines nuitées. Personne n'était venu faire l'entretien ménager de sa chambre depuis le début de son séjour. Avant qu'elle ne découvre le cadavre, il pouvait s'écouler une semaine. Il entraînerait Crête chez lui, ferait son travail, prendrait la clé de sa chambre et irait chercher ses papiers. Il s'assurerait qu'aucune empreinte ne soit laissée : empreintes digitales ou de cheveux. Il était hanté par cette préoccupation. Il ne ferait pas la même erreur que Kevin! Son frère n'avait pas hérité à lui seul de l'intelligence des bessons.

Le spectacle des danseuses eut l'heur de plaire à Crête. Sur un tango langoureux, deux effeuilleuses, nanties d'un corps de déesse, dévoilaient graduellement leurs charmes avec un art consommé. Par des gestes suggestifs, elles invitaient les spectateurs à fantasmer sur des scènes érotiques.

— On va au « confessionnal »? demanda Crête.

— Pas pour moi ce soir. Je t'attends ici. Prends ton temps, on n'est pas pressés.

Las d'être assujetti à une conversation courtoise, Alvin était content de se retrouver enfin seul quelque temps. Il pouvait ainsi gamberger tout son soûl. Son sac-poubelle lui donnait des sueurs. Il vérifia si son attirail, gommé à ses jambes, tenait bien. Un radio! Il lui en fallait un pour étouffer un cri ou un râlement! Son comparse se ferait un plaisir de lui en procurer un.

Les chorégraphies s'enchaînaient devant un homme indifférent, trop préoccupé pour goûter le spectacle. Il était d'ailleurs un habitué de ces lieux où son frère, tenancier d'un bar, l'avait engagé pour filtrer les indésirables. Un accessoiriste installa sur la scène une tige retenue par deux supports verticaux munis de crans. Au rythme d'une musique endiablée, un quatuor formé de deux femmes et de deux hommes vêtus de minuscules cache-sexe se contorsionnaient pour réussir à passer sous la perche de plus en plus basse. Les regards des voyeurs se régalaient comme si on leur avait offert un alléchant plat de résistance sur un plateau d'argent. Crête, qui sortait d'un isoloir, s'immobilisa à la vue des danseurs de limbo, incapable de réintégrer son siège avant la fin du spectacle tellement il était captivé.

— Agréable? demanda Alvin à son arrivée.

— Pas mal! J'aime bien la langue française. On a bien fait de sortir ce soir.

— On peut se reprendre demain, dit Alvin, s'amusant du calembour.

— Pas question pour moi demain soir!

— Demain après-midi?

— Qu'est-ce que tu proposes?

— As-tu visité l'Opéra?

— Non.

— Toi qui travailles au Grand Théâtre, je suis certain que tu aimerais ça. Après on pourrait aller dans le Quartier latin ou aux Halles ou au Centre Georges-Pompidou. Demain, c'est notre dernière journée! As-tu d'autres suggestions? Comme tu vois, j'ai consulté un guide touristique.

— Je vois. J'achète pour demain, mais je veux revenir vers dix-sept heures. J'attends un appel d'une femme que j'ai rencontrée dans l'avion. On doit aller souper ensemble.

Pendant près de deux heures, Alvin soutint le difficile personnage de l'ami passionné par les voyages et les aventures amoureuses de Crête. Exaspéré, il proposa de partir avant la fermeture du métro. Ils se quittèrent avec la promesse de se retrouver le lendemain après-midi à quatorze heures à l'hôtel de Crête.

Le lendemain matin, Alvin alla frapper à la chambre voisine. Son occupant, toujours en manque, l'accueillit aimablement, escomptant pouvoir s'humecter le gosier une autre fois avec la récompense d'un service rendu. Un radio trônait sur l'appui de la fenêtre. Il pressa un bouton pour s'assurer de son bon état et lui offrit quarante francs. Le marché fut conclu illico. Il se rendit ensuite à la loge de la concierge qui lui avait loué la chambre et lui annonça qu'il restait une semaine de plus, peut-être davantage. Il paya pour les quatre prochaines nuitées.

— Quelle chambre avez-vous louée, monsieur?

— Au deuxième, à droite de la salle de bains.

— Ah! oui. Je ne vous reconnaissais pas. Vous avez changé...

— Oui. J'ai obtenu un rôle de figurant dans une pièce de théâtre. Celui qui tenait le rôle est tombé malade. J'ai dû changer la couleur de mes cheveux.

— Félicitations, monsieur. Je suis heureuse pour vous.

— Oui, j'ai eu de la chance.

Sans qu'il eut besoin de le demander, elle lui remit une literie propre qu'il s'empressa de remplacer afin de lui remettre au plus vite celle qui avait besoin d'être rafraîchie. Le succès de ses premières démarches devenait pour lui un présage de la réussite de ses plans. Il prit ensuite un soin méticuleux à effacer toutes les empreintes digitales qu'il avait laissées par inadvertance un peu partout. Une fois terminé, il prit une douche et alla déjeuner à la terrasse d'un café. La journée était splendide, les croissants succulents, le café crème délicieux et abondant. Il se surprit à prendre un malin plaisir à déshabiller du regard les passantes. Un sentiment de force l'habitait, convaincu qu'il était dorénavant maître de son destin. Il retourna ensuite à sa chambre et plaça son portefeuille sous le lit juste derrière le pied avant gauche. Il compta la monnaie qu'il avait dans ses poches de pantalon, prit un billet de cent francs et se rendit à l'hôtel de Crête.

— Salut! dit-il en entrant.

— Je suis prêt.

— J'ai un problème.

— Lequel?

— Je viens de réaliser que je n'ai plus mon portefeuille. Je dois l'avoir laissé dans ma chambre.

— Je peux te prêter de l'argent. Il me reste au moins quatre cents francs.

— Mon billet d'avion, mes cartes de crédit... Si on me l'a piqué, je ne sais vraiment pas ce que je vais faire demain.

— Tu avais mis ton billet d'avion dans ton portefeuille?

— Oui.

— Veux-tu qu'on aille voir à ta chambre?

— Oui, je serais plus rassuré. C'est sur notre chemin.

— D'accord. Tu as de la difficulté à marcher?

— Ça va. J'ai juste de la difficulté à me pencher. Une vieille hernie discale qui refait surface.

Avant d'arriver à sa chambre, Alvin dit à Crête :

— La chambre est assez minable, mais c'était ça ou pas de voyage du tout. Je viens de m'acheter une auto et tout mon liquide y a passé. J'aime pas beaucoup voyager à crédit, c'est contre mes principes.

Il entra dans la chambre suivi de Crête, assez civilisé pour lui épargner des commentaires disgracieux. Le radio, qu'il avait délibérément laissé ouvert, faisait entendre une chanson de Céline Dion. Il augmenta le volume de l'appareil en lui signalant qu'il était fier que cette chanteuse qu'il aimait bien soit si populaire en France. Il s'affaira ensuite à faire semblant de chercher son portefeuille dans la penderie où il prit sa corde dont l'extrémité avait un noeud coulant et son poignard pendant que Crête balayait du regard la minuscule pièce délabrée.

— Il est peut-être tombé sous le lit, dit Alvin en faisant des efforts surhumains pour se pencher.

— Laisse-moi faire.

Aussitôt que la tête de Crête fut à ras le plancher, avec une rapidité incroyable, il lui glissa la corde autour du cou et tira de sa main gauche autant qu'il put pendant que sa main droite lardait son dos de coups de poignard. La victime n'avait pu émettre le moindre cri. Il continua de lacérer son dos s'assurant ainsi qu'il était bel et bien mort.

Il diminua le volume du radio, craignant la visite d'un voisin de chambre importun. Il était trempé. Ses mains dégoulinaient de sueur. Il s'essuya et prit son avant-dernier comprimé. Il enfila ensuite les gants qui lui avaient servi à appliquer sa teinture, vida les poches de Crête de leur contenu et glissa son corps dans le sac-poubelle. Il saupoudra abondamment la chaux et attacha l'extrémité d'un nombre effarant de tours et de noeuds comme si le cadavre pouvait ressusciter. Il le traîna ensuite dans la penderie. Il nettoya le plancher et fit disparaître ses empreintes sur les poignées de portes, le bouton du radio et le poignard. Il prit sa mallette dans laquelle il avait préalablement tout rangé et se rendit à l'hôtel de Crête.

Rendu sur place, Alvin enfila un gant et prit le combiné.

— Alain Crête à l'appareil. Chambre 216. Je pars demain matin très tôt. J'aimerais bien régler mes comptes cet après-midi. Combien vous dois-je?

— Un instant, monsieur. Je regarde. Avec les taxes, 2840 francs, monsieur.

— Merci. Je passerai tout à l'heure.

Alvin fouilla partout pour trouver la somme. Crête n'avait que 420 francs en poche. En dernier ressort, il se résigna à regarder sous le lit et entre le sommier et le matelas. Ses recherches infructueuses l'énervèrent. « Crête avait probablement l'intention de payer avec sa carte de crédit », pensa Alvin. Il prit le crayon qu'il avait vu dans la valise de Crête et pendant de nombreuses minutes, il pratiqua sa calligraphie en vue d'imiter à la perfection et avec une certaine rapidité la signature apposée sur le passeport de Crête. Il concentra ensuite son attention pour apprendre par coeur son adresse et se sentit fin prêt pour affronter la réceptionniste de l'hôtel, sûr que sa ressemblance avec Crête la tromperait.

— Vous avez aimé votre séjour, monsieur?

— Oui, beaucoup.

— Vous aimeriez qu'on vous appelle demain matin?

— Non, merci. J'ai mon réveille-matin. Voici ma carte. Avec le magnifique temps qu'il fait, vous devez avoir hâte de terminer votre travail?

— Oui. Je termine à dix-huit heures. Signez ici, monsieur. Demain matin, vous laisserez la clé sur le chiffonnier.

— Très bien. Au revoir. Merci, madame.

— Bon voyage de retour, monsieur.

— Merci.

Alvin remonta à la chambre de Crête. Il s'affaira de nouveau au rituel de la disparition des empreintes. Il prit la malle de Crête et en détailla de nouveau le contenu au cas où il serait soumis à des fouilles à la douane. Dans un petit sac de plastique, il déposa son poignard, son faux passeport, son billet d'avion, la clé de sa chambre minable et l'étiquette identifiée au nom d'Alvin Morris sur sa mallette. Il attendit dans la chambre, fier de lui, rêvant du moment où il narrerait à son père ses exploits. À dix-huit heures quarante minutes, il laissa la clé sur le chiffonnier et descendit avec la malle de Crête et la sienne, sachant que la préposée à l'accueil avait été remplacée. Tout fonctionnait comme sur les roulettes. Il lui restait à trouver un endroit pour se départir du contenu du sac de plastique. Il se dirigea dans le coin isolé d'un parc et brûla les papiers. Dans un cabinet d'aisances public, il jeta la clé de sa piaule. Il retourna dans le parc et planta son poignard dans la pelouse en l'enfonçant avec son talon et en exerçant une très forte pression avec son pouce dont la main était recouverte d'un gant. Personne n'avait vu son manège et rien ne paraissait sur la verdure. Tout était parfait! Il soupira d'aise. Comme il mettait la main sur son front pour essuyer les gouttes de sueur qui perlaient, il réalisa qu'il n'avait pas sa casquette. La découverte d'un seul de ses cheveux pouvait le perdre. Une angoisse indicible le tortura, si bien qu'il eut du mal à respirer. Il avait fait la même erreur que son jumeau! Une erreur qui allait peut-être faire condamner son frère! Il ouvrit fébrilement sa malle pour constater qu'elle n'y était pas. Elle ne pouvait être qu'à la chambre de Crête ou à la sienne, peut-être à la réception de l'hôtel. Il n'avait plus la clé pour ouvrir la porte de la chambre de Crête qu'il avait laissée sur le chiffonnier ni la sienne qu'il avait jeté aux toilettes publiques. Il ne pouvait quand même pas emboutir les deux portes. Il était plus stressé que jamais. Son destin de jumeau le condamnait-il à subir le même sort que son frère?

Il retourna à l'hôtel de Crête et se faufila dans l'escalier pendant que le préposé à la réception était occupé avec des voyageurs nouvellement arrivés. Il comptait rencontrer une femme de chambre. Elle était effectivement dans le corridor et lui ouvrit avec plaisir. Ses investigations s'avérèrent vaines. Il descendit à la réception et demanda :

— Vous n'auriez pas trouvé une casquette noire? Je suis venu cet après-midi pour régler ma note et je ne la trouve plus.

— Un instant, monsieur, je vais voir.

— Non, je ne vois rien, dit-il en regardant sous le comptoir. Quelle chambre occupez-vous, monsieur? Si on la trouve...

— Laissez faire, ça n'a pas d'importance.

Il s'engouffra dans une bouche de métro et le temps qu'il prit pour se rendre sur les lieux du crime lui permit de se calmer un peu. Il s'était énervé pour rien : la concierge lui ouvrirait. Rendu à son hôtel, il se rendit à sa loge.

— Bonjour, madame. Je suis sorti cet après-midi et j'ai oublié de prendre ma clé. Pourriez-vous me prêter votre double? Je vous le ramène tout de suite.

— Je n'ai pas de double, monsieur, mais j'ai un passe-partout. Je vais vous ouvrir.

— Oh! Je ne voudrais pas vous obliger à monter au deuxième. Si vous pouviez me le prêter, je vous la ramènerais à l'instant.

— Monsieur, j'ai reçu des ordres de ne jamais prêter le passe-partout. Alors je vous suis.

La dame déverrouilla la porte pendant que la main d'Alvin frôlait la poignée pour la saisir rapidement et empêcher que la porte ne s'ouvre. Il lui donna un généreux pourboire et la remercia. Sa casquette attendait d'être cueillie sur le plancher. Il jeta un coup d'oeil dans la penderie et approcha ses narines de l'ouverture du sac. Aucune odeur ne filtrait. Il mit sa casquette dans sa malle et essuya ses empreintes sur la poignée de la porte et celle de la penderie. Il se dépêcha ensuite de quitter les lieux.

Il prit la direction de l'aéroport Charles-de-Gaulle. À la dernière station du métro régional, alors que la plupart des passagers prenaient la navette qui les amenait à Roissy, Alvin s'informa pour localiser un hôtel où passer la nuit. Un taxi le conduisit devant un hôtel de tourisme. Dans sa chambre, il réussit, en les compressant, à transférer les vêtements qu'il voulait conserver dans la malle de Crête. Il sortit avec sa mallette qu'il engloutit dans une poubelle. Il se dirigea dans un restaurant, se régala d'un copieux repas et retourna à sa chambre. Il avait hâte au lendemain pour relever le défi de sa vie. Il ne douta pas un instant que sa bonne étoile continuerait de le guider comme elle l'avait fait depuis deux jours. Il téléphona à la réception pour demander qu'on le réveille à six heures. Avant de s'endormir, il savoura dans les moindres détails son acte de bravoure du lendemain.

Les yeux fermés, sur son écran imaginaire, il se dirigeait d'une démarche altière et assurée au kiosque de journaux. Sa montre-bracelet marquait sept heures. Il connaissait un peu l'aéroport Charles-de-Gaulle pour y avoir atterri au moins trois fois, dont deux avec ses parents quand il était adolescent. Il prenait la direction opposée au comptoir d'enregistrement d'Air Canada, quitte à se rendre (il sourit à cette pensée) au comptoir d'Air Zimbabwe ou d'Air Cubana s'il figurait parmi les transporteurs. Il feuilletait ses journaux calmement. Il épluchait les manchettes, les rubriques des faits divers, les entrefilets même afin de s'assurer qu'on n'avait pas découvert le cadavre de Crête. Il allait ensuite prendre un café au restaurant. Il attendait qu'il y ait file au comptoir d'enregistrement pour s'inscrire et laisser sa malle. Sa carte d'embarquement lui était délivrée sans difficulté. Il avait été très conciliant sur le choix de son siège. Il passait ensuite le contrôle de sécurité et dans le hall des départs, il trouvait une femme seule avec qui il conversait gentiment pour créer l'illusion qu'ils formaient un couple. De son siège, il voyait la mine défaite de René Martin flanqué de son acolyte à qui on avait dit qu'aucun homme portant le nom d'Alvin Morris ne figurait sur la liste des passagers. Le reste du voyage se déroulait admirablement. À Québec, il prenait l'autobus pour Montréal retrouver ses copains avec qui il devait être allé à la pêche toute la semaine. Morphée l'entraîna ensuite dans son monde onirique.

Le lendemain, le scénario qu'il avait imaginé dans l'aérogare se déroula exactement selon son plan préétabli. Aucune anicroche n'était venue en intervertir le synopsis. René Martin, son chien de poche et sa meute de galeux à la prétendue vue aiguisée et au présumé flair de chien d'arrêt, avaient rongé leur os. Ils étaient entrés les derniers dans l'avion et avaient pris place dans les premiers sièges à droite. Assis sur un siège dans la partie centrale de l'appareil, ses yeux étaient rivés à l'écran où était projeté un film qu'il ne voyait pas, son esprit étant ailleurs. Dans sa tête, il créait sa nouvelle vie. Son frère, retenu en prison, lui confiait l'administration de son bar. Sa belle-soeur, pour qui il avait toujours eu une passion secrète, lui reconnaissait des qualités exceptionnelles et tombait en amour avec lui. Son père lui confiait la responsabilité de s'occuper de sa mère et leur permettait d'occuper sa magnifique résidence. Toute la famille comptait sur lui pour combler leurs besoins. Il se complaisait dans ses chimères, heureux d'avoir tourné la page de la médiocrité, dégoûté d'avoir toujours été tancé vertement par un père qui, pour sanctionner ses comportements fautifs, punissait par désir de vengeance plutôt que pour lui donner le sens de la discipline.

— Alain! appela une voix dans l'allée derrière lui.

Perdu dans ses pensées, Alvin ne réalisait pas que c'était à lui qu'on s'adressait.

— Alain! répéta-t-elle en approchant de son siège derrière son dos.

C'était bien lui qu'elle appelait! Il était Alain Crête! Son regard se posa sur l'inconnue. Il avait accroché un sourire à sa face, mais ses yeux affolés, son esprit tourmenté, paniqué, ne savait trop comment réagir.

— Oh! Excusez-moi! J'avais cru reconnaître un ami. Vous lui ressemblez tellement au premier coup d'oeil.

— Désolé, mademoiselle.

Elle avança dans l'allée et alla s'asseoir auprès de René Martin. Alvin prit son dernier comprimé quand il sentit les sueurs ruisseler au creux de ses paumes. La pensée que cette rencontre importune pouvait anéantir ses projets le fit rager. Il tenta de se contenir. Il inclina le dossier de son siège et ferma les yeux. Il devait paraître détendu.

Chapitre 16

René et Charles étaient arrivés à l'aéroport quatre heures avant le départ du vol. Les deux préposés au comptoir d'enregistrement d'Air Canada avaient été informés du nom de la personne à intercepter et le directeur de la sécurité leur avait fourni le portrait-robot. Deux agents de sécurité se tenaient prêts à s'emparer du criminel pendant qu'ils déambulaient dans l'aérogare, épiant les centaines de voyageurs, particulièrement les hommes seuls. Au contrôle de sécurité, ils avaient surveillé tous les passagers du premier au dernier. Au quai d'embarquement, ils avaient redoublé leur surveillance. Ils avaient dû se rendre à l'évidence. Alvin Davis, alias Alvin Morris, avait lu les journaux. Il n'avait pas été assez idiot pour se jeter dans la gueule du loup.

L'avion avait pris son envol. René feuilletait une revue pendant que Charles dormait à ses côtés. Leur dernière nuit avait été réduite à quatre heures de sommeil. René engagea la conversation avec sa voisine. La discussion était d'autant plus agréable que la jeune femme prénommée Andréanne, était particulièrement jolie.

— Qu'est-ce qui vous fait sourire? demanda-t-il.

— Je viens de faire une gaffe.

— C'est grave?

— Non, mais j'espère que l'homme à qui j'ai parlé ne va pas s'imaginer que je voulais le « cruiser ».

— Qu'est-ce qui s'est passé?

— Lundi passé, j'étais assise à côté d'un type. Il s'appelle Alain Crête. On a jasé pendant tout le trajet. J'ai fait exprès pour aller aux toilettes à l'arrière de l'appareil. J'ai pu ainsi jeter un coup d'oeil du côté droit de l'avion en m'y rendant. En revenant, j'ai vu sa tête de biais. J'étais sûre que c'était lui! C'est incroyable comme il lui ressemble! On devait aller souper ensemble hier soir. J'ai téléphoné à son hôtel hier. Personne! On s'était donné rendez-vous à huit heures au comptoir d'enregistrement pour s'asseoir ensemble. J'espère qu'il n'a pas manqué son avion.

L'intérêt de René s'accrut. Ses espoirs renaissaient. Cet homme pouvait être l'assassin de Philippe. Il pouvait avoir volé le passeport d'Alain Crête et s'être organisé pour lui ressembler.

— Dites-moi où est assis cet homme.

— Pourquoi?

— Je vais faire une petite tournée dans l'avion moi aussi. Je vais observer le sosie de votre ami. Ensuite, je pourrai peut-être trouver votre ami. Si je le trouve, je vais lui laisser ma place.

— Vous feriez ça?

— Pourquoi pas? Ne vous retournez pas et décrivez-le moi. Juste pour voir si vous êtes observatrice.

— D'accord. Il est grand, les cheveux bruns, bouclés, courts, les yeux bruns, une grosse moustache, les traits réguliers, assez beau, à peu près trente ans. Il est assis sur le deuxième siège dans la partie centrale, vis-à-vis les ailes.

— Qui est assis à côté de lui?

— Un homme à la tête blanche, je crois.

— J'y vais.

Il revint après quelques minutes seulement. Il avait eu le temps de le reconnaître. Leurs yeux, heureusement, ne s'étaient pas croisés. Avec des cheveux longs, blonds, sans sa moustache, c'était l'assassin de Linda. Par conséquent celui de Philippe et peut-être celui d'Alain Crête. Il se souvenait l'avoir vu au quai d'embarquement avec une femme et un enfant.

— Déjà revenu?

— Oui, il fait trop sombre. Je vais attendre que le film soit terminé. Dans une quinzaine de minutes à peu près. En attendant, je vais continuer mon rapport du congrès.

Il sortit son carnet de notes, l'ouvrit et tint la couverture du côté de sa voisine de façon qu'elle ne puisse voir ce qu'il écrivait. « NE RÉAGIS PAS. L'ASSASSIN EST DANS L'AVION. NE TE RETOURNE PAS. Je vais au poste de pilotage. Ça PRESSE. » Il donna un coup de pied à Charles qui se réveilla et lui dit :

— Veux-tu jeter un coup d'oeil sur cette formule mathématique?

Charles le regarda, hébété. Après sa lecture, il était complètement réveillé.

— Tu es sûr que c'est ça? lui demanda-t-il gravement.

— À 99%.

— Avez-vous quelque chose contre les brûlures d'estomac?

— Non, dit-elle.

— Excusez-moi. Je vais demander à l'agent de bord à l'avant.

Elle se leva pour le laisser passer et il se dirigea vers l'avant de l'avion. Au premier agent qui l'intercepta, il lui demanda de le conduire au poste de pilotage pour voir le commandant de bord. Devant son hésitation, il présenta sa carte d'officier de police en exigeant le silence le plus complet. Il se présenta au commandant de bord et demanda si un certain Alain Crête figurait sur la liste des passagers et quel était le numéro de son siège. Celui-ci communiqua au comptoir d'Air Canada à Roissy.

— Oui. Siège numéro 22 E.

— Est-ce que je peux téléphoner? C'est extrêmement important! Cet homme est un dangereux criminel!

— Oui, bien sûr, dit-il en lui tendant le combiné.

René demanda au chef de police de Sainte-Foy de délivrer un mandat d'arrêt contre Alvin Davis, d'envoyer un fourgon cellulaire à l'aéroport de même que deux agents munis de menottes pour dix heures. Il appela ensuite le directeur de la sécurité de l'aéroport, lui demanda de mettre à sa disposition un local et d'être là à son arrivée.

— Vous allez l'appréhender dans l'aéroport? demanda le commandant.

— Oui. D'ici là, on fait comme si de rien n'était. Pas un mot à personne, dit-il à l'intention du copilote. On ne sait pas comment il pourrait réagir s'il se sent coincé. Je ne voudrais pas qu'il se serve d'une personne comme otage.

— Vous pouvez compter sur nous, dit le commandant.

René téléphona à Hélène et Carole pour leur demander de ne pas venir le chercher à l'aéroport.

— Vous avez trouvé? demanda Andréanne au retour de René.

— En première classe, vous savez, on soigne tous les maux!

Il prit son carnet et écrivit : « Ne te retourne PAS. Siège 22 E. Le fourgon sera là + 2 agents. Il FAUT sortir avant lui. Nous aurons un local à notre disposition. Je veux le cuisiner.»

— Et cette équation? demanda-t-il à Charles.

— Laisse-moi regarder.

La fin du film lui rappela la folle promesse qu'il avait faite à Andréanne de chercher Alain Crête parmi les passagers. Il devait connaître les coordonnées de cette femme dont il aurait besoin pour témoigner à l'enquête d'Alvin Davis et le temps semblait filer aussi vite que l'avion qui le transportait. Il inclina un peu son torse, mit sa main sur son estomac et prit une grande respiration en grimaçant de douleur.

— Prenez un autre comprimé, dit-elle.

— Merci, garde, dit-il en mimant son plus beau sourire.

— C'est la dernière chose que j'aurais voulu faire. Je suis incapable de voir souffrir quelqu'un.

— Qu'est-ce que vous faites? lui demanda-t-il carrément.

— Je suis conseillère en orientation au cégep de Sainte-Foy.

— J'ai bien peur que vous allez devoir supporter ma présence jusqu'à Québec, dit-il en se tordant de douleur.

— Monsieur, dit-elle à un agent qui passait, auriez-vous quelque chose contre les brûlures d'estomac?

— Un instant, je reviens.

— Ne vous en faites pas pour Alain. C'est peut-être mieux comme ça. S'il est dans l'avion et qu'il a ignoré notre rendez-vous, il est préférable que je ne le voie pas. S'il a manqué son avion, je peux le savoir. J'ai son adresse et son numéro de téléphone.

— Il travaille à Québec? demanda René dans l'espoir d'avoir des indices pour avertir sa famille s'il lui était arrivé malheur.

— Oui. Il est machiniste au Grand Théâtre.

— Vous imaginez la tête des personnes qui viendront le chercher à l'aéroport s'il a raté son avion?

— Il a sûrement appelé pour avertir. Moi, je l'aurais fait en tout cas.

— Vous n'avez pas eu la chance de vous rencontrer à Paris?

— Non. Moi, j'allais en Normandie rencontrer des amis avec qui j'ai déjà fait un échange étudiant. Alain est un type qui aime voyager seul.

— Lui, il restait à Paris?

— Oui. On devait aller souper ensemble hier soir. Comme je vous l'ai dit tantôt, il n'était pas à son hôtel.

Conscient qu'il avait presque atteint la limite de l'indiscrétion, il se demanda comment savoir le nom et l'adresse de l'hôtel où était descendu Alain Crête sans que la question paraisse intempestive.

— Parlant d'hôtel, la première fois que je suis venu à Paris, j'ai été tellement déçu de l'hôtel où j'ai logé. C'était bruyant, il y avait des coquerelles dans le lit. Pardon, en France, on dit des cafards ou des blattes, dit-il avec un accent parisien. Après cette mauvaise expérience, j'ai toujours demandé conseil à des amis pour le choix de mon hôtel et j'ai toujours été satisfait par la suite. C'est devenu comme une superstition pour moi. Si je veux faire un bon voyage, je ne vais qu'à un hôtel qu'on m'a recommandé et je change d'hôtel chaque fois. C'est fou, hein?

— Je ne pensais pas qu'un mathématicien comme vous pouvait être aussi irrationnel! Vous en avez d'autres superstitions comme ça?

— Oui, quelques-unes. Mais j'aimerais mieux ne pas en parler.

— Juste une... insista-t-elle. Pour rire.

— Vous allez rire, c'est certain. Je n'entre jamais dans un magasin s'il n'y a pas de clients. Chaque fois que je l'ai fait, j'ai regretté mon achat. Vous êtes contente? Je vous ai donné la chance de rire de moi.

— Donnez-moi un autre exemple. Je trouve ça amusant!

— J'ai une idée. Donnez-moi le nom et l'adresse de l'hôtel d'Alain Crête. Je vais m'y rendre à mon prochain voyage et je suis sûr qu'il va être extraordinaire. Plus beau que d'habitude encore! Je sens que vous me porterez chance.

— Oui, à une condition. Que vous me décriviez une autre de vos superstitions.

— D'accord.

Elle sortit son carnet d'adresses de son sac et il copia le nom, l'adresse et le numéro de téléphone de l'hôtel.

— Vous avez une autre adresse d'hôtel pour l'année suivante? demanda-t-il en riant.

— Tenez. Copiez celle-ci. J'ai couché là hier soir et c'était très bien.

— Si vous me donniez votre numéro de téléphone, je vous promets de vous appeler l'an prochain pour vous donner des nouvelles de mon séjour.

— D'accord.

Pendant qu'il copiait son adresse, elle lui dit :

— Alors, je vous écoute. Une dernière superstition?

René cherchait quelque chose à dire et ne trouvait rien d'original. Seulement des banalités sur des thèmes usés comme les échelles, les chats noirs, les sous trouvés ou lancés.

— Promettez-moi de ne pas rire, dit-il en cherchant toujours.

— Promis!

— Je ne garde jamais dans mes poches les cents noirs.

— Qu'est-ce que vous en faites?

— Je les laisse sur le comptoir. Je ne les prends jamais.

— Pourquoi?

— J'ai l'impression que je ne manquerai jamais d'argent en faisant ça.

Il ne trouvait pas son idée très brillante, mais l'important, c'était qu'elle le croie. Le gros-porteur avait amorcé sa descente. Andréanne et René se levèrent pour laisser passer Charles qui avait attendu qu'il y ait affluence aux toilettes sises à l'avant de l'avion pour se diriger vers l'arrière. À son retour, il lui fit un signe de tête attestant qu'il avait reconnu Alvin Davis, l'assassin de Linda.

— J'espère qu'Hélène et Luc ne sont pas venus nous chercher, dit-il plus bas à Charles. Je les ai avertis de ne pas venir. Quant à Carole, j'ai laissé le message à sa mère.

— S'ils sont là, on leur demandera simplement de retourner à la maison. Ils sont assez intelligents pour comprendre.

— Oui. Je veux le questionner un peu.

L'avion s'immobilisa enfin. René se leva aussitôt pour prendre sa mallette et celle de Charles dans le casier à bagages. L'allée, déjà bondée, ne permettait à personne de voler la place de quelqu'un d'autre dans la file d'attente. Rendus dans l'aéroport, René aperçut trois policiers en uniforme et le directeur de la sécurité. Il les conjura de se cacher au plus vite afin d'éviter que leur vue ne crée chez le criminel un état de panique qui pouvait être dangereux pour les passagers. Il alla rencontrer les deux douaniers de service et après s'être identifié, il leur demanda de sélectionner Alain Crête pour une fouille. Juste comme il revenait au carrousel des bagages, il vit entrer Davis. René promena alors son regard d'un voyageur à l'autre s'efforçant d'avoir l'air absent, mais le tenant toujours à l'oeil. Le tapis diplodocus cracha soudain, comme noyaux, des dizaines de valises disparates que chacun s'empressait de saisir.

Alvin Davis, alias Alvin Morris, alias Alain Crête saisit la sienne nonchalamment, sortit un passeport de sa poche et se présenta devant un douanier. René et Charles attendaient à la ligne. Le douanier lui indiqua une autre direction que la sortie pour effectuer des fouilles dans ses bagages. Rendu dans l'espace réservé à cette fin, il ouvrit sa valise. Derrière son dos, René lui dit :

— Tu es en état d'arrestation.

Comme un cheval éperonné, sa réaction fut immédiate. Il asséna son poing sur la mâchoire de René et presque en même temps, plaqua son pied dans le bas-ventre de Charles qui se tordit de douleur, plié en deux. René l'agrippa par sa chemise, ralentissant sa course pour fuir. Les trois policiers l'encerclèrent, l'assujettirent au sol pendant que l'un d'eux le menotta.

— Par là, dit René en l'empoignant par l'avant-bras et en le poussant dans un petit local jouxtant la sortie.

De ses mains enchaînées d'anneaux métalliques émanaient d'abondantes gouttes de sueur qui généraient une traînée sur les carreaux de céramique. René le poussa sur une chaise, laissa rentrer Charles, remis quelque peu du dur coup qu'il avait reçu et demanda aux policiers d'être de faction à la porte.

— Les enfants sont là? demanda-t-il à Charles.

— Une minute, je reviens.

La foule, qui s'était attroupée à la vue de cet incident inopiné, se dispersait graduellement. Hélène et Luc avaient respecté les consignes de leur père. De retour dans la pièce, Charles vit une scène qui enfreignait grossièrement la déontologie policière et entachait considérablement la réputation de son confrère. René tenait dans sa main gauche une touffe de poils et sa main droite venait de s'abattre sur son ennemi en pleine figure. Alvin Davis avait laissé échappé un cri assez fort pour être entendu par les trois policiers à l'extérieur. René haletait de rage. Comme une éruption volcanique, sa haine, longtemps contenue, s'était réveillée soudain avec la fureur des éléments déchaînés.

— Assez, dit Charles en serrant son bras.

— Légitime défense, dit-il.

— Avec des menottes aux mains?

— Il me semble que tu as goûté à son pied toi aussi!

— Qu'est-ce que tu as fait d'Alain Crête? cria-t-il à Davis.

Aucune réponse ne sortit de sa bouche, sauf une phrase maintes fois entendue et qui prouvait que l'accusé connaissait bien ses droits. Il ne parlerait qu'en présence de son avocat. René avait quand même l'intention de lui faire subir un interrogatoire en règle, de le bombarder de questions. Même s'il devait y passer la journée! Les réactions émotives, les contradictions, les démentis, les aveux pouvaient venir, il le savait, avec la fatigue et le stress du harcèlement.

— Qui t'a donné l'ordre de tuer Linda?

— Tu travailles pour le compte de qui?

— Sous quel nom as-tu voyagé?

— Le nom de ton hôtel?

— Tu ferais mieux de parler. De toute façon, on sait tout. Deux meurtres, probablement trois, complicité pour séquestration et viol, menaces de mort. Allez, on l'embarque! On va continuer au poste.

Le ventre du fourgon l'avala, l'anéantit, l'annihilant à un simple numéro matricule. Les mêmes sempiternelles phrases martelaient son esprit : « You are so stupid. You will never do something right. You are as stupid as your mother. You will never do something bright. You are so...» et une succession de pourquoi et de comment se heurtaient à l'incompréhension, à la fatalité et à sa propre dévalorisation.

Chapitre 17

Prétextant avoir trop de problèmes à régler, Carole avait prié Lyne d'informer Hélène et Luc que leur père arrivait le lundi suivant. Le regard de Lyne, sceptique et désapprobateur, ne l'avait nullement ébranlée.

Albert Matte, son ami, avait accepté de présider aux funérailles de Philippe prévues pour le lendemain. Dans un intervalle de presque deux mois, Carole avait fait publier dans la rubrique nécrologique du quotidien le triste visage de sa réalité, soit l'extinction de sa famille. Elle s'y était résignée par respect pour la famille éloignée de son conjoint qu'elle avait délibérément omis de renseigner de vive voix, incapable de révéler toutes les circonstances du décès tellement sa responsabilité lui pesait. Lyne s'en était chargée. Deux journalistes, qui avaient eu vent de l'affaire par un correspondant à l'étranger, l'avaient harcelée d'incessantes visites. Sa mère, fidèle à ses ordres, avait éconduit cavalièrement les intrus.

Comme un animal blessé, Carole s'était tapie au gîte, tentant de panser ses plaies, mais sa solitude et ses remords n'avaient fait qu'accentuer sa douleur. Terrée au sous-sol pour ne pas avoir à discuter avec personne, elle avait visionné à plusieurs reprises les vidéocassettes qui avaient occupé la nuit de Philippe la semaine précédente. La révélation de Frank concernant l'attachement que Philippe avait toujours eu pour elle et Bernard intensifia ses regrets et son repentir. « La femme de sa vie », avait-il dit. « La seule qu'il aimait vraiment », répétait-elle dans sa tête. Son intransigeance et son orgueil l'avaient privée de sa présence et pire encore, avaient soustrait son fils de l'affection de son père. Les images de tendresse entre ses deux hommes devinrent insoutenables, torturantes pour son coeur de mère.

Par ailleurs, une petite voix étouffée lui insuffla l'idée que le propre de la mort était d'idéaliser la vie. La mémoire sélective ne retenait-elle pas d'un être cher décédé que ses qualités amplifiées? Ce déclic l'obligea à plus de réalisme. Elle avait exigé de Philippe, il est vrai, un amour à la mesure de celui qu'elle lui avait donné. Total, sans compromis, sans faille! Il avait été incapable de se conformer à l'image qu'elle s'était faite de lui. La vérité était qu'il l'avait trahie et avait choisi de vivre sa vie à l'étranger, loin d'elle et de Bernard. Oui, elle aurait pu lui communiquer verbalement sa désolation, son extrême solitude, son amour, ses espoirs de retour, mais son amour-propre offensé l'avait contrainte à des communications télépathiques. La magie avait opéré dans l'esprit de Philippe, mais pas suffisamment pour le propulser dans l'action concrète, sauf à l'occasion de sa dernière visite. Deux âmes soeurs calcifiées d'orgueil, condamnées à vivre dans la solitude! Elle imagina ses deux hommes réunis et engagea un monologue intérieur avec chacun d'eux. « Philippe, le pria-t-elle éplorée, je te demande pardon. J'aurais dû être plus indulgente. J'aurais dû te faire confiance, être moins soupçonneuse, moins exigeante. J'aurais dû te donner le droit de ne pas être parfait. J'aurais dû t'aimer comme tu es. J'aurais dû comprendre, quand tu es venu la semaine dernière, que tu voulais vraiment refaire ta vie avec moi. J'aurais dû te signaler le danger que représentait cet homme qui t'a tué. Pardonne-moi. Pardonne-moi de ne pas t'avoir donné la chance de voir Luc avant de mourir. Bernard, ton père t'aimait tant. J'en suis sûre maintenant...» Et sa prière se poursuivit tard dans la nuit.

Au petit matin, le roulement intermittent de la chaise de sa mère la réveilla. Elle s'était assoupie sur le divan, un album de photos en main.

— Carole, cria Mme Alain, lève-toi. Il faut être à l'église une heure avant la cérémonie. Madame Paradis, voulez-vous aller la réveiller s'il vous plaît.

Pendant que Mme Paradis, avec sa délicatesse coutumière, aidait Mme Alain à revêtir sa robe de circonstance, l'eau vivifiante de la douche semblait louper son effet. « À quoi bon toute cette mascarade? », pensa Carole. Le monde des vivants l'indifférait. Son coeur et son esprit voyageaient dans un ailleurs, accompagnant les personnes à qui elle avait consacré sa vie. Le reproche de sa mère l'avait laissée impassible. « Ne me force plus à mentir, Carole. Je ne le ferai plus. » René l'avait appelée à deux reprises et sa mère avait consenti à répondre la première fois qu'elle n'était pas là et la deuxième, qu'elle dormait. Elle n'avait pas retourné ses appels. Il n'avait pas daigné venir la rencontrer. Il n'avait plus besoin d'elle. Il l'avait livrée en pâture à l'assassin et se désintéressait maintenant de l'appât. Il l'avait retournée chez elle avec un étranger pour la protéger alors qu'elle tremblait de peur.

Elle sécha ses cheveux et enfila la même robe qu'elle avait portée aux funérailles de son fils. La même robe noire qui la faisait paraître si mince et si digne. Elle tenta ensuite d'atténuer les bouffissures sous ses paupières et compléta par un maquillage discret. La voix forte de son frère André, avec qui elle n'avait jamais eu d'affinité, la fit sursauter. Elle l'entendit s'exclamer d'admiration devant la beauté de la nouvelle décoration.

— Je t'invite à venir habiter chez nous, dit-il à sa mère ironiquement. Ma maison aurait bien besoin de rénovations.

« Salaud! pensa Carole. Il ne s'est jamais préoccupé de maman. S'il pense que je lui ai offert d'habiter ici pour son argent, il se trompe royalement! Il peut tout lui soutirer, je m'en balance. »

— Carole, André et Lise sont là!

— J'arrive.

Une kyrielle de questions débuta, auxquelles elle répondit froidement et succinctement. Heureusement pour elle, l'église n'était pas l'endroit pour discourir. Frank était venu accompagné de sa femme Joan et de Mary, dont les yeux, luisants de larmes retenues, dévoilaient une tristesse insondable.

— Carole, je te présente Joan, ma femme. Tu connais Mary.

— Oui, bien sûr.

Carole savait que Philippe était très important pour cette femme. Elle s'exprimait en anglais. Carole lui tendit la main et lui présenta, à son tour et dans sa langue, ses plus sincères condoléances. Elle était celle que Philippe avait voulu protéger et à cause de qui il était mort, celle qui la chasserait probablement de sa maison à Atlanta, s'en approprierait pour ensuite la vendre et en retirer les profits. Elle était celle par qui le malheur arrive et cette femme, dans un élan de générosité et avec sincérité, l'avait embrassée et avait sympathisé de tout son coeur avec elle.

— Philippe has an extraordinary friend, lui avait dit Carole.

— Thanks. He was married to an extraordinary woman he did not diserved. That's what he told me.

Elle s'était pourtant promis qu'elle ne se donnerait pas en spectacle, mais elle fut impuissante à réprimer des sanglots. Mary Gilpin lui donna un dernier baiser sur la joue et alla s'asseoir sur un banc. Une vingtaine de personnes défilèrent encore devant une femme perdue dans ses pensées qui alternaient de Philippe à René dont l'un était perdu à jamais et l'autre, absent dans les moments où elle en avait le plus besoin.

Elle prétexta un mal de tête infernal pour se soustraire aux agapes qui suivirent les funérailles. L'inhumation au cimetière paroissial avait drainé ses dernières énergies et elle se sentait incapable, par souci des convenances, d'incarner le rôle d'une femme avenante qui prenait plaisir à discuter avec ces gens qui, par souci des convenances aussi, s'astreignaient à ce rituel. Elle avait un urgent besoin de retrouver sa famille de l'invisible à qui elle pouvait tout confier sans crainte d'être jugée.

Chapitre 17

René Martin n'avait rien pu soutirer d'Alvin Davis. Pendant tout près de deux heures, il s'était buté à un mur infranchissable. Ni les menaces, ni les promesses d'atténuer la gravité de sa peine par des aveux, ni la garantie de protection pour délation, ni la confrontation avec Andréanne Robert, qui avait consenti à se rendre au poste pour attester que l'homme qui prétendait être Alain Crête n'était pas celui qu'elle avait rencontré lors de son voyage en direction de Paris, rien n'avait délié sa langue, sauf son besoin d'aller à l'hôpital recevoir un traitement.

— Quel sorte de traitement? avait demandé René.

— Tremper les mains dans une solution spéciale et faire passer un courant électrique.

— C'est quoi le nom de ta maladie?

— Hyperhidrose.

— La même que ton frère?

Il s'était tu, de nouveau encaqué dans un monde mutique. René avait pris rendez-vous avec un dermatologue pour le lendemain. Il avait ensuite télécopié la photo du passeport d'Alain Crête à Paris et appelé le directeur de la police qui lui avait dit qu'à sa connaissance, aucun meurtre n'avait été rapporté dont le cadavre ressemblait à cet homme, mais il lui assurait sa collaboration pour effectuer des recherches plus exhaustives.

Le directeur de personnel du Grand Théâtre lui avait confirmé qu'il avait sur la liste de son personnel un machiniste portant le nom d'Alain Crête. Il lui avait fourni ses coordonnées et le nom d'un compagnon qui exécutait le même travail. Ces démarches avaient permis à Charles de rejoindre Paul Crête, son frère, à qui il avait révélé le vol du passeport de son frère et qui avait accepté de venir confronter le voleur. La séance avait été pénible puisque le doute qui planait quant au sort réservé à son frère était des plus inquiétant.

Fourbu, René avait regagné son domicile à la fin de l'après-midi pour retrouver Hélène, exubérante de joie à sa vue. Elle n'avait pas tari sur la gentillesse de deux de ses trois gardes du corps. Avec ses amis, ils les avaient trimballés partout où le programme du festival d'été proposait des spectacles endiablés. Tous les soirs, le « fast food » avait flatté leur jeune palais, sauf les deux fois où la policière de service avait tenu obstinément à leur faire avaler sa salade de tofu et de graines. Hélène, toujours aussi moqueuse, avait parodié sa geôlière en faisant ressortir généreusement son postérieur et en pinçant ses lèvres ostensiblement. « Ton père n'apprécierait sûrement pas ta conduite », avait-elle dit en imitant le ton de sa voix. La charge burlesque avait fait s'esclaffer René qui avait bien besoin de se dérider.

Harassé, il avait ressenti péniblement les effets du décalage horaire et surtout de la nuit précédente passablement écourtée. De plus, Carole lui manquait tellement. Deux fois, il avait tenté en vain de lui parler. Sa mère l'avait informé que les funérailles avaient lieu le lendemain. Il avait hâte de la revoir, mais il avait été tiraillé par un terrible dilemme. Était-il convenable d'aller la rencontrer lors des obsèques de son mari ou devait-il s'y rendre par respect pour celui qui avait sacrifié sa vie pour la protéger et dont il était la cause indirecte du décès? Il s'était endormi sur son problème et le lendemain, il avait décidé de s'abstenir par crainte d'être importun.

Il avait appelé trente minutes avant la cérémonie pour lui expliquer les motifs de sa décision, mais la sonnerie avait retenti en vain. Il avait oublié la coutume voulant qu'elle doive se rendre à l'église une heure avant la célébration. L'après-midi, il avait résisté à l'envie de lui parler ou de la voir, sachant qu'elle était entourée de sa famille, de celle de Philippe et de ses amies, si bien qu'il communiqua avec elle en soirée seulement. Elle sembla comprendre les motifs de son absence aux funérailles, mais il eut l'impression que quelque chose avait changé. Il attribua d'abord son peu d'enthousiasme à la grande fatigue émotionnelle que pouvait susciter une journée pareille.

— Aimerais-tu mieux qu'on se voie demain?

— Oui.

— Tu es fatiguée?

— Oui.

— Je comprends. Tu veux qu'on se voie demain après-midi?

— Si tu veux, dit-elle indifféremment.

— J'irai te chercher à quatorze heures.

En raccrochant le combiné, une sensation impalpable et indicible envahit son être comme s'il avait ingéré un champignon vénéneux. Il ressentit un malaise à l'abdomen. Un doute inquiétant s'insinua de nouveau dans son esprit. Telle l'eau s'infiltrant peu à peu par les interstices d'une fondation, la réaction de Carole minait sa fragile assurance sur la sincérité de ses sentiments. Troublé et impuissant à colmater la fissure où le flot de ses pensées l'entraînait, il tournait en rond dans la maison, alangui par le temps maussade qui lui donnait l'impression d'avoir arrêté son cours. Si l'amour qu'elle portait à son mari ne s'était jamais émoussé avec le temps? Lutter contre un fantôme s'avérait à l'avance un combat voué à l'échec! L'intérêt qu'elle lui avait manifesté était-il uniquement guidé par le désir de retrouver Bernard dans Luc, le fils de Philippe, qui lui ressemblait comme deux gouttes d'eau? Réduire l'intensité de leurs nuits d'amour à de simples assouvissements épidermiques lui semblait pourtant inconcevable.

La peur de perdre Carole le força à sonder la profondeur de ses propres sentiments. Son amour viscéral commandait sa présence comme la vie requiert l'oxygène. Lui, qui exerçait habituellement sur les femmes une fascination quasi irrésistible, pataugeait dans les ornières du doute qui torture l'âme. Sa folle imagination, avivée par sa peur, lui inspira l'idée tordue d'éloigner Luc de la maison quelque temps pour s'assurer que c'était bien lui qu'elle aimait. Sa bonne conscience accablée de honte chassa cette pensée aussitôt. Il avait l'impression d'être un pantin désarticulé dont les ficelles étaient actionnées au gré d'une marionnettiste. Perdre le contrôle était intolérable.

Le batailleur en lui tenta d'abord de se calmer en croyant que son instinct lui révélerait la vérité et en dédramatisant l'humeur de Carole, bouleversée par de fortes émotions qui auraient traumatisé n'importe quelle personne équilibrée. Il appela le fleuriste et lui fit livrer une gerbe de roses pêche pour lui rappeler leur première nuit d'amour. Quelques minutes après, Charles l'attendait au bout du fil.

— Tu connais l'agent Stéphane Rivard?

— Ce nom me dit quelque chose...

— Le 22 juin, il t'a flanqué une contravention sur l'autoroute.

— Ah! Oui, je me rappelle, dit-il en s'amusant encore de la plaisanterie d'Hélène.

— Il a été sommé de comparaître pour la partie adverse au procès de Kevin Davis.

— Quoi! Comment ont-ils pu savoir?

— Qu'est-ce qui s'est passé?

René lui relata l'épisode de l'orangeade sur le plâtre d'Hélène, le rôle d'enfant violentée qu'elle avait joué et l'effet dramatique qu'avait eu la scène sur l'agent.

— Hélène sait qu'elle doit se présenter en cour?

— Oui, on en a parlé.

— Ça va aller?

— Je pense bien. J'ai la permission du juge pour qu'elle témoigne sans voir Davis.

— Le procureur veut la rencontrer demain.

— Déjà?

— Oui, le procès commence demain.

— À quelle heure?

— À quatorze heures.

— On sera là, fit-il.

Il essaya de joindre Carole pour annuler leur rendez-vous du lendemain après-midi et lui dire qu'il devait se rendre à Montréal avec Hélène pour assister au procès de Kevin Davis. Malheureusement, sa mère lui répondit qu'elle était affligée d'un violent mal de tête qui l'avait clouée au lit d'où elle ne voulait pas se tirer. À regret, il laissa le message à Mme Alain, accompagné de voeux de rétablissement à son intention.

Chapitre 18

L'oeil figé, Kevin Davis regarda son avocat, un sourire ironique plaqué aux commissures des lèvres. Le juge Antoine Germain de la chambre criminelle de la Cour du Québec levait l'audience. Enfin, le procès tirait à sa fin et le lendemain, il saurait si les preuves de la défense permettraient aux jurés d'établir sa non-culpabilité à la triple accusation de séquestration, de viol et de tentative de meurtre sur la personne d'Hélène Martin. La façon dont le procès s'était déroulé depuis trois jours lui permettait d'espérer que le tribunal débouterait la poursuite de ses accusations. Son avocat, le bonze et ardent défenseur de la mafia, en avait la quasi-certitude.

Étendu sur son grabat, son regard se fixa sur l'autre lit vide qui meublait son étroite cellule. « Un lit jumeau! » pensa-t-il. Son cerveau, réglé comme une horloge de précision, opéra le compte à rebours et le parachuta dans le chambre des bessons, comme disait sa mère, théâtre de leurs batailles épiques. L'une des plus célèbres aurait pu l'amuser encore si son père ne s'en était pas mêlé le lendemain. La veille, ils avaient déclenché une abondante chute de neige en juillet, une tempête de plumes d'oreillers qui avait réduit considérablement la visibilité de la gardienne entrée dans la chambre, furieuse, une fois les hostilités terminées dans son camp. Elle avait dû passer l'aspirateur pendant des heures pour cacher sa propension à trop regarder la télévision. Au moment où elle était entrée, Kevin était déchaîné et elle avait dû, par la suite, rendre des comptes à leurs parents, vu l'absence des oreillers et les séquelles aériennes de la tempête qui avaient résisté à la « souffleuse». Son frère, encore une fois, avait écopé davantage. La marque bleuâtre sur sa joue avait témoigné longtemps de la violence du coup que son père lui avait asséné alors qu'il n'était qu'un bambin de sept ans.

Sa mémoire le catapulta ensuite cinq ans plus tard sur le haut de l'escalier où il épiait la conversation qui lui parvenait du salon. Les affres d'une famille aux prises avec des jumeaux turbulents piquaient la curiosité du couple présent. Pour la première fois, il s'intéressa vraiment à la narration du long et pénible accouchement. Le premier, bien vivant, s'était engagé vers la sortie tête première. Le deuxième, coincé dans un habitacle réduit, étouffé par le cordon ombilical qui restreignait ses mouvements, refusait de toute la force de ses talons de changer sa position pour prendre le chemin de la vie. Le gynécologue, après avoir tenté en vain de l'extirper, avait décidé de faire une césarienne après des heures de souffrances inutiles. Il se rappelait avoir cherché le mot césarienne dans le dictionnaire.

— L'enfant n'a pas eu de séquelles? avait demandé la femme.

— Kevin a toujours eu une facilité d'apprentissage extraordinaire, avait répondu son père. Quant à son frère, il est beaucoup plus lent. Ils sont dans la même classe, mais Kevin est toujours le meilleur et Alvin, bon dernier. Le manque d'oxygène l'a affecté, c'est certain.

Après cette révélation, Kevin s'était demandé pourquoi son père se prêtait, lui aussi, à ces horribles comparaisons qui intensifiaient leur différence intellectuelle. Ces comparaisons qui alimentaient l'agressivité de son frère traité plus souvent qu'à son tour de paresseux, d'idiot, de nullité. Ces comportements paternels auxquels s'ajoutait parfois la violence physique, ferments de haine et de jalousie, les avaient éloignés à l'adolescence comme les pôles répulsifs d'un aimant.

À l'âge de seize ans, Alvin avait fugué après avoir plaqué son frère sauvagement, alors qu'il jouait au hockey pour une équipe adverse. Kevin s'était effondré sur la glace, affligé d'une fracture à la clavicule. Un policier avait ramené Alvin à la maison deux jours plus tard. L'intercession de sa mère n'avait fait qu'aviver le violent accès de colère de son père. Deux ans plus tard, Alvin avait quitté la maison définitivement.

Les relations secrètes de son père avec le monde interlope n'avaient pas échappé à l'oreille attentive de Kevin. Moyennant une somme alléchante, il avait consenti à servir de prête-nom pour le blanchiment des narco-dollars et c'est ainsi qu'il était devenu propriétaire d'un bar. Dans l'engrenage de l'illégalité, il était le minuscule insecte pris dans une gigantesque toile dont l'araignée, Stefano Rossi, le chef du gang de l'Est, exerçait un contrôle tyrannique dont il pouvait difficilement se dérober. Son frère, qu'il n'avait pas vu depuis cinq ans, s'était présenté un soir à son établissement.

Efflanqué dans une chemise à carreaux trouée aux coudes et un vieux jean déchiré, le portier avait fermement éconduit Alvin. Comme Kevin entrait, leurs yeux s'étaient soudain croisés.

— Kâline de Kâline! avait crié Kevin en lui ouvrant les bras.

Ainsi les avait surnommés Jérôme Cantin à la petite école en combinant les premières lettres de leur prénom. Cinq longues années de solitude paraissaient avoir effacé les rancunes et les injustices dont Alvin avait souffert durant son enfance. Il s'était blotti dans les bras de son jumeau et semblait ne plus vouloir s'arracher de cette apaisante étreinte. Kevin l'avait invité à entrer et ils avaient fêté leurs retrouvailles à se rouler sous la table.

Depuis lors, les deux maillons de la chaîne d'amour fraternel qui les avait liés ne s'étaient jamais rompus; ils étaient dorénavant soudés l'un à l'autre.

Comme la vie itinérante d'Alvin l'avait contraint à frayer dans la voie des pratiques illicites, la nouvelle association avec son frère lui avait permis de gravir allègrement un échelon dans la maîtrise des activités plus rémunératrices. Stipendiés par Stefano Rossi, les jumeaux, poings liés, jouaient des rôles d'exécutants. Comme une rivière souterraine resurgit tôt ou tard, la jalousie latente d'Alvin avait jailli à quelques reprises lorsque le chef préférait l'habileté et l'efficacité de Kevin pour remplir des contrats plus risqués. Après que René Martin eut fait emprisonner Stefano Rossi et son père, son bras droit, du fond de sa cellule, les ordres du chef réclamant vengeance lui étaient parvenus drus et inéluctables. Il devait donner une leçon à ce chien de policier qui avait contrecarré ses plans et le faisait croupir en taule.

Kevin avait réussi à convaincre le chef qu'Alvin pouvait très bien se charger de faire taire à jamais Linda, celle qui en savait trop et qui pouvait les vendre à tout moment pour de la drogue. Alvin s'était très bien acquitté de sa tâche. Pour le contrat de la fille de Martin, le chef avait choisi Kevin et il n'était pas question qu'il change d'exécutant. Kevin avait planifié dans les moindres détails l'opération vengeance qui, il le savait, pouvait se retourner contre lui s'il advenait un échec. Il avait fait mouche, visé la cible en plein coeur du père sans tuer la fille. Comme le contrat avait été exécuté sans bavure, il avait pu compter sur la forteresse judiciaire du chef pour le défendre.

La veille, il avait appris par son avocat qu'Alvin avait été appréhendé à son arrivée à Sainte-Foy et retenu au poste de police. Présumé coupable de l'assassinat de Philippe Dion, qu'il ne connaissait pas, son éminent criminaliste lui avait laissé entendre que la cause semblait perdue à l'avance. Avait-il reçu des ordres du chef de ne pas engager des fonds pour défendre son frère parce qu'il n'avait pas tué la bonne personne? La chose était possible. Le choc l'avait ébranlé fortement. Il imaginait la fureur de son père, le traitant de tous les noms. Pire encore, la peine de sa mère, dépressive, suicidaire, déjà minée depuis l'arrestation de son mari et la sienne. Quand elle apprendrait que son protégé était emprisonné, il douta qu'elle reprenne goût à la vie. Les espoirs qu'elle avait toujours fondés pour sa famille s'étaient écroulés comme un château de sable. Son esprit, chaviré, avait déjà sombré dans un trou noir duquel aucune lueur, même vacillante, n'émanait.

Perdu dans ses pensées qui l'avaient véhiculé dans un passé trouble, son imagination l'emporta ensuite dans un futur rêvé où il était libéré de l'emprise de Stefano Rossi. Il avait camouflé une bonne somme d'argent pour fuir avec Marie, fonder une famille normale et gagner sa vie honorablement. Peut-être même retourner à l'université... Il était si las de vivre dans la peur. La délation, écartée comme solution, intensifierait sa peur qu'il traînerait comme un boulet jusqu'à ce que la l'omerta, implacable dans ce milieu, ne s'applique. Même emprisonné, Rossi tirait toujours les ficelles, multiples et ténues. De plus, les sommes engagées pour sa défense le liaient davantage, inexorablement. Il se sentit serré comme dans un étau.

Les pas cadencés des détenus qui se rendaient à la cafétéria le tirèrent de ses rêveries. Par habitude plus que par appétit, il fit la queue, feignant l'indifférence aux quolibets lancés à son intention. Il s'assit à la place que lui avait désignée la hiérarchie carcérale, seul à sa table, près d'un geôlier. Les pères de famille, tout criminels qu'ils fussent, ne pardonnaient jamais les attentats commis contre des enfants. Il goûta une fadasse boulette d'une ratatouille peu ragoûtante qui lui donna la nausée. « Demain, pensa-t-il, Marie me fera cuire un rosbif juteux. »

De retour dans sa cellule, il se remémora chacune des trois journées du procès. La partie plaignante avait obtenu l'autorisation du juge qu'Hélène Martin témoigne dans une sorte d'abri cuboïde muni d'une vitre unidirectionnelle afin de ne pas être affectée par sa vue. Pourquoi avait-elle tu le viol, c'est-à-dire sa dégustation de viande fraîche stipulée au contrat et à laquelle il aurait difficilement pu résister? Devant le juge, elle avait révélé avoir perdu conscience à son arrivée et s'était réveillée à l'hôpital. Son avocat, qui était passé maître dans l'art de déstabiliser un témoin, avait été rappelé à l'ordre par le juge à plusieurs reprises alors qu'il donnait l'impression à la victime d'être l'accusée.

L'organisation tentaculaire de Stefano Rossi le surprenait encore. L'homme araignée avait ourdi ses trames jusque dans les banques de données de la Société de l'assurance automobile du Québec, au Centre de renseignements policiers du Québec et même à la Direction des expertises judiciaires. Moyennant rétribution, un agent des expertises judiciaires avait révélé au juge que la partie plaignante avait demandé à un technicien de procéder clandestinement à une analyse des cheveux trouvés sur les jeans d'Hélène Martin et des cheveux de Kevin Davis arrachés par ruse. L'analyse d'ADN s'étant avérée négative, René Martin avait omis de présenter la preuve en cour. Piteux, le technicien, sommé de comparaître, avait dû avouer la véracité de l'assertion. Le procureur avait jeté un regard colérique à René Martin, lui reprochant sans doute de ne pas lui avoir mentionné le fait. La scène était savoureuse.

Il n'avait pas combiné le coup des cheveux pour rien. Avant le meurtre de Linda et le viol d'Hélène Martin, qu'ils avaient choisi de commettre le même soir, ils avaient soûlé un danseur du bar qui avait une mèche blonde à l'avant et les cheveux bruns à l'arrière de la tête. Alvin lui avaient coupé des cheveux. Ils avaient décidé de laisser quelques cheveux sur les lieux du drame comme pièces à conviction. Jamais ils ne s'étaient autant amusés lors de cette cuite. Tout s'était passé exactement comme ils l'avaient imaginé. Les tests d'ADN avaient prouvé que les cheveux trouvés ne correspondaient pas aux leurs. Non! Le chien de Martin n'avait pas le monopole de l'intelligence et leur père allait être fier d'eux.

Un policier était venu témoigner de la contravention pour infraction au code de la route donnée à René Martin. Les circonstances particulières et aggravantes de l'incident avaient été exposées dans les moindres détails. La défense avait monté en épingle le cynisme, l'immoralité et l'inconscience d'Hélène Martin dans son rôle d'enfant violentée. « Je pense que la demoiselle est férue d'art dramatique. Elle a besoin de se donner en spectacle, d'exhiber devant un public son immense talent », avait dit le policier. Ainsi avait-il encore discrédité Hélène aux yeux du juge.

L'apparition de son amie Marie à la barre des témoins avait médusé René. Elle avait troqué sa courte jupe contre un tailleur noir à mi-jambe, d'une austérité monacale. Sa nouvelle coupe de cheveux tirés à l'avant et torsadés à la nuque lui donnait un air de dame patronnesse des années cinquante. Sa dignité et son apparente honnêteté semblaient avoir impressionné la partie adverse. Sa copine, Pierrette, était venue corroborer le témoignage de son amie et toutes deux, tel qu'entendu, lui avaient offert un alibi incontestable. Pierrette, dans un langage faussement châtié, ponctué de quelques cuirs, avait débité avec emphase : « Je suis(t) allée voir Marie le vendredi soir. Oui, son ami Kevin était(z) à la maison. » Kevin avait fait des efforts pour ne pas éclater de rire. La coiffeuse de Pierrette était ensuite venue témoigner d'un entretien au cours duquel celle-ci lui avait mentionné la forte grippe de Kevin et de Marie où elle se s'était rendue leur apporter le médicament homéopathique promis. Même son voisin avait confirmé la présence du véhicule de Kevin que Marie avait déplacé de son stationnement le soir de l'agression. Bref, tous les témoignages concordaient.

La contre-expertise d'un dermatologue sur l'hyperhidrose avait dû confondre les plans de la partie plaignante. Après avoir entendu la psychiatre qui traitait Hélène faire mention que sa patiente lui avait rapporté l'abondante sudation de l'agresseur la nuit du drame et après qu'on eut témoigné du même phénomène lors de l'identification du coupable, le spécialiste de la défense ne parlait pas de l'hyperhidrose en termes de maladie, mais plutôt de symptômes très courants chez bon nombre de sujets soumis à un stress psychologique intense. Il avait répondu affirmativement à la question de son avocat, à savoir si d'être identifié comme un violeur et un criminel aurait pu provoquer une transpiration abondante aux mains.

— L'hyperhidrose palmaire est très courante. N'importe qui aurait réagi par la sudation dans les mêmes circonstances, avait-il affirmé.

La seule preuve qui aurait pu l'incriminer était la présence de sa casquette sur les lieux du crime, casquette dans laquelle on avait trouvé, hélas, ses vrais cheveux, dûment identifiés par un chimiste de la Direction des expertises judiciaires de Montréal. Comment avait-il pu oublier sa casquette après tout le mal qu'il s'était donné? Une chance qu'on lui avait payé un excellent avocat! L'argument massue de son machiavélique défenseur avait laissé le procureur et René Martin pantois, sans réplique. Le propriétaire du terrain où se trouvait la remise qu'il avait utilisée pour séquestrer la fille de Martin avait certifié que Kevin, l'ami de son fils, était venu en avril, qu'il s'y était rendu explorer les lieux avec son fils lors d'une excursion en raquettes et qu'il portait alors la casquette que les enquêteurs avaient retrouvée. Naturellement, son fils avait corroboré ses dires. « Tout homme a son prix! » pensa-t-il. Le père de son ami venait de lui en donner la preuve.

Il entendait encore l'habile plaidoyer de Me Joël Brousseau déclarant la trop grande inflexibilité de notre système judiciaire envers les déclarations d'agressions sexuelles. Il y a arrestation, détention illico, et accusation sans tenir compte de la notion de doute ou d'innocence, avait-il dit. « Les lois qui condamnent un homme sur la déposition d'un seul témoin sont fatales à la liberté. » a écrit Montesquieu au XVIIIe siècle. « Il serait aberrant de laisser croire que la justice d'aujourd'hui est rendue selon des critères presque moyenâgeux », avait-il ajouté. Kevin avait souri intérieurement. Me Brousseau s'était tellement emporté qu'il avait oublié ses notions d'histoire. « La seule faute de Kevin Davis était de ressembler au vrai coupable », avait-il poursuivi. Aucune des preuves citées ne pouvait l'incriminer. Malheureusement, son client était victime d'un procureur zélé qui s'accrochait à une théorie abusive où le hasard n'existait pas, d'un père qui s'acharnait à trouver un coupable coûte que coûte pour assouvir sa vengeance, qui avait pataugé allègrement dans l'illégalité et qui avait cautionné l'irresponsabilité de sa fille, une pseudo-comédienne en mal de publicité.

Le procureur s'était vivement objecté, arguant que Me Brousseau enfreignait de façon éhontée les règles de la déontologie. Discréditer une victime était contraire à l'éthique de la profession! Pour ne pas contrarier davantage le magistrat, Me Brousseau avait orienté sa plaidoirie sur les prétendues preuves de la couronne et sur les témoignages irréfutables qui innocentaient son client. Au cours de sa dernière tirade, digne du répertoire mélodramatique des grands classiques, il s'était indigné avec outrance de l'incarcération de son client, un honnête homme qui se trouvait à plus de deux cents kilomètres du lieu du drame ce soir-là. Après avoir rappelé à la cour une récente étude démontrant que seulement le quart des personnes à qui on demandait d'identifier un présumé coupable, le quart seulement, avait-il insisté, reconnaissait la bonne personne, il avait terminé en s'excusant de s'être tant enflammé pour un cas qui ne comportait en réalité aucun doute sur l'innocence de Kevin Davis.

Dans le silence de la nuit, Kevin Davis n'arrivait pas à faire taire ses angoisses. Elles le harcelaient comme les voraces maringouins de juin qui, lors de ses excursions de pêche, s'affairaient autour de sa tête, s'insinuant même dans les orifices de son corps, partout où ils pouvaient se régaler de son sang, le vrillant inlassablement. Même si Me Brousseau lui avait dit que l'affaire était dans le sac, le doute suçait ses rêves de libération comme les maudits insectes carnivores de l'époque pompaient son sang. Dans quelques heures, il connaîtrait sa sentence et, il l'espérait de toutes ses forces, la fin de son cauchemar. Il s'endormit finalement sur des images de soleil, de résidence sise au bord de la mer sur une île des Caraïbes. Il se réveilla suant à grosses gouttes. Stefano Rossi l'avait pourchassé, retrouvé et brandissait son arme sur sa tempe.

Chapitre 19

Stupéfaite, la mère de Carole figea, comme frappée par la foudre. Son ordonnance d'anxiolytiques qu'elle venait de renouveler était à sec. Elle hurla d'angoisse :

— Madame Paradis, vite! Carole!

Mme Paradis avait compris en voyant le flacon vide dans les mains de Mme Alain. Mue par un ressort, elle dévala l'escalier qui menait au sous-sol où Carole s'était cloîtrée depuis les funérailles de Philippe. Elle semblait dormir d'un sommeil léthargique. Elle la secoua à plusieurs reprises pour la réveiller, mais en vain. Sans hésiter, elle appela une ambulance pendant que Mme Alain criait, prisonnière de sa chaise roulante. Mme Paradis monta l'avertir de la venue des ambulanciers et redescendit tâter le pouls de Carole. Les pulsations, bien que faibles, la rassurèrent quelque peu. Elle remonta tranquilliser la mère, terrifiée, au bord d'une crise d'apoplexie.

— Vite, Madame Paradis, téléphonez à François. Je veux l'accompagner à l'hôpital.

Au bout d'interminables minutes, les gyrophares de l'ambulance éclairèrent par intermittence les yeux trop brillants de la septuagénaire. En route pour l'hôpital, Mme Alain se reprocha de ne pas avoir pris l'initiative de faire venir son médecin plus tôt, même devant le refus catégorique de sa fille. Elle avait laissé le message à sa secrétaire et avait attendu trop patiemment de ses nouvelles. Elle aurait dû insister davantage. Depuis les funérailles de Philippe, plus rien ni personne n'intéressaient sa fille. Son attitude avait été exactement la même au décès de Bernard. René avait tenté de la joindre à plusieurs reprises et elle s'était montrée intraitable, très irritable même. Que s'était-il passé entre elle et celui qu'elle appelait ironiquement son oiseau de malheur, mais qu'elle affectionnait particulièrement? Elle avait aussi refusé de voir Lyne et Denise, prétextant un mal de tête infernal et une grande fatigue. Les rares fois où elle était sortie de sa tanière, elle parlait à peine, comme si les mots lui écorchaient la gorge. Mme Paradis, qu'elle envoyait régulièrement en éclaireur, lui rapportait que sa fille était quasiment toujours couchée, dormant ou simulant dormir. Autrement, elle passait des heures à regarder les albums de photos et les vidéocassettes de Bernard et Philippe. En y réfléchissant bien après coup, elle avait constaté que Carole prenait plus de temps que d'habitude à répondre à ses questions, comme si elle manifestait un ralentissement psychomoteur. Elle avait alors pensé qu'elle venait de s'éveiller. Depuis combien de temps puisait-elle dans les médicaments de sa mère? Avait-elle ingurgité une dose mortelle?

— Vite François, suivez l'ambulance, ordonna-t-elle sèchement.

— Madame Alain, je regrette, mais je ne peux pas brûler un feu rouge!

François accéléra au feu vert, frôlant dangereusement un piéton qui traversait par inadvertance, mais il avait perdu de vue l'ambulance. Mme Alain avait crié sa peur et trépidait maintenant d'impatience. Ils arrivèrent finalement au moment où on poussait la civière à l'entrée réservée aux ambulanciers.

— Vite, François. Je veux parler au médecin.

— Un instant, je vais stationner.

— Non, cria-t-elle, laisse-moi à la porte.

L'ordre, formel, ne supportait aucune transgression. Il s'exécuta. Une fois à l'intérieur, elle commanda à François de la conduire près du médecin qui l'examinait.

— Elle a pris mes Valium, docteur.

— Combien?

— Une douzaine, peut-être plus...

— Lavage gastrique, intubation, soluté, respirateur, ordonna-t-il à ses deux assistants.

— Docteur, c'est dangereux qu'elle...

— Non, ne vous inquiétez pas. Elle va se réveiller dans six à huit heures.

— Docteur...

Il était déjà parti. François la regarda, incapable d'émettre le moindre mot tellement elle paraissait pitoyable. Il guida sa chaise dans une salle, alla stationner convenablement son véhicule et attendit ses directives. Devant son mutisme, il risqua :

— Vous devriez rentrer chez vous et revenir demain matin.

— Non! Je veux être là quand elle va se réveiller.

— Le médecin a parlé de six à huit heures.

— Retournez chez vous. Téléphonez à Mme Paradis. Dites-lui que je reste ici.

— Très bien, madame. Si vous avez besoin de moi, vous savez où me joindre.

Toute la nuit, au chevet de Carole, ses lèvres marmottèrent inlassablement des Ave, suppliques ultimes d'une mère éplorée et démunie à une autre mère présumée toute puissante. Au milieu de la nuit, Carole avait émis des bribes de phrases incohérentes, perçues par sa mère comme une réponse à ses prières. Le visage de la septuagénaire, qui avait gagné dix ans dans les dernières heures, s'était soudainement éclairé. Aussitôt, elle avait déplacé sa chaise pour sonner l'infirmière. Tout excitée, elle s'était approchée du lit et avait tenté sans succès de toucher sa fille à travers les montants.

— Carole, je suis là. Sa voix, brisée par l'émotion, avait hachuré chaque mot. Je vais t'aider. J'ai encore besoin de toi, avait-elle sangloté, épuisée.

Carole, toujours dans un état comateux, était bien inconsciente du drame que sa mère vivait. L'infirmière avait vite constaté qu'elle était encore sous l'emprise de sa médication. Sa mère lui avait paru dans un piteux état. Elle n'avait pas réussi à la convaincre de s'étendre sur un lit dans la chambre voisine. Mme Alain avait toutefois accepté l'aide de l'infirmière pour s'asseoir dans un fauteuil confortable. Celle-ci lui avait apporté trois oreillers pour s'appuyer, un petit banc pour surélever ses pieds et une couverture. Quinze minutes plus tard, elle était revenue dans la chambre et les lèvres de la mère marmonnaient toujours ses prières. Une atroce sensation d'impuissance, un désarroi intolérable l'empêchait de s'abandonner au sommeil. Elle aurait tant voulu porter la souffrance de sa fille, l'alléger du lourd fardeau de la détresse qui l'avait tirée vers l'abîme.

À l'aube, Carole ouvrit les yeux et les referma aussitôt. Elle crut réaliser où elle se trouvait. En une fraction de seconde, elle avait aussi eu le temps d'entrevoir l'angoisse sur le visage défait de sa mère. Sa peine comme son ombre la poursuivait et la vue de sa mère l'avait amplifiée. Elle avait raté sa sortie! Comme elle avait été idiote de croire que le monde de l'invisible était au service des humains. Rien! Bernard n'avait rien fait pour sauver son père! Tout s'écroulait autour d'elle. Elle se sentait si seule... et si coupable... incapable de tout expliquer à sa mère. Elle s'imagina réduite à une infecte punaise écrasée! Pire encore, à l'échelle cosmique, elle était une quantité infinitésimale, négligeable. Voilà comment elle se sentait : négligeable et négligée. L'image de René lui apparut. Savait-il?

Sa gorge brûlait, des douleurs gastriques la tenaillaient et elle se forçait à demeurer immobile, n'osant affronter la réalité. Puis, les efforts qu'elle mit pour se contenir ne purent empêcher les larmes, qui surgirent accompagnées d'un cri à demi étouffé.

— Carole, enfin! Garde! cria Mme Alain.

Le personnel médical et infirmier prit la relève. On fit sortir Mme Alain. Après l'examen, on lui expliqua qu'on gardait sa fille pour quelques jours. Elle avait encore besoin d'un traitement de support.

— C'est quoi ça? s'inquiéta-t-elle.

— Simplement l'aider à respirer. Votre fille est épuisée. Elle a besoin de se reposer.

— Vous êtes sûr, docteur, que c'est la meilleure solution? Vous savez, il n'y a pas de prix pour faire soigner ma fille. Je veux qu'elle voit les meilleurs psychiatres, les meilleurs psychologues...

— Madame Alain, faites-nous confiance. Ça va aller. Dans cet hôpital, nous avons les meilleurs psychiatres de la capitale. Allez vous reposer. On vous téléphonera quand votre fille sera prête à vous recevoir. Téléphonez au poste pour avoir des nouvelles. On vous donne une minute, pas plus, pour la saluer.

Comment dire en une minute l'importance que prend toute une vie? Sa propre vie et celle de sa fille? Elle demanda à la Vierge de lui inspirer les mots.

— Carole, j'ai besoin de toi. Je t'aime. Tu es la personne qui compte le plus pour moi. Tu vas te reposer. Tu vas guérir...

Elle entendit son coeur battre très fort dans sa poitrine. Les larmes avaient raviné son visage. Celui de Carole ruisselait. Une infirmière entra et, sans ménagement, poussa sa chaise à l'extérieur de la chambre. Mme Alain fulmina contre l'intransigeance de cette femme. Une minute, c'était trop court! Elle était aussi en colère contre elle-même. Pas une seconde, elle n'avait donné la chance à Carole de parler. Elle avait pris tout le temps pour elle, pour exprimer sa peine à elle. Elle retourna à la maison démolie.

Dans quelques minutes, le sort en serait jeté. René appréhendait l'issue de ce procès. À sa connaissance, jamais instruction ne fut plus mal menée. Son absence outre-mer avait considérablement nui à la préparation des preuves. L'argumentation de la couronne ne faisait pas le poids. La défense avait fait comparaître des gens qui s'étaient parjurés ad nauseam. Ils avaient infesté la cour de faux témoignages. Il aurait dû le prévoir! S'il avait eu le temps de s'y préparer en conséquence. Il lui fallait bien admettre que Stefano Rossi, même tapi dans sa cellule, était toujours le chef du gang de l'Est. Sa puissance était indéniable. Il avait mis le paquet pour la défense de Kevin Davis. L'argent serait-il encore le grand vainqueur? Il lui répugnait au plus haut point de penser que tout homme avait son prix, comme on se plaisait à le dire dans le milieu criminalisé. La pire erreur était d'avoir été devancé par la partie adverse pour rencontrer le propriétaire de la cabane où la casquette de Kevin avait été trouvée. Combien d'argent Rossi leur avait-il offert par l'intermédiaire de son avocat pour que lui et son fils viennent témoigner en faveur de Davis? La preuve, amenée par le couronne, était pourtant irréfutable, bien étayée par les données scientifiques de l'ADN. Elle n'avait pas été démentie, mais Me Brousseau avait eu l'intelligence d'envisager toutes les hypothèses pour s'en tirer, ce que son équipe avait négligé.

Les jurés entrèrent. Kevin Davis semblait retenir sa respiration. Le verdict tomba dru. Non coupable! Le tribunal déboutait la demande de la couronne. Le présumé coupable était libéré sur-le-champ. Dans ce procès, les preuves de la défense avaient démontré, hors de tout doute, que le client de Me Brousseau avait été accusé injustement...

René n'écoutait plus. Son esprit était ailleurs. Comment annoncerait-il la nouvelle à Hélène? Il imaginait la colère, la peur de sa petite fille. Son violeur se promènerait impunément, en toute liberté! Elle avait fait l'effort de venir l'identifier et ils ne l'avaient pas crue! Elle était venue témoigner pour rien! La rage gonfla les veines de son cou, propulsa inconsciemment sa mâchoire inférieure pour serrer davantage les dents, contracta les muscles de ses poings. Charles eut peur de sa réaction et l'entraîna à l'extérieur de la cour. Ils s'assirent.

— Des amateurs, crisse. On s'est fait avoir comme des rats! dit René. Il faut tout recommencer. On ne peut pas laisser ce criminel-là se promener dans la nature!

Charles écoutait sans mot dire. René avait raison, mais comment pourraient-ils accumuler de nouvelles preuves pour faire en sorte que le procès soit rouvert? René, les coudes appuyés sur les genoux, la tête entre les deux jambes, réfléchissait à haute voix : « Il faut reprendre toute l'enquête... dans les moindres détails. Faire des vérifications... tous les comptes en banque de ceux qui ont fait des fausses déclarations... surveiller leurs dépenses. » Tout d'un coup, il se redressa comme s'il venait d'être piqué par un taon. Son visage s'éclaira d'un sourire.

— J'ai trouvé! s'exclama-t-il.

— Explique, dit Charles, tout excité.

— Quand j'ai dit à Carole qu'on avait trouvé l'endroit où Hélène avait été séquestrée, je lui ai dit aussi que le violeur avait oublié sa casquette sur les lieux du drame. Casquette dans laquelle il y avait les cheveux de Kevin Davis. C'est ce que le laboratoire scientifique nous a confirmé. Tu me suis?

— Oui, continue.

— Elle m'a demandé de lui décrire la casquette. Je lui ai dit que c'était écrit dessus White Grove. Elle a alors paru stupéfaite. Elle m'a fait répéter le nom. Je ne comprenais pas pourquoi. Elle m'a dit que Lyne était passée à deux cheveux d'en acheter une identique pour l'anniversaire de son. Le vendeur lui avait dit que c'était la dernière nouveauté. Tu saisis?

— Non.

— Me Brousseau a fait dire à Marie que c'était bien la casquette à Davis, qu'elle lui en avait fait cadeau le printemps dernier pour son trentième anniversaire. Le 24 mars, si je ne me trompe pas. Tu te rappelles que M. Robert Pagé et son fils Marcel ont confirmé tous les deux que Davis était venu faire de la raquette au début d'avril de la même année?

— Oui. Et puis?

— Cette casquette vient juste de sortir dans les magasins! Vite, viens avec moi, on va vérifier tout cela.

— Génial!

— On va demander à Carole dans quel magasin elle a vu la casquette.

René composa le numéro de Carole et Mme Paradis lui apprit la triste nouvelle Sa douleur le motiva davantage à tout tenter pour inculper Kevin Davis. La quiétude d'Hélène et de Carole était à ce prix. Lyne leur donnerait les renseignements dont ils avaient un urgent besoin. Charles s'en chargea. Ce fut ensuite un jeu d'enfant de communiquer avec le propriétaire du commerce qui lui refila, facture à l'appui, le nom et les coordonnées du manufacturier qui avait fabriqué les casquettes. D'autres vérifications confirmèrent que les casquettes venaient effectivement d'être confectionnées et mises en marché en juin. Il était impossible qu'elles aient été confectionnées l'année précédente. Elles correspondaient en tous points à celle qui avait servi de pièce à conviction. Charles et René connaissaient l'importance de garder le secret sur toutes leurs recherches et conclurent qu'il était urgent de récupérer la casquette. Si Kevin Davis la faisait disparaître comme René et Charles le craignaient et sûrement comme lui avait suggéré Me Brousseau, tout espoir était perdu.

Pendant que Charles recueillait ses informations, faisait signer des dépositions et s'assurait que le manufacturier viendrait témoigner, René alla rencontrer un juge, le même qui avait présidé le procès pour lui demander de délivrer un mandat de perquisition et un mandat d'amener. Le fait qu'il ait été au courant de l'affaire accéléra la procédure. Il arriva donc chez Kevin Davis vers dix-huit heures. Trois autres policiers l'accompagnaient. L'ex-prévenu blêmit à leur vue.

— Je l'ai pus. Je l'ai tirée dans le fleuve. Courez après.

— On fouille partout.

— Qu'est-ce que vous attendez? Gênez-vous pas.

Ils s'exécutèrent. René l'avait toujours à l'oeil, lui et son amie Marie. Les efforts qu'ils faisaient pour demeurer calmes étaient perceptibles. Après une quinzaine de minutes, l'appartement converti en un vrai capharnaüm n'avait pas encore révélé le secret. Tout à coup, René vit près du trottoir la poubelle qui attendait d'être vidée par les éboueurs.

— La poubelle! ordonna-t-il à un de ses hommes.

Kevin et Marie s'étaient regardés, inquiets. Leur attitude était le signe que René avait vu juste. Quelques minutes plus tard, un policier brandissait la casquette comme un drapeau à damiers annonçant une victoire. Kevin Davis jeta un regard penaud à Marie et accompagna René et ses comparses. Il emporta aussi avec lui le fumet du rosbif qui emplissait la cuisine.

Chapitre 20

Recroquevillée, presque en position foetale, Carole tira son drap au-dessus de sa tête. Les remords et la peine l'habitaient. Elle ne permettait à personne de violer son intimité. Simulant dormir, elle laissa alors les larmes s'épancher, sans honte. Cachée dans sa bulle, elle s'accordait plus volontiers ce droit. Dans sa tête, elle entonna un lamento pour bébé Bernard. La petite tête au creux de son bras, son enfant dormait, repu, un sourire joliment esquissé aux lèvres. Son père, radieux, était témoin de la scène et suppliait Carole de le prendre à son tour. Elle refusait d'obtempérer pour ne pas le réveiller. « Bébé Amour, bébé Bonbon », chantonnait-elle mentalement, comme elle se plaisait souvent à le surnommer. Ces images la calmèrent un peu. Dans son champ de vision intérieur défilèrent ensuite des images de René, d'Hélène et de Luc. Savaient-ils? Cette question revenait sans cesse. Quelle serait la conséquence du geste qu'elle avait posé? Elle avait la pitié en horreur! Son incompatibilité avec l'amour était évidente. Pour elle, la pitié focalisait sur la faiblesse et les manques de l'être alors que l'amour en fixait toujours les plus belles facettes. Elle avait tellement peur de s'être diminuée aux yeux de René et de ses enfants! Elle l'imagina derrière elle, épousant parfaitement les courbes et les angles de son corps, son bras ceinturant sa taille, sa bouche lui murmurant les mots qu'elle avait besoin d'entendre. Envoûtée par son rêve, elle n'entendit pas la porte s'ouvrir.

— Madame Alain, regardez ce que vous venez de recevoir, dit la dame.

Telle une noyée, Carole émergea et lut la carte qui accompagnait la magnifique gerbe de roses pêche. La délicatesse de René était touchante : Hélène et Luc s'étaient joints à lui pour lui souhaiter un prompt rétablissement. Hélène et Luc avaient apposé leur griffe! Elle s'attarda à la signature de Luc. Elle ne ressemblait pas à celle de Bernard! Son index suivit chaque courbe de chacune des lettres de son prénom. Elle s'abandonna au plaisir. Les yeux rivés sur le bouquet, elle se sentit soudain moins seule et se laissa aller à des fantasmes au cours desquels elle effaçait le dernier épisode d'un chapitre de sa vie.

Dans l'après-midi, l'infirmière lui annonça qu'elle recevrait la visite du docteur Philippe Bernard. « Il est psychiatre », ajouta-t-elle plus faiblement, véhiculant bien inconsciemment les préjugés d'une partie encore importante de la société, réticente à recourir aux bons soins de ces spécialistes.

— Qui? lui fit-elle répéter, ahurie.

— Docteur Philippe Bernard.

— Ça fait longtemps qu'il s'appelle... ? dit-elle, fébrile sans finir sa question.

L'infirmière la regarda, éberluée. Carole, ayant réalisé la stupidité de sa question, se reprit :

— Ça fait longtemps qu'il travaille ici?

— Depuis toujours, répondit-elle en souriant. Il doit avoir l'âge de votre père!

Son coeur s'était arrêté de battre. Elle eut peur que son cerveau, comme le mécanisme d'une vieille pendule un peu détraquée, ne se mit à rouiller. « Il n'y a pas de hasard », avait écrit Bernard. Comment allait-elle interpréter cette autre coïncidence? Le docteur Philippe Bernard va venir me rencontrer pour m'aider, se répétait-elle, encore incrédule. Philippe Bernard! Elle n'en revenait tout simplement pas! Une voix lui disait de ne pas perdre son gros bon sens, qu'il survenait dans la vie quantités d'événements fortuits auxquels il ne fallait pas attacher d'importance. Presque tous les scientifiques du monde le lui diraient sûrement. Une autre voix, plus insistante, et qu'elle voulait croire de toutes ses forces, lui suggérait l'idée que c'était la façon choisie par Bernard et Philippe pour lui signifier leur amour et leur aide sur le plan terrestre. Allait-elle divulguer ces idées saugrenues au docteur Philippe Bernard? Allait-il penser qu'elle était folle? Et s'il était différent?

Carole vit soudain la nécessité de fourbir ses armes. Elle voulait à tout prix démontrer au psychiatre la véracité de la théorie de Bernard. Elle avait besoin de réfléchir au plus vite. Ce défi fit revenir son appétit. Avec une rapidité déconcertante, elle vida son assiette. Elle leva de nouveau le drap sur sa tête et se livra à un happening intellectuel où les idées, tels des comédiens disputant un match d'improvisation, se succédaient de façon impromptue sur la scène de son imagination débridée.

La complexité des êtres vivants infiniment petits l'avait toujours fascinée. Elle se rappela le plaisir qu'elle avait à observer avec minutie le travail acharné d'une colonie de fourmis pour se conformer à leur rôle d'insectes vivant dans une société organisée. Qui avait programmé leur patrimoine héréditaire inscrit dans leur code génétique? La ressemblance des mots gène et génie lui donna à réfléchir, créant ainsi une distraction dont elle n'avait nul besoin. Elle s'efforça par la suite de discipliner sa pensée.

Mais qu'est-ce que la petite fourmi, même avec son système nerveux, des moyens de locomotion complexes, une organisation sociale, savait d'elle, l'observatrice? Strictement rien! Et si le même phénomène se produisait pour l'homme? Que savait l'homme de la vie extraterrestre? Strictement rien! Depuis 1995, on avait bien découvert l'existence de huit planètes gravitant autour d'étoiles comme le soleil dans les constellations de la Grande Ourse, du Cygne, de Pégase, de la Vierge, du Cancer, mais on n'en était encore qu'aux premiers balbutiements. Notre seule galaxie, la Voie lactée, était composée de cent milliards d'étoiles! À l'échelle cosmique, l'homme est si petit! se dit-elle. Son premier voyage en avion l'avait convaincue de cette évidence. Comme la fourmi ne connaissait rien de l'homme ni rien de sa propre structure biologique, l'homme ignorait s'il existait d'autres formes de vie plus évoluées ni ne connaissait toute la puissance de son cerveau. L'homme était-il observé par d'autres entités? Si oui, comment étaient-ils constitués? Y avait-il un programmeur? Ces interrogations, aussi fugaces qu'un éclair, l'angoissèrent. Elle avait la désagréable impression de s'égarer, de perdre le fil. Pour contrecarrer cette pénible sensation, Carole se mit à rêver que son cerveau émettait des ondes pacifiques qui se matérialisaient en une berceuse de Schumann que sa mère jouait lorsqu'elle était petite. Elle imaginait cette douce musique se répercuter vraiment à ses oreilles comme un écho. Mais la musique venait de sa mémoire auditive; ses oreilles ne l'entendaient pas. Une voix lui insuffla : « Attention, Carole! Tu dérapes! Ne parle pas de cela à ton psychiatre, il va croire que tu glisses sur la pente de la schizophrénie. Un jour, la science pourra certainement expliquer l'inexplicable, expliquer pourquoi son psychiatre s'appelait Philippe Bernard, expliquer toutes les autres coïncidences qui l'avaient surprise depuis la mort de Bernard. Plus elle tentait de fixer sa pensée sur des arguments convaincants, plus son esprit vagabondait dans les dédales du doute et de la peur du ridicule.

Un préposé à l'entretien ménager entrouvrit la porte délicatement, une vadrouille à la main. Carole, appréhendant la venue du psychiatre, risqua quand même un oeil. La porte toujours entrebâillée, il chuchota à quelqu'un qu'elle ne voyait pas :

— T'aurais dû lui chanter une berceuse, ça aurait peut-être eu les mêmes effets qu'un somnifère! On aurait eu la paix! dit le proposé le sourire aux coins des lèvres et l'oeil moqueur.

— T'es ben drôle! entendit-elle avec des modulations accentuées sur le deuxième mot.

Voilà que le hasard ébranlait encore son équilibre émotionnel. Il avait choisi de lui faire comprendre par l'humour que le concept de la berceuse qu'elle venait de projeter dans l'espace avait été capté par le préposé à l'entretien ménager qui, à son insu, avait utilisé le mot en sa présence. « Quelle synchronie! » pensa-t-elle. « Rien ne se perd, rien ne se crée », avait dit Lavoisier, l'un des créateurs de la chimie moderne.

Au cours de l'après-midi, un homme élancé à l'air sévère entra dans sa chambre. « C'est lui! » pensa-t-elle. Il l'intimida tout de suite. Son pouls se mit à battre plus vite. Il s'approcha de son lit et contre toute attente, sans même s'être présenté, il lui prit la main et la tapota affectueusement. Ce geste trop paternel l'infantilisa désagréablement. Elle glissa sa main hors de la sienne. Son air condescendant l'irritait.

— Philippe Bernard, dit-il. Comment va la petite madame aujourd'hui?

Quelque chose clochait. L'avait-elle insulté en retirant sa main? Son message verbal ne concordait pas avec la froideur de son regard et le ton de sa voix. S'attendait-il à ce qu'elle réponde : « Bien merci »? C'est exactement ce qu'elle s'entendit dire pour ne pas engager la conversation. Fidèle à ses habitudes, elle avait choisi de ne pas se livrer. La lueur de pitié qu'elle avait vue dans son regard avait eu raison de son ambivalence. Elle ne lui faisait pas confiance. Elle ne se faisait pas confiance. Elle avait peur de ne pas être capable de bien s'expliquer. Courir le risque d'être taxée de déséquilibrée était au-dessus de ses forces.

— Madame Alain, qu'est-ce qui s'est passé? demanda-t-il, sur un ton qui lui parut plus sincère.

— Mon fils est décédé, dit-elle succinctement. Son père aussi, ajouta-t-elle.

— Il va falloir que vous vous accordiez le droit d'avoir de la peine, madame. C'est tout à fait normal! Le temps va atténuer votre souffrance, mais ces personnes vous manqueront toujours. C'est cette douleur qui est difficile à accepter. Voulez-vous de l'aide?

Devant son mutisme, il poursuivit :

— Je pourrais vous suggérer le nom d'un excellent psychothérapeute. Moi, je manque de disponibilité. Soyez assurée que les gens qui suivent des psychothérapies sont en général des gens plus forts et plus sains que la moyenne. Si vous saviez le bien que ça peut faire! Moi-même, j'en ai déjà suivie une. Le bien que ça peut faire d'être franc avec soi-même, de s'ouvrir à quelqu'un en qui tu peux avoir totalement confiance. Pensez-y. Je reviens vous voir demain matin. On va voir ensemble votre médication. Ensuite on vous donne votre congé.

— Merci, dit-elle d'un air détaché.

Après son départ, Carole voila de nouveau sa tête pour cacher ses émotions. Cet homme avait eu le don de la hérisser de colère. Même sa dernière phrase lui avait été insupportable. Elle avait eu l'impression d'être encore à la petite école à la merci de l'autorité. Il avait aussi blessé sa fierté en minimisant le drame qu'elle avait vécu. Elle avait interprété, déformé ses paroles. « Tout le monde souffre, madame, c'est normal. Tout le monde n'a pas la faiblesse de poser le geste que vous avez posé. » Elle avait vu dans ses yeux la pitié, l'horrible pitié qui dégrade l'être. Elle prit alors une décision : elle assumerait pleinement sa souffrance. Son orgueil piqué au vif lui donna l'élan pour redresser l'échine. Ayant toujours été autonome et étant dotée d'un grand sens des responsabilités, elle n'allait pas se poser en victime le reste de ses jours!

Quant à sa thérapie, sa décision était irrévocable. Se torturer l'esprit à ressasser de tristes souvenirs, être écorchée à vif par les regrets, les remords et la culpabilité n'étaient pas une solution. Ce psychiatre l'avait tellement déçue! Elle qui comptait, par son intermédiaire, recevoir l'aide de Philippe et Bernard! Soudain, elle imagina le père et le fils se sourire quelque part dans l'au-delà, contents de sa réaction. Elle sourit à son tour. Cette pensée lui donna le courage de prendre une autre décision pour chasser ses angoisses découlant de sa peur d'être exposée à la risée des autres ou de subir leur réprobation. Elle n'avait pas l'obligation de prouver quoi que ce soit ni de convaincre quiconque de la véracité de ses croyances. Elle allait s'amuser à expérimenter la théorie de Bernard et les résultats de ses observations constitueraient un secret de famille.

Le docteur Philippe Bernard devint son premier sujet d'expérimentation. Elle leva le drap sur sa tête. Elle étira ses membres, relâcha ses muscles et imagina une scène qui lui inspirait le calme. Le lac, face à sa demeure, lui apparut à l'aube. Pas une vaguelette ne venait casser le cristal liquide. Elle avait repris inconsciemment la dernière image qu'elle avait vue avant l'une de ses deux expériences de décorporation. Un patineur dansait une valse de Strauss. Son reflet sur la glace créait un tableau d'une éclatante beauté. Il glissait au rythme de la musique avec des gestes lents, des mouvements simples. Ce portrait mouvant d'une indicible harmonie et l'atmosphère onirique dans laquelle le patineur baignait eurent l'heur d'effacer toutes ses tensions. Carole se mit à bâiller et se laissa prendre par le sommeil.

Elle se réveilla au bout de deux heures, reposée et détendue, comme jamais elle ne s'était sentie. Elle s'imposa de nouveau le rituel de la détente, même si son corps n'en sentait pas le besoin. Le patineur prit soudain le visage et le corps du psychiatre Philippe Bernard. Il avait revêtu un costume de clown. Sur une musique endiablée, il exécutait un jeu de pas saccadés et frénétiques, des hochements de tête, des gestes incohérents avec ses mains. Philippe Bernard était un homme incroyablement drôle! Il pirouetta comme une toupie et gauchement s'étala de tout son long. Il se leva et regarda dans la direction de Carole. Elle s'était visualisée assise sur la rive du lac. Maquillées de rouge vif, ses grosses lèvres aux coins retroussés lui souriaient amicalement. Il s'approcha d'elle et elle lui remit une gerbe de roses pêche. Son esprit lui avait suggéré ce symbole d'amour. Toujours vêtu de son costume de clown, il lui tendit la main et l'entraîna sur la patinoire. Elle lui dit alors : « Je t'aime bien comme tu es, docteur Philippe Bernard. Je n'ai pas le pouvoir de te changer et je ne veux pas le faire. Je veux juste que tu me montres quelques belles facettes de ta personnalité : ton humour, ta gentillesse. Je veux être ton amie. » Comme si la scène avait été enregistrée sur une vidéocassette, Carole se vit reculer la bande et la faire jouer à plusieurs reprises. Elle se permettait quelquefois de modifier le scénario, mais toujours Philippe Bernard était drôle et amical. Elle avait hâte de le revoir. Voilà le film qu'elle projeta dans sa tête cet après-midi-là.

Le moment tant attendu était arrivé. Quelqu'un avait frappé deux petits coups à la porte. Elle n'eut pas le temps de lui signifier d'entrer qu'il était déjà là.

— Bonjour, Madame Alain. Je voudrais m'excuser pour hier. Je ne vous ai pas consacré beaucoup de temps. J'ai eu une journée de fou!

Réalisant sa bourde, il se reprit rapidement.

— J'avais un horaire très chargé.

Carole ne put se retenir. Elle pouffa de rire. Il se sentit soulagé.

— Vous voyez, je m'en ressens encore aujourd'hui. Je multiplie les gaffes depuis ce matin.

Son regard se dirigea sur le bouquet de roses pêche et Carole vit qu'il pouvait difficilement contenir son rire.

— Qu'est-ce qui vous fait rire? demanda Carole.

— Ces roses pêche me rappellent une autre de mes gaffes.

Il éclata de rire pendant une dizaine de secondes, puis il tenta de raconter le fait qui devait être si amusant.

— Il y a au moins trente ans de ça. C'était l'anniversaire de ma femme. J'arrive à la maison les bras chargés. Ses phrases étaient ponctuées de rire. J'avais une gerbe de roses pêche comme celle-là, une boîte dans laquelle il y avait un gâteau et une autre assez grosse contenant son cadeau. Un beau vase de verre taillé. C'était la mode à l'époque! J'ouvre la porte de peine et de misère. Lami — c'était notre saint-bernard, on l'écrivait

L A M I, je ne sais pas pourquoi je vous dis ça — toujours est-il qu'il m'accueille comme d'habitude en me sautant aux jambes. Je ne l'avais pas vu! Je perds pied, je m'étale sur toute ma longueur — je faisais quand même six pieds et deux pouces à l'époque — ajouta-t-il en riant. Je me relève. J'avais terriblement mal à un doigt. Le vase est cassé, le gâteau est foutu. Quant aux fleurs, on les a récupérées. Vous auriez dû voir le visage de ma femme!

Il éclata de nouveau. Les larmes coulaient sur les joues de Carole, des larmes de joie, d'émotion intense. « Ça marche! se dit-elle. Le saint-bernard... Lami, l'humour...

— Attendez, c'est pas fini, parvint-il à ajouter. Je retourne à l'hôpital. Le majeur de ma main droite est bel et bien fracturé. Vous auriez dû voir comment j'ai exploité la situation le lendemain, puis la semaine suivante. Mes patrons, tous ceux qui osaient me contrarier recevaient mon doigt d'honneur éclissé. On a ri comme des fous! Oh! Non, pas encore!

Il éclata de nouveau. Il parvint difficilement à dire « comme des malades! » Et c'était reparti plus fort encore. Son rire était si communicatif qu'il enclencha une autre cascade chez Carole. Après un certain temps, il prit un papier-mouchoir sur la petite table de chevet, s'assit, essuya son visage et prit de grandes respirations les yeux fermés, le sourire toujours accroché aux lèvres.

Comme premier essai, c'est emballant! C'est au-delà de tous mes espoirs! pensa Carole, excitée au plus haut point. Même si elle avait eu de la difficulté à se concentrer sur ce qu'avait dit le psychiatre par la suite, elle s'était pliée de bonne grâce aux formalités de l'entrevue qui avait pris les allures d'une rencontre amicale. Dans son horaire très chargé, il avait trouvé du temps à lui accorder si elle le désirait. Après avoir refusé son aimable invitation, l'assurant qu'elle se portait très bien, il l'avait quittée, lui faisant promettre d'avoir recours à ses services ou aux services du psychothérapeute qu'il lui avait conseillé si elle en sentait le besoin.

— Si jamais vous offrez une cure de rigolothérapie, docteur, je suis très intéressée, avait-elle ajouté.

En guise de réponse, il avait pointé son majeur de la main droite, s'était esclaffé et était sorti en lui faisant un clin d'oeil.

Après son départ, elle eut de la difficulté à contenir son enthousiasme. Elle avait l'impression d'avoir levé le voile de sa conscience comme si elle avait découvert le truc du magicien. L'envers du décor lui était apparu! Sa première expérience, aussi planifiée qu'une émission de télévision, aussi organisée qu'une campagne électorale bien rodée, lui paraissait concluante. Elle était certaine qu'elle n'était pas la manifestation de phénomènes télépathiques ou de prémonition. La réalisation avait été trop complexe. L'hypothèse qu'elle créait avec la puissance de sa pensée son propre univers avait déchaîné son exubérance. Elle vivait donc sur une étrange planète, une planète magique qui pouvait se transformer en un paradis si elle le voulait! Exactement comme avait dit Bernard! Elle aurait voulu discuter de tout cela avec lui. Ou avec quelqu'un d'autre. Peut-être pourrait-elle le faire avec son nouvel ami, le docteur Philippe Bernard? Non, il était trop tôt! S'il se mettait à rire? Son angoisse la tenailla de nouveau. « Je n'ai pas à convaincre qui que ce soit », se répéta-t-elle pour chasser sa peur du ridicule. Sa convaincante expérience n'avait pas effacé complètement ses doutes. Peu à peu son exaltation réapparut. Elle vit alors l'urgence de consigner sur un carnet quelconque ce qu'elle venait de vivre. Elle demanda à une infirmière une feuille, un stylo et rédigea un brouillon. Elle débuta ainsi : « Aujourd'hui, le 24 juillet 1995, commence pour moi la plus fascinante des aventures.»

Chapitre 21

Effondré, le pas traînant, Kevin Davis se laissa diriger dans une cellule. Son pantalon, ses bas étaient complètement trempés. La sueur dégoulinait encore de ses doigts, de ses pieds. Jamais il n'avait été si malade. Il s'étendit sur son grabat espérant ainsi endiguer la suée qu'entraînait cette infernale hyperhidrose. Son compagnon de cellule le regarda l'air dégoûté.

— Qu'est-ce que t'as? Fais-toué soigner, crisse. T'es t'écoeurant!

Kevin ferma les yeux et se retourna face au mur. Il avait toujours été impuissant à s'ériger en forteresse contre le dégoût qu'il avait perçu maintes et maintes fois dans le regard ahuri et l'affreux rictus des autres lorsqu'il coulait. Ses poings lui avaient souvent servi d'exutoire. Cette fois-ci, il rendait les armes. Une vision d'avenir infernale brouilla sa vue. Pourtant, juste avant que le flic et ses chiens policiers n'arrivent, Marie lui avait fait naître un espoir de guérison. Dans une émission de télévision diffusée de France, elle avait appris qu'il existait une solution à son problème. Un spécialiste parlait d'une intervention chirurgicale qui faisait des miracles. Une quinzaine de personnes étaient venues le confirmer. D'autres comme lui et son frère avaient tout essayé sans obtenir la moindre amélioration; les pommades, l'acuponcture, les traitements à l'électricité, le yoga, l'homéopathie, la psychothérapie, mais rien n'avait empêché leurs mains et leurs pieds de rougir, de gonfler et de couler. Chez certains gens interviewés, la maladie endocrinienne pouvait aussi se localiser au visage et aux aisselles, en plus des extrémités. Avec force détails, Marie avait rapporté fidèlement les informations qui avaient éveillé chez Kevin un très vif intérêt et qui lui avaient permis de rêver à des jours meilleurs. Et maintenant qu'il avait un espoir de guérir, il avait tout gâché. Il aurait dû écouter Marie qui lui avait conseillé de brûler la maudite casquette.

À cause de cette maladie, ses relations sexuelles s'étaient avérées des catastrophes. Il avait toujours eu besoin d'un cocktail d'alcool et de drogues pour forcer la main et oublier sa honte et ses angoisses. Seule Marie avait compati à ses tourments et la douce quiétude qu'il ressentait en sa compagnie avait amenuisé considérablement ses suées. Il lui avait fait assez de mal. Quel sort lui réservait la justice? Elle qui avait accepté de se parjurer pour lui! Son rêve de fuir avec elle l'emprise de Stefano Rossi venait de s'écrouler.

Comme il haïssait cet homme! À prix d'or, il avait fait assurer sa défense dans le but de l'enchaîner encore davantage et de se prémunir contre toute délation. Il pensa encore à son père qui croupissait en prison, à sa mère dépressive et suicidaire, à Alvin qu'on venait d'appréhender et de qui on disait qu'il était un cas désespéré, qu'il n'avait aucune chance de s'en tirer. Quel désastre! Tout cela à cause d'une casquette oubliée sur les lieux du drame! Le poids de ses remords augmenta la quantité d'eau répandue sur le sol. Son voisin de lit, exaspéré d'entendre le ploc continu, frappé de panique à la pensée d'une contagion possible, demanda à tue-tête au gardien de le changer de cellule.

— Qu'est-ce que t'as? demanda le gardien.

— Rien, répond-il.

Après que son compagnon eut expliqué au gardien pourquoi il n'était pas question qu'il reste là, celui-ci dit à Kevin qu'il le conduirait à l'infirmerie le lendemain. La souffrance de Kevin était telle qu'il songea à disparaître. De toute façon, il avait l'impression que son corps se liquéfiait au ralenti. Secoué de frissons, il tira la couverture du lit voisin et tenta de se réchauffer. Il imagina Marie en prison par sa faute. Après sa sortie, elle venait régulièrement le visiter. Même vieille, elle ne manquait aucune rencontre. Cette scène lui était insupportable. Il l'aimait trop pour accepter qu'elle s'impose cette obligation comme un devoir et le traîne comme un boulet. Marie lui était trop dévouée! Il ne méritait pas un si grand attachement! Des spasmes le secouèrent, ses dents claquèrent et il trembla comme une feuille. Son état lamentable fut l'élément déclencheur de sa prise de décision. Qui le pleurerait sauf Marie?

René reconduisit Hélène chez son amie. Les jumeaux enfin écroués, il pouvait accorder plus de liberté à son adolescente. Il pensa à Carole et sa gorge s'assécha. Sa responsabilité lui pesait tellement! Sa mère lui avait confirmé ce matin que l'interdiction de visite n'était toujours pas levée.

Comment se comporterait-il quand il verrait Carole? Il avait hâte de la voir, mais il appréhendait cette rencontre. Il restait généralement bouche bée devant la souffrance quand elle affectait des gens qu'il aimait. Incapable de révéler la vérité à Hélène, il lui avait simplement dit que Carole souffrait de maux de tête très violents et que son médecin l'avait envoyée à l'hôpital subir une batterie d'examens. Un peu indifférente, elle avait accepté, pour faire plaisir à son père, de signer la carte de prompt rétablissement qu'il lui avait présentée. Ensuite René avait imité la signature de Luc pour ne pas avoir à expliquer.

La femme forte qu'il aimait était maintenant devenue si fragile. La peur s'insinua en lui, aussi sournoise qu'un microbe pathogène. Le traumatisme psychique qu'elle avait subi laisserait-il des séquelles qui changeraient sa personnalité? Il n'avait pas le talent pour vivre avec un être perturbé, si belle soit-elle... « Minus, je ne suis qu'un minus, pensa-t-il, honteux. Tout ce qui lui est arrivé est de ma faute! » Il chassa cette pensée qui le torturait en cherchant dans le réfrigérateur quelque chose pour combler le grand vide qui l'habitait. Comme il faisait cuire deux boulettes de boeuf haché, il reçut un appel de Charles. Celui-ci l'enjoignait de communiquer dans les plus brefs délais avec le directeur de la préfecture de police de Paris. Il devina tout de suite le motif de cet appel.

La concierge d'un hôtel miteux de Paris avait découvert le corps d'un homme qui logeait chez elle sous le nom d'Alvin Morris. « Mort par strangulation, poignardé à plusieurs reprises dans le dos », avait répondu le policier à la question de René. Cet homme avait prétendu être comédien. Une journée, la dame ne l'avait pas reconnu. Il avait coupé ses cheveux, les avait teints et s'était collé une moustache postiche. La photo que René avait fait parvenir correspondait au visage de l'homme. René dit au directeur de la préfecture de police qu'il serait à Paris le lendemain pour l'identification du cadavre. Il nota ensuite dans son agenda électronique tout ce qu'il devait réaliser avant son départ. Centré sur son travail, il oublia les boulettes dans le poêlon. Calcinées, elles prirent le chemin de la poubelle. Soudain, le téléphone sonna de nouveau. Charles, qui avait deviné la nouvelle, en avait une autre à lui annoncer. Kevin Davis avait été trouvé pendu dans sa cellule ce matin.

— Tant mieux! dit René. C'est tout ce qu'il mérite. Un violeur de moins dans la société! En plus, on vient de sauver un procès!

Sans pitié pour l'agresseur d'Hélène, René Martin se réjouissait même de sa mort. Combien de fois avait-il souhaité qu'il souffre atrocement? Devant le silence de Charles, il ajouta :

— J'espère qu'ils l'ont pendu par les couilles!

— Il s'est pendu avec un drap déchiré. Il était seul dans sa cellule.

— Tu achètes les billets pour demain?

— Combien?

— Toi, moi. Attends, je te rappelle dans une heure pour savoir si Paul Crête prendra le même vol que nous.

— Retour?

— Billets ouverts.

La première démarche que René entreprit consistait à rencontrer Paul Crête, le frère d'Alain, pour lui annoncer qu'on avait trouvé le corps d'un homme qu'on croyait être son frère. Même si son travail l'avait habitué à pareille corvée, cette tâche s'avérait toujours pénible. Il s'arma de courage et se dirigea à son domicile. À son arrivée, René saisit que Paul Crête avait deviné le motif de sa visite. Les regards qu'ils avaient échangés étaient éloquents.

— J'ai besoin de vous pour l'identification, dit René. Pouvez-vous venir avec moi demain?

— J'imagine que je n'ai pas le choix? Laissez-moi le temps d'en parler à ma femme, à mon patron. Comment c'est arrivé?

— On l'ignore.

René avait flanché. Dire à Paul Crête qu'une balle inattendue avait tué son frère aurait été tellement plus facile que la triste perspective de lui révéler qu'il avait été victime d'un assaut à coups de poignard répétés dans le dos et d'une strangulation qui donne le temps de voir venir la mort dans des souffrances inouïes. Non, il n'avait pas le coeur à prolonger cette visite. Il lui offrit d'aller le chercher pour se rendre à Mirabel, lui donna une heure pour prendre une décision et se hâta de le quitter.

René informa ensuite Maryse de son départ imminent. Celle-ci, toujours persuadée que l'agresseur de sa fille se baladait à l'air libre, s'indigna vertement avant même que René n'eut le temps d'expliquer la situation. Il avait beau lui dire que Kevin Davis était mort, qu'Hélène voulait demeurer chez son amie Nathalie, que ses parents étaient consentants, rien ne put la convaincre. Elle avait décidé de descendre à Québec et rester avec Hélène et Luc durant son absence.

— Hélène se faisait toute une fête d'aller rester chez Nathalie! C'est la première fois que je lui permets d'aller coucher chez elle depuis l'accident! plaida-t-il.

— On offrira à Nathalie de venir à la maison. Je prépare mes bagages et je serai là dans deux heures et trente minutes à peu près.

— D'accord, fit-il d'un ton conciliant.

Lorsque Maryse arriva à la maison, Hélène et Nathalie l'accueillirent avec enthousiasme. Le réfrigérateur regorgeait de nourriture, l'ordre et la propreté régnaient et un doux parfum de muguet fleurait dans la maison. René partit, promettant d'appeler aussitôt qu'il connaîtrait la durée de son séjour.

Hélène pouvait se vanter d'avoir encore une fois remporté la palme de négociatrice hors pair. Selon René, elle était aussi talentueuse que sa mère dont c'était la spécialité comme avocate. Comme le pêcheur qui ferre son poisson, Hélène savait lâcher du lest pour ensuite avoir une meilleure prise. Il fallait dire à la décharge de René que le manque de temps l'avait mis en état d'infériorité et l'avait obligé à faire presque toutes les concessions. De toute façon, il avait toujours eu de la difficulté à lui refuser quoi que ce soit tellement leur complicité était grande. Pour la dérider, il avait menacé de faire venir la policière au tofu pour la surveiller et mettre du plomb dans la tête à une ado insupportable.

— Elle bouffait nos beignes en cachette et nous faisait la morale sur une saine alimentation.

Encore une fois, Hélène avait caricaturé sa méchante cerbère, comme elle se plaisait à la nommer. Et ils s'étaient esclaffés. Finalement, Hélène avait consenti à reporter son escapade chez Nathalie au retour de son père et René lui avait donné l'argent pour acheter un billet pour assister à un spectacle rock avec ses amis. Par un curieux hasard, elle avait aussi prétendu avoir un urgent besoin de nouveaux vêtements. Hélène avait aussi accepté de tenir sa chambre en ordre et de ne pas maugréer durant la présence de sa mère. Grâce à la dame qui venait régulièrement faire l'entretien ménager, René s'était libéré pour faire le marché et le branle-bas dans la maison avait quand même été d'une incroyable efficacité.

En route pour prendre Paul Crête qui avait répondu affirmativement à son invitation, il laissa un message sur le répondeur d'Andréanne Robert, la conseillère en orientation qui avait occupé le siège voisin du sien lors de son retour de Paris. Comme il savait qu'Alain Crête n'avait été qu'un agréable compagnon de voyage pour elle, le temps d'une envolée, il lui dit, en mots succincts, qu'il était possible qu'Alain Crête ait été assassiné à Paris. Il lui dit qu'il irait la voir à son retour pour lui donner davantage d'explications.

Un homme en sarrau blanc leva le drap qui couvrait le visage du cadavre. Paul Crête figea. Lui demander de confirmer de vive voix l'identité de son frère s'avérait inutile. Son regard s'attarda quelques secondes, puis il demanda :

— Il est mort comment?

— Perforation des poumons, strangulation.

René lui mit la main sur l'épaule pour lui signifier qu'il compatissait à sa douleur et l'entraîna à l'extérieur de la pièce.

— Votre frère avait-il déjà exprimé ses dernières volontés?

— Non.

— Avez-vous discuté avec votre famille la façon d'en disposer?

— Oui. On va rapatrier le corps. Ma mère n'aimerait pas qu'il soit incinéré. Elle veut qu'il soit enterré à côté de mon père.

— D'accord. On va s'informer des mesures à prendre.

Une fois les formalités accomplies, Paul Crête prit le même vol que son frère, lui à l'étage des vivants, son frère relégué dans la soute à bagages. La dernière fois qu'il avait parlé à Alain juste après sa décision de partir pour Paris, celui-ci lui avait dit : « Ça serait le fun, Paul, si tu venais avec moi. J'aimerais ça qu'on fasse un voyage ensemble une bonne fois! » Il avait alors refusé sans scrupules. Sa petite famille manifestait des besoins criants et il avait déjà entendu Alain dire qu'il aimait bien voyager seul. Triste ironie du sort que ce vol de retour en sa compagnie!

Soutenus par deux enquêteurs français au cours de toutes leurs démarches, René et Charles n'eurent aucun mal à recueillir et à faire signer les dépositions de la concierge d'Alvin Davis, alias Alvin Morris, de l'ivrogne qui lui avait acheté la teinture et la moustache, de la réceptionniste de l'hôtel où était descendu Alain Crête et des femmes de chambres qui avaient vu les deux hommes. Hélas! l'arme du crime était introuvable et aucune empreinte ne trahissait le passage d'Alvin Davis à la chambre qu'il avait occupée et à l'hôtel de Crête.

René ne s'inquiéta pas outre mesure, sachant que Carole et Lyne l'avaient vu attaquer Philippe et que Charles pouvait témoigner qu'il l'avait vu entrer dans l'immeuble où demeurait Linda la nuit du meurtre. Il lui serait impossible de nier qu'il avait éliminé Crête. Il n'aurait d'autre choix que d'avouer sa triple culpabilité.

Même s'il avait été très occupé, René ne s'expliquait pas pourquoi ces deux jours lui avaient paru si longs, comme si le temps lui était hostile et voulait ralentir sa marche, lui évitant peut-être ainsi de prendre une bifurcation inondée de soleil qui portait le nom d'Andréanne. Depuis qu'il avait laissé un message sur son répondeur, son image l'avait hanté. Chaque fois qu'elle revenait l'habiter, il lui superposait celle de Carole avec son corps de rêve qui pouvait supporter toutes les concurrences, mais le chemin qui menait à Carole était devenu ombrageux et peuplé de fantômes.

Chapitre 22

Après de nombreuses tergiversations, Alvin Davis avait renoncé à assister aux funérailles de son frère. Incapable d'affronter son père, la seule pensée de voir les reproches dans ses yeux d'acier le faisait suer à grosses gouttes. Comme un leitmotiv, la phrase « You're soo stupid » lui martelait la tête. Jamais il n'avait su répondre à ses attentes! Les rares fois où il se souvenait avoir reçu comme un cadeau inestimable un sourire gratifiant, il les avait volées en usant de subterfuges. Il était facile à berner, puisque Kevin et lui étaient de vraies copies carbone et qu'il ne s'intéressait pratiquement jamais à eux, sauf le temps de leur infliger de sévères corrections dont lui, Alvin, écopait de la plus grande part.

Un jour, moyennant un dollar, il avait réussi à convaincre Kevin de changer d'équipe de hockey parce qu'il avait entendu son père dire à sa mère qu'il irait voir jouer les bessons. Ni l'un ni l'autre n'avait compté, mais au comble de sa joie, Alvin avait reçu une tape dans le dos en guise de félicitations à la sortie de la patinoire. Ce geste tendre, qui ne lui était pourtant pas destiné, lui avait fait pardonner les nombreuses sautes d'humeur de son père.

Souffre-douleur de son père, il était devenu le protégé de sa mère. La semaine précédant son incarcération, il était allé la visiter à l'hôpital psychiatrique où elle végétait depuis quelques semaines. Elle ne l'avait pas reconnu. La situation avait été si pénible qu'il s'était promis de ne pas revenir avant longtemps. Il aurait aimé voir Marie, lui dire qu'il souffrait autant qu'elle de la mort de Kevin.

Une idée lugubre avait germé dans son esprit. Il assistait aux obsèques puis, une fois au cimetière, il montrait à son père qu'il pouvait être très courageux. Il fuyait à toutes jambes dans la forêt, courait sans s'arrêter même si on le mitraillait de partout. Peut-être craindrait-il pour lui? Peut-être crierait-il, désespéré, les larmes aux yeux : « Alvin, mon gars, reviens...»

Ensuite, il avait imaginé Marie éplorée et s'était ravisé. Peut-être son absence à la cérémonie lui ferait-elle désirer sa présence? Peut-être lui écrirait-elle? Il se sentit mutilé. Il avait mal à Kevin comme à un membre qu'on vient d'amputer. Il rêvait que sa mère le prenait dans ses bras comme elle le faisait quand il était petit — elle l'avait fait après qu'il eut reçu un violent coup de poing de son père — et elle le berçait jusqu'à ce qu'il s'endorme.

— Peux-tu avoir du bon stock? demanda-t-il à un voisin de cellule.

— Pas de problème!

Le lendemain apporta sa charge de malheurs. Son fournisseur de drogue, un dénommé Pierre Beaupré, lui rapporta qu'un certain Gaston Fournier de l'aile B avait eu le contrat de l'éliminer.

— Il paraît que t'es dangereux. T'en sais trop! Il a peur que tu parles.

— Stefano Rossi?

— Ouais.

— Pourquoi tu me le dis? S'il l'apprend, tu vas sauter toi aussi.

— Rossi a fait tuer mon meilleur chum. Pour te rassurer, y a personne qui est au courant.

— Comment tu l'as su toi?

— J'peux pas parler.

— Ce Fournier, comment est-il?

— À peu près ta grandeur, ta grosseur... À peu près ton âge aussi... Tout le monde le connaît icitte... Il bégaye.

— Qu'est-ce que je vais faire? demanda-t-il, cachant ses mains qui coulaient dans les poches de ses pantalons remplies de mouchoirs.

— T'as deux solutions. Tu t'organises pour aller dans le trou ou t'inventes une maladie pour rester à l'infirmerie. Le problème, c'est quand tu vas sortir de là.

— Si j'en parle à un gardien?

— Tout le monde va le savoir. Il faut pas que t'en parles à personne.

— Je peux demander à être transféré.

— Rossi a des poteaux dans toutes les prisons. As-tu un peu de « bacon"?

— Je peux en avoir. Pourquoi?

— Fie-toué sur moué, y a personne qui va te toucher. J'ai ma gang icitte.

Alvin le fixa attentivement. Il ne savait que penser de ce colosse. En train de sombrer, il lui lançait une bouée de sauvetage. S'agripper était l'unique solution.

— À midi, à la cafétéria, j'vas te le montrer. Si t'es d'accord, j'vas te protéger et pis j'te chargerai pas cher.

— Combien?

— Un bon « deal » pour rester en vie! Cent piastres par semaine.

Alvin réfléchit. À ce compte, il pouvait tenir un an et demi, mais sans se geler. Cette perspective n'était guère réjouissante! Un frisson lui traversa l'échine. À bien y penser, il ne s'était jamais préoccupé de l'avenir, il ne commencerait pas aujourd'hui. Il devait sauver sa peau maintenant. Il s'arrangerait pour la drogue.

— Pis? fit Beaupré.

— OK

— Tu vas voir qu'on va y jouer un crisse de tour à Fournier. Y te touchera pas. As-tu un papier, pis une enveloppe?

— Non, mais je vais demander au voisin. Hier, je l'ai vu écrire.

Après qu'il eut reçu la feuille et l'enveloppe, Pierre Beaupré lui dit :

— Écris ce que je te dis sur ce papier.

— Quoi?

— Je te l'expliquerai après. Tu vas voir que ça va être efficace. Écris. Je déclare que j'ai appris de source sûre que Gaston Fournier de l'aile B a reçu un contrat pour m'éliminer. Je jure que ceci est vrai. Pis tu signes ton nom et la date d'aujourd'hui. Mets la feuille dans l'enveloppe, colle-la, pis écris ton nom sur l'enveloppe.

— Où veux-tu en venir?

— Tu donneras ça au gardien à soir. Le vieux aux cheveux blancs. Tu sais qui?

— Oui.

— Tu lui diras de mettre ça en lieu sûr et d'ouvrir l'enveloppe juste s'il t'arrivait malheur.

— T'es pas très encourageant!

— Attends, tu vas voir ce que j'vas faire. J'vas écrire une lettre anonyme à Gaston Fournier pour lui dire que t'es au courant que Stefano Rossi a payé pour t'éliminer et que s'il t'arrivait malheur, une lettre est déjà partie à la direction de la prison par le gardien Paul Côté. Est-ce que tu me suis?

— Recommence.

Après qu'il lui eut expliqué une deuxième fois, Alvin crut comprendre la manigance de Beaupré.

— Tu vois, si Fournier vérifie les informations auprès du gardien, il va lui confirmer qu'il a reçu une enveloppe signée de ta main. Pis là, y osera jamais te toucher.

— Quand Stefano Rossi va apprendre ça, il va demander à quelqu'un d'autre de m'éliminer.

— Non, parce que dans la lettre anonyme, j'vas dire à Fournier que dans ta lettre au gardien, t'as écrit que le contrat a été donné par Stefano Rossi. Alors Fournier va le dire à Rossi et tu vas avoir la paix.

— Mais je l'ai pas écrit dans la lettre!

— Ben oui, je m'en souviens.

— T'es sûr? demanda Alvin, inquiet.

— Absolument, fit Beaupré sur un ton qui n'acceptait aucune réplique.

Cette scène le fit basculer dans les classes de son enfance. L'institutrice lui demandait : « Est-ce que tu comprends, Alvin? » Toujours, il répondait affirmativement pour ne pas attirer les regards. Les premières fois, il avait été honnête, mais il n'avait toujours pas saisi les explications supplémentaires. Sa peur de ne pas comprendre était telle qu'elle annihilait toute sa concentration. Il n'écoutait pas, préoccupé par les sourires en coin qu'il avait vu poindre chez ses camarades. Courage, Alvin, lui disait une petite voix intérieure, affronte le colosse. Ici, il s'agit de ta vie! Il prit la lettre sur le lit et dans sa grande nervosité, l'échappa à terre aux pieds de Beaupré qui la saisit.

— Regarde! La lettre est cachetée. Là-dedans, c'est pas important ce qui est écrit. C'est juste une formalité! Il pourrait avoir rien dans cette lettre-là, pis ça changerait rien. Si tu m'fais pas confiance, ça m'intéresse pas de m'occuper de toué? Choisis.

— T'es sûr? dit Alvin sans comprendre parfaitement.

— Absolument, fit-il fermement, un sourire aux lèvres suivi d'une tape sur l'épaule qui le rassura.

Après le départ de Beaupré, Alvin dut s'avouer qu'il n'aurait pas eu l'intelligence d'élaborer un plan pareil. Kevin aurait su, pas lui. Un plan qui lui coûterait cent dollars par semaine, mais qui lui sauverait peut-être la vie, du moins il voulait le croire. L'attitude de Beaupré avait toutefois semé un doute quant à la pureté de ses intentions, un doute qui subsistait encore dans son esprit. Pourquoi Beaupré n'avait-il pas voulu rouvrir l'enveloppe? Pourquoi le colosse voulait-il lui faire croire qu'il avait mentionné le nom de Stefano Rossi sur la feuille? Maintenant qu'il n'était plus sous son joug, il était sûr qu'il ne l'avait pas écrit. L'enveloppe languissait dans la poche de sa chemise. La tentation devint irrésistible. Avant de l'ouvrir, il demanda à son voisin de lui prêter une autre feuille et une autre enveloppe pour retranscrire le message après avoir satisfait sa curiosité. Il décacheta l'enveloppe et constata qu'il ne s'était pas trompé. La colère de s'être fait avoir pour qu'on lui soutire cent dollars par semaine et la peur que Beaupré soit à la solde de Stefano Rossi lui inspirèrent un geste audacieux. Il prit la feuille vierge et écrivit :

« Je jure sur la tête de Kevin, mon frère, que ceci est la vérité :
1) Pierre Beaupré est venu me voir le 24 juillet 1995 et m'a dit que Stefano Rossi avait demandé à Gaston Fournier (Aile B) de m'éliminer.
2) Pierre Beaupré m'a proposé sa protection, moyennant 100$ par semaine. J'ai accepté.
3) C'est possible que Stefano Rossi veuille m'éliminer, mais le contrat a-t-il été donné à Fournier ou à Beaupré? J'ai peur qu'il m'arrive quelque chose.»

Il signa et data la déclaration. Après cette substitution de message, il se dit que si le gardien Paul Côté à qui il remettrait l'enveloppe ce soir était de connivence avec Beaupré, son compte serait vite réglé. Il trembla de peur. Une autre idée lui traversa l'esprit. Il quémanda une autre feuille et une autre enveloppe à son voisin. Il recopia textuellement les mots que Beaupré lui avait dictés. Il remettrait cette missive ce soir au gardien Paul Côté, tel que convenu avec Beaupré. Il confierait l'autre à un autre gardien en le suppliant de garder le silence absolu sur cette enveloppe, de la conserver précieusement en lieu sûr et ne l'ouvrir que s'il lui arrivait quelque chose.

Si Beaupré apprenait par son voisin qu'il lui avait demandé deux autres enveloppes et deux autres papiers, il pourrait toujours dire qu'il avait dû recommencer le message deux fois tellement ses doigts dégoulinants avaient imbibé l'enveloppe. S'il n'en avait pas entouré les extrémités d'une bonne couche de papiers-mouchoirs, cette explication se serait avérée réelle.

Il soupira d'aise. Kevin avait dû l'inspirer pour tramer une machination pareille! Il lui avait légué son audace. Son frère, toujours premier de classe, sur qui il copiait sans vergogne avant qu'on s'en aperçoive et qu'on les change de classe! Une vision floue le ramena à la petite école les jours où ils avaient échangé leur identité. Comme il était bon de se sentir aimé et accepté dans les yeux et le ton des institutrices! Comme ils réchauffaient, ces sourires radieux, même s'ils lui étaient adressés par substitution! Il avait maintes fois essayé de se modeler à son frère, mais les efforts qu'il y mettait étaient indirectement proportionnels aux résultats qui en découlaient. Depuis la petite école, il collectionnait les échecs comme Kevin accumulait les succès. Des souvenirs plus récents le ramenèrent au bar où il avait perdu la piste de Linda. Il avait appris qu'elle avait eu le temps de moucharder le chef avant qu'il la tue. Stefano Rossi voulait sûrement lui faire payer un contrat mal exécuté. Lui qui était pourtant si fier de son coup!

Alvin se paya encore de quoi geler sa peine et ses peurs. Il imaginait son père, les dents serrés, devant la tombe de Kevin, souhaitant sûrement, par un curieux phénomène de transposition, que son corps se transforme en celui d'Alvin.

Chapitre 23

— Charles, tu connais quelqu'un qui écrit des romans? demanda René.

— Non, pas personnellement. Pourquoi?

— J'ai une histoire incroyable. À bien y penser, tellement incroyable que celui qui écrirait un roman avec ça se ferait descendre par le critique.

— Raconte, dit Charles, curieux.

— Alvin Davis a été assassiné hier dans la cour de la prison. Les deux jumeaux, morts en moins d'une semaine.

— Comment?

— Une arme tranchante? Un pic artisanal?

— Un règlement de comptes?

— Probablement. Écoute bien ça. Sur la fin de l'après-midi hier, il a laissé une enveloppe à un gardien. Il lui a dit de l'ouvrir seulement s'il lui arrivait quelque chose. Durant la soirée, il a fait la même chose avec un autre gardien : une autre enveloppe et les mêmes recommandations. Viens-tu avec moi? On va aller voir Marcoux. C'est lui qui est chargé de l'enquête.

— D'accord.

Rendus à l'étage supérieur, le détective Marcoux leur montra les deux feuilles.

— Fournier était dans la cour quand c'est arrivé? demanda René.

— Oui. Beaupré aussi et neuf autres prisonniers, fit le détective Marcoux. Naturellement, Fournier nie tout. Il n'a rien vu. Beaupré n'a rien vu. Les neuf autres n'ont rien vu. Comme d'habitude!

— L'arme a été trouvée?

— Non.

— Les empreintes sur les enveloppes?

— Le premier message, empreintes de Davis, de Gilles Brière, le gardien à qui il a remis l'enveloppe, et une autre qu'on n'a pas encore identifiée. On fait des recherches avec les empreintes des autres prisonniers. Le deuxième message, empreinte de Davis, du gardien Paul Côté et les mêmes qu'on n'a pas identifiées sur le premier message.

— Ça peut être les empreintes de celui qui a fourni le matériel, dit René.

— Bonne idée! On va d'abord circonscrire nos recherches sur les empreintes des prisonniers qui sont près de sa cellule.

— Beaupré, il a été arrêté pour quoi?

— Meurtre, trafic de drogues, fraudes. Son dossier est chargé. C'est un récidiviste. D'après les informations que j'ai reçues, il travaillait pour le gang de l'Est. Stefano Rossi et compagnie.

— Et Fournier?

— Les 3X. Gang rival, tu le sais.

— Beaupré, qu'est-ce qu'il dit de tout ça?

— Je lui ai d'abord demandé s'il le connaissait. Il m'a répondu qu'il ne le connaissait pas, qu'il n'avait rien à voir avec tout ça. Quand je lui ai montré ce que Davis avait écrit, il s'est mis à rire. Il m'a dit que si c'était vrai qu'il avait proposé de protéger Davis, il n'aurait jamais fait la bêtise de tuer une bonne vache à lait de même.

— Avez-vous comparé l'écriture de Davis et celle des feuilles?

— Oui, notre expert a confirmé que c'était la même. Même s'il avait juste la signature sur les fiches, il a dit que c'était suffisant.

— Les gardiens, est-ce qu'ils ont déjà vu Beaupré ou Fournier en compagnie de Davis?

— Non.

— C'est bizarre, tout ça. Ça me rappelle une émission de télévision dans laquelle de nombreux couples de jumeaux identiques étaient interviewés. Les liens qui unissent les jumeaux sont incroyablement forts et assez mystérieux. Mêmes éloignés, il leur arrivait des aventures similaires. C'était ahurissant! Je trouve ça curieux qu'ils soient tous les deux morts à quelques jours d'intervalle.

— Sauf qu'ici, il s'agit d'un assassinat, répliqua René. « Ça a pas rap », comme dirait Hélène.

— Oui, concéda Charles.

— Tu veux savoir quelque chose, Charles?

— Quoi?

— Je prends un mois de vacances et je me fiche royalement de cette enquête.

— Moi aussi.

René avait hâte d'annoncer à Hélène et à Carole que les deux jumeaux ne leur feraient plus jamais peur. Hélène pourrait marcher dans la rue sans toujours craindre d'être agrippée par quelqu'un et tirée dans une voiture. Et Carole qui avait toujours eu peur d'être suivie après avoir vécu l'angoisse de sa filature! Avec cette nouvelle, il était sûr d'accélérer la guérison de Carole et de cristalliser ainsi son équilibre émotionnel. Comme il avait hâte de retrouver la Carole d'avant!

Un mois de vacances! Il songea à lui faire et à se faire un merveilleux cadeau. Un voyage à Paris pour lui faire oublier celui qui l'avait fait basculer dans la dépression. En arrivant à Québec, il prendrait quelques minutes pour rencontrer Andréanne Robert, la conseillère en orientation. Il lui avait promis de lui donner des nouvelles d'Alain Crête et il tiendrait parole. Il arriverait à temps pour la rencontrer au collège. C'était la place toute désignée pour freiner ses envies d'avoir une relation plus intime avec elle.

En route pour Québec, il prit son cellulaire et tenta de la rejoindre au cégep de Sainte-Foy. Une secrétaire lui apprit qu'elle était toujours en vacances et que son retour était prévu dans deux semaines. Il composa alors son numéro personnel. Après tout, les révélations qu'il devait lui faire se prêtaient mieux à un échange direct. Agréablement surprise d'entendre sa voix, elle l'invita chez elle et il accepta. Sensible à sa voix sensuelle, de nouveau René se mit à fantasmer.

Comme un satellite, l'image d'Andréanne gravitait autour de lui et sa trajectoire elliptique, loin de se maintenir, changeait et prenait la forme d'une spirale inversée jusqu'à ce que son corps se rapproche suffisamment pour se fusionner au sien. Pour chasser le trouble qui l'habitait à la pensée de Carole, d'un geste machinal, il syntonisa son poste de radio habituel. Le bulletin d'informations crachait son lot de mauvaises nouvelles. La guerre de gangs entre motards criminalisés faisait toujours rage dans les bars de la capitale. Un ras-le-bol nauséeux le saisit. Il changea de poste. Après tout, il était en vacances! Il avait pris sur son dos tant de responsabilités! Il avait le goût de se délester des lourds vêtements qu'il avait endossés depuis quelque temps et de s'éclater. Faire « la bombe », sourit-il en pensant aux motards.

Une chanson pop qu'Hélène aurait sûrement aimée accrocha son attention. Il éleva le volume de l'appareil et écouta la chanson en marquant le rythme avec son pied gauche et ses mains qui martelaient le volant. Il se surprit à chanter avec l'interprète le refrain.

Je t'attise comme un feu
Feu, feu, feu
Tu t'enflammes, je te veux
Veux, veux, veux

Chapitre 23

Me réclames, tu me veux
Le désir dans tes yeux
Bleus. bleus, bleus.
Toi et moi, dans ce lieu
Lieu, lieu, lieu
Où l'amour est un jeu
Reste un peu, reste un peu,
Ton absence comme un creux
Creux, creux, creux.

Il aurait voulu la l'entendre de nouveau, tellement cette chanson lui parlait. Ses rêves le transportèrent cette fois dans un hôtel, le soir où il était allé retrouver Julie, une hôtesse de congrès. Une femme à qui il pouvait tout dire en toute confiance, avec qui il pouvait laisser tomber le masque de la séduction, à qui il pouvait exprimer ses peurs sans être jugé, à qui il n'avait pas de comptes à rendre, qui l'acceptait juste pour son plaisir à lui. Ce soir-là, il avait compris pourquoi le plus vieux métier du monde s'exerçait encore. En plein soleil, ses fantasmes sortaient de l'ombre à tour de rôle : Carole, Andréanne, Julie. Dans le fond de lui-même, il savait que son chemin le menait vers une explosion de désirs assouvis et il exultait.

Aussitôt que René eut ouvert la porte de la maison d'Andréanne, un chien au pelage gris tacheté de blanc et de noir se rua sur lui en aboyant. La vue de sa maîtresse modéra son envie de l'envoyer promener d'un coup de pied. Andréanne semblait impuissante à imposer sa discipline. Ses cris et les jappements de la bête se confondaient en une drôle de cacophonie. René repoussa modérément le maître de céans qui se calma un peu.

— Bonjour! Excusez Grispet. C'est un très bon gardien.

— Je vois.

— Bon garçon, Grispet, dit-elle en lui caressant la tête. C'est un griffon de trois ans. Gentil, Grispet, poursuivit-elle. Qu'est-ce qui vous fait rire?

— Son nom. Il lui va à merveille.

— J'ai l'intention de prendre des cours de dressage avec lui en septembre.

— Excellente idée, dit-il ironiquement. Après, il faudra changer son nom.

— Vous avez une suggestion?

— Oui, madame. Ouipet. You're bet! dit-il en riant.

— Attendez-moi, dit-elle.

Au bout de quelques secondes, elle réapparut avec un énorme chat noir dans les bras.

— Je vous présente Chatouille, dit-elle fièrement.

À l'oreille, Andréanne lui glissa qu'elle était une vulgaire chatte de gouttière.

— Je ne veux pas qu'elle m'entende, ça pourrait la traumatiser, ajouta-t-elle ironiquement.

— Elle se « gratouille » beaucoup? demanda René le plus sérieusement du monde.

— Heu... non... Elle porte un collier contre les puces. Pourquoi me demandez-vous ça?

— C'est son nom. J'ai cru que...

Il n'eut pas le temps de finir sa phrase qu'Andréanne éclatait de nouveau.

— Voulez-vous la prendre? lui dit-elle en lui tendant Chatouille.

— Non, je suis allergique aux chiens et aux chats.

— Alors, venez, on va s'asseoir dans la cour.

Un soleil de plomb se prélassait dans un ciel d'azur, invitant à la détente. Se diffusant dans leur orbite, des parfums de roses effleuraient sporadiquement leur odorat. Assise face à René, Andréanne écouta religieusement la narration complète des événements de la séquestration d'Hélène jusqu'à la mort des jumeaux en passant par l'assassinat d'Alain Crête. La langue déliée par l'absorption de deux bières bien frappées, René n'avait omis aucun détail, sauf sa relation intime avec Carole. La mort d'Alain Crête ne semblait pas avoir touché son interlocutrice plus que la lecture sur un journal quelconque d'un pareil drame survenu à un parfait inconnu.

L'alcool, le soleil et surtout la présence de sa très jolie admiratrice sollicitèrent les pulsions de René déjà alimentées par ses fantasmes. Andréanne n'était vêtue que d'un très court short et d'un audacieux maillot qui abandonnait au soleil une partie de son thorax et de son ventre déjà basanés. Dans un coin ombragé de la cour, un hamac, assez grand pour deux, suspendu à deux imposants érables tendait ses filets. Avec une familiarité incongrue et un désir irrésistible de satisfaire sa libido, il se leva et alla s'étendre.

— Je n'ai pas pu résister, dit-il. J'avais le goût d'être à l'ombre. Quand j'étais jeune, on avait un hamac dans la cour. Vous voulez me faire plaisir?

— Oui. Quoi?

— Venez me donner des « allans », comme on disait dans le temps.

Andréanne s'approcha, agrippa le filet et le berça doucement et régulièrement. Elle entonna l'air de la chanson « Les uns les autres, » puis des bribes de phrases vinrent s'y greffer.

On dort les uns avec les autres
On dort les uns contre les autres
Mais au bout du compte
On se rend compte
Qu'on est toujours
Tout seul au monde.

René chanta avec elle le refrain. Une douce harmonie et une entente tacite les liaient. Les yeux de René rivés sur ceux d'Andréanne exprimaient son désir de briser le mur de la solitude. Ils reprirent le refrain trois fois, puis René la saisit par un bras et l'entraîna dans son berceau ou dans ses filets. Une quatrième fois, ils chantèrent en choeur, lèvres contre lèvres. Un instant, la solitude avait fui.

— Pas ici, lui dit-elle. Mes voisins sont Témoins de Jéhovah.

Elle lui prit la main et l'entraîna dans sa chambre. Presque au moment où leur solidarité pour briser le mur de la solitude atteignait son point culminant, les lèvres de René se mirent à enfler pendant qu'il cherchait désespérément son souffle. Pourquoi fallait-il que son halètement lui rappelle la décennie qui les séparait, ces dix ans qui avaient aiguisé son désir? Il cessa de s'activer, courant toujours après son souffle. Il pensa soudain à son allergie. Il était dans l'antre des bêtes; son combat était inutile. Il se leva, laissant Andréanne pantoise. Il s'habilla en vitesse et sortit à l'extérieur. Toujours oppressé, sa respiration sibilante persistait. Jamais son allergie ne s'était manifestée avec autant de force! Sans explication à sa compagne, il monta dans sa voiture et se dirigea vers la pharmacie la plus proche acheter un inhalateur.

Une fois remis de sa crise, il retourna chez Andréanne pour s'excuser de cette malencontreuse et frustrante finale. À son arrivée, elle posa Chatouille à terre et entraîna René dans la cour.

— Ça va mieux?

— Oui. Les animaux dorment avec toi?

— Oui. Je n'ai pas pensé de te le dire, dit-elle, se mordant les lèvres pour ne pas éclater de rire.

— Moi non plus, je n'y ai pas pensé. C'est la première fois que ça m'arrive!

— Reviens la semaine prochaine. C'est mon ex qui va avoir la garde.

— Quoi?

— Oui. On a la garde partagée. Quinze jours chez moi, quinze jours chez lui. On n'est pas capable de les séparer, ils s'amusent tellement ensemble!

— Je ne suis pas sûr que ça irait, même sans les bêtes.

— Tu penses? Pourquoi?

— Les poils, la salive, ça reste.

— Il m'arrive, cher monsieur, de passer la balayeuse et de laver les draps de temps à autre, fit-elle dans un sourire forcé.

— Oh! excuse-moi, c'est pas ce que je voulais dire, lui dit-il en lui prenant affectueusement la main. On se revoit la semaine prochaine? Je suis d'accord pour tenter l'expérience.

— Laisse-moi ton numéro de téléphone, je vais y penser.

— Je te rappellerai.

Il reçut un magnifique sourire comme réponse. Un baiser scella le pacte.

Chapitre 24

Chaque fois que son expérience s'avérait non concluante, c'est toute la théorie de Bernard que Carole remettait en question. Le propre de la vérité n'était-il pas d'être vrai en tout temps? Elle avait pourtant vu ses pensées se matérialiser à plusieurs reprises, mais sa vision, comme une lueur trop fugace, amplifiait la lugubre noirceur du doute. Avait-elle conservé la pensée magique de son enfance? Souvent, elle avait l'impression de patauger dans les ornières du raisonnement paradoxal. Ses échecs, de plus en plus fréquents, l'ancraient dans l'abîme du désespoir, puis ses succès lui permettaient d'atteindre le paroxysme de l'excitation. Tel un fragile esquif, elle se sentait ballottée sur une mer houleuse, navigatrice solitaire, rêvant de l'étale. Elle promenait ainsi sa détresse, impuissante à contenir ses pensées débridées qui galopaient à un rythme infernal, impuissante aussi à contenir ses larmes qui gonflaient ses paupières et qui l'obligeaient à s'isoler pendant des heures avec des sacs de thé sur les yeux. Elle avait besoin de parler à quelqu'un, mais plus ses expériences se révélaient infructueuses, plus elle trouvait difficile de se confier.

Un jour, alors qu'elle se baladait dans un centre commercial juste pour n'avoir à parler à personne afin de converser avec sa famille de l'invisible et parce qu'elle était lasse des conversations futiles au sujet de la pluie et du beau temps, sa flânerie l'entraîna dans une librairie. La section Croissance personnelle et Ésotérisme, qui ne l'avait jamais intéressée auparavant, affichait des titres accrocheurs qui l'attirèrent comme un aimant. Son intuition lui insuffla l'idée que la vérité lui serait peut-être révélée dans certains de ces livres. Parmi la panoplie, lesquels choisir? Comme une vendeuse s'approchait d'elle, un titre la saisit : « Le hasard n'existe pas». C'était une des phrases qu'avait écrites Bernard sur la feuille qu'elle avait trouvée dans son livre de philosophie après sa mort! La possibilité que son fils ait lu ce livre l'excita au plus haut point. Pourquoi n'avait-elle jamais été attirée dans ces rayons auparavant? Son amour des livres, omniprésent, l'avait poussée à dévorer quantités de romans, de biographies, de poèmes, mais elle n'avait jamais ouvert ce genre de livres.

— Je l'ai lu. C'est un livre qui change notre façon de voir la vie, dit la dame sur un ton quelque peu dogmatique.

Chapitre 24

Carole n'avait nul besoin d'être convaincue. Sa seule préoccupation était de se rendre chez elle en toute hâte pour lire. À partir de ce moment, elle avala goulûment des dizaines de livres, se laissant guider par la conseillère de la librairie dont elle appréciait les choix. Plus rien n'avait d'importance que sa lecture. Passionnée et entière, elle ignorait les demi-mesures. De l'aube au crépuscule, souvent la nuit quand son dos ne la faisait pas trop souffrir, assise, affalée, couchée sur le dos, à plat ventre, recroquevillée, à l'extérieur, dans le kiosque, sur l'eau, partout et dans toutes les positions, elle engouffrait comme une boulimique des textes qui avaient le pouvoir de la transporter dans un état de sérénité extraordinaire ou dans un paroxysme de bonheur indescriptible parce que tous, ils confirmaient ses nouvelles croyances. Sa foi ainsi ravivée, elle communiquait mentalement avec Philippe et Bernard, confiante qu'ils la guidaient dans son cheminement.

Pressée par la demande de sa mère, elle avait laissé un message sur le répondeur de René pour le remercier, lui, ainsi que Luc et Hélène, des magnifiques roses qu'ils lui avaient fait parvenir à l'hôpital. C'était le signal qu'attendait René pour rebondir. Sans attendre son invitation, il se rendit chez elle par un bel après-midi ensoleillé. Carole lézardait sur le lac, assise sur une chaise munie de flotteurs. Elle entamait un chapitre particulièrement intéressant sur la façon de lever les voiles de l'illusion. Elle flottait dans tous les sens du terme, au propre comme au figuré.

Quand René la revit, il n'eut aucun doute sur ses sentiments. Cette femme l'envoûtait. Absorbée dans sa lecture, elle n'avait pas vu qu'il s'était dévêtu derrière le kiosque et, avec des ruses de Sioux, s'était approché du lac, se cachant derrière les arbres. Son plongeon obligea Carole à lever les yeux. Sous l'eau, le prédateur tourna autour de sa proie et refit un geste qui avait pour lui une connotation affectueuse : il lui mordilla un orteil. Surprise, elle sursauta et sa chaise se renversa sans qu'elle n'ait eu le temps de sauver son précieux livre. Elle s'était manifestement rembrunie, éradiquant du même coup toute la joie de René. Les mille excuses proférées avec la bonhomie d'un enfant et la promesse de remplacer le livre dès la fin de l'après-midi n'avaient pas changé son humeur maussade.

René aurait dû savoir que le fait de tourner autour d'elle sous l'eau lui avait rappelé l'attitude que Philippe avait emprunté maintes fois pour la séduire. René ne comprenait pas pourquoi Carole s'ancrait dans sa colère pour si peu. Comment devait-il se comporter? Il avait des écheveaux à démêler avant de retisser des relations exemptes d'agressivité. Il la fixa amoureusement et lui dit :

— Je t'aime Carole... Il y a si longtemps... J'ai tant de choses à te dire... J'ai une surprise pour toi! Viens.

Il lui prit la main et l'entraîna sur la pelouse. Il saisit la serviette de plage, la couvrit, l'assécha doucement en caressant son dos et la conduisit vers son véhicule. Il ouvrit la portière et lui offrit une enveloppe. Elle la décacheta. Sa réaction, des plus vives, le désarma totalement. D'un ton criard, elle avait vitupéré contre lui :

— Comment as-tu pu croire que je serais intéressée à retourner à Paris après ce qui s'est passé?

Qu'il avait été prétentieux de penser que sa seule présence et son cadeau auraient, tel l'effet magique d'un claquement de doigts, fait disparaître instantanément la peine causée par la mort de son ex-mari et de son fils! Comme il regrettait de ne pas l'avoir consultée avant de lui offrir le billet!

— Je comprends, Carole. Je regrette. Pardonne-moi cette grosse gaffe. On ira plus tard... peut-être... si tu veux... quand tu seras prête.

Le seul scénario qu'il avait écrit dans sa tête avant de la revoir ne se déroulait pas comme prévu. Il avait voulu cacher les angoisses que lui avait causées sa tentative de suicide. Il avait cru préférable de ne pas aborder le sujet pour lui épargner des aveux pénibles, mais son attitude portait le masque de l'hypocrisie. Là où la diplomatie avait échoué, il opta pour le langage du coeur et lui exprima clairement la peine immense et l'affreuse culpabilité qui l'avaient submergé lorsqu'il avait appris son désir d'en finir avec la vie. La pensée qu'il aurait pu la perdre lui était insupportable. Il était heureux de lui apprendre que son cauchemar était fini, qu'elle n'avait plus rien à craindre depuis le décès des jumeaux Davis. Encore une fois, il eut l'impression d'avoir trop parlé. Elle s'était raidie comme une barre, fermée comme un poing. Il était trop tôt pour lui rappeler cette pénible vérité qu'elle interprétait peut-être comme un geste veule. C'était sa façon de décrypter son attitude. La pensée qu'elle était au courant qu'Andréanne Robert avait éveillé chez lui un désir ardent se faufila dans son esprit par inadvertance, mais il l'écarta aussitôt. Elle ne pouvait pas savoir! En panne d'arguments, il risqua le jeu de l'humour, qui avait généralement un extraordinaire pouvoir de réconciliation avec Hélène. Avec comme toile de fond son amour des oiseaux, il lui dit;

— Sans mentir, ma chouette, votre ramage ne se rapporte pas à votre plumage.

Sa boutade avait réussi à faire apparaître une ébauche de sourire. Il l'entoura de ses bras en murmurant à son oreille :

— Vous êtes le phénix des hôtes de ces bois!

Il jugea le moment propice pour lui redire à quel point il voulait refaire sa vie avec elle, composer une nouvelle famille, mais le fin limier en lui flairait encore une opacité, un brouillard d'incompréhension qui flottait dans l'air et l'empêchait de la rejoindre. La lumière devait être faite, sinon cela risquait d'empoisonner leur relation. Oui, il était urgent que le venin soit craché. Il invita Carole à faire une petite balade dans la capitale. D'abord dans une librairie pour remplacer son livre et ensuite, connaissant son goût pour les mets italiens, il lui proposa un souper à la terrasse d'un « ristorante » renommé.

En attendant Carole, un incident de collège, gravé dans sa mémoire, lui revint soudainement. Il se revit dans un cours de philosophie, formant équipe avec trois camarades. Le professeur, un vieux prêtre, fervent catholique aux oeillères bien fixées leur avait soumis un sujet de discussion qu'ils considéraient incolore, inodore et insipide : la raison et la grâce pour un chrétien du XXe siècle. L'inquisiteur — c'est ainsi qu'ils l'avaient surnommé — circulait dans les allées afin de s'assurer que la discussion ne dévie pas. Un coup de pied sous la table donné par un éclaireur signalait son approche. Après son départ, la discussion sur les joueurs de base-ball ambidextres reprenait de plus belle. Puis, elle avait bifurqué sur les avantages que cet attribut, exploité au maximum, pouvait rapporter dans leur relation intime avec la gent féminine. Les exemples qui avaient alors été donnés le faisaient encore sourire. Une vingtaine de minutes avant la fin du cours, il avait eu la désagréable surprise de constater que le sort l'avait désigné comme secrétaire pour représenter l'équipe à la plénière. Il avait eu la chance de présenter son compte rendu en dernier et ainsi reprendre en d'autres mots les idées véhiculées par les autres. Il avait, hélas! mésestimé la ruse du vieux loup. Comme dans ses plus mauvais jours, il s'était mis à hurler :

— Monsieur Martin, demandez GRÂCE au Seigneur. Qu'il vous permette d'user davantage votre RAISON, en appuyant sur chacun des deux mots. Je prie pour que vous deveniez « ambicortex ». Ça va vous être indispensable dans vos relations avec le sexe opposé!

Heureusement la sonnerie avait mis fin à sa tirade. Ses trois compagnons riaient à gorge déployée pendant que lui, figé par l'explosion du prêtre, n'avait rien compris à sa répartie. Il avait supporté stoïquement le sobriquet d'ambicortex pendant quelques semaines, sachant que le plus sûr moyen de s'en défaire était de l'ignorer ou se contraindre à afficher un sourire. Il lui arrivait encore de souhaiter que son cerveau droit et son cerveau gauche possèdent la même dextérité que les sportifs ambidextres pour comprendre les femmes. « Ambicortex, que j'aimerais être ambicortex », se répétait-il en pensant à Carole.

En homme courtois, René manifesta à Carole son désir de saluer sa mère. À sa vue, le visage de Mme Alain s'éclaira. Elle le supplia d'arracher sa fille à ses lectures qui hypothéquaient les quelques semaines de vacances qu'il lui restait. Fort de l'appui de la mère de Carole, il poussa la courtoisie jusqu'à lui offrir une balade avec eux dans le Vieux-Québec. Son refus, s'il le soulageait, paraissait le décevoir. Carole était-elle dupe de sa complaisance? Il n'en ajouta pas plus. Après un temps de préparation qui lui parut interminable, ils partirent donc en direction de la librairie où Carole avait l'habitude de s'approvisionner.

Après avoir fureté dans tous les coins, René retrouva Carole à la caisse. Il insista pour payer les trois livres qu'elle avait choisis. Quelle ne fut pas sa surprise de voir l'illustration sur la couverture du premier livre! Un chat de gouttière noir identique au Chatouille d'Andréanne. Sur la couverture du deuxième, un caniche nain tout blanc! Il déglutit péniblement. La lumière venait de se faire. Maintenant, il comprenait son attitude. Comment avait-elle pu savoir? Il l'entendait dire avec son humour coutumier : « Le chat est sorti du sac? », mais il n'avait pas le goût de rire. Il leva les yeux et la fixa.

— Qu'est-ce qui t'arrive? demanda-t-elle. Ce n'est pas une mouffette, c'est une chatte!

Incapable de réagir intelligemment, il continuait de la fixer et ses yeux l'imploraient de justifier l'achat de ces deux livres. Comme si elle avait entendu, elle répondit :

— Le livre sur les chats, c'est pour Mimi, la petite fille de notre voisine. Tu te souviens d'elle? Elle est venue nous montrer ses chatons. Celui sur les chiens, c'est pour Gabriel. Comme il collectionne les livres sur les chiens, j'ai décidé de lui en acheter un par semaine.

Ses explications le rassurèrent, mais à sa grande surprise, sa respiration se fit oppressée et quelque peu sifflante. Il craignit qu'une nouvelle crise d'asthme le paralyse. Il paya promptement les trois livres et dit à Carole qu'il allait acheter de la gomme et l'attendrait dans le stationnement. Il se rappelait avoir laissé son inhalateur dans le coffre à gants de la voiture. Une seule inhalation produisit l'effet escompté. Qu'est-ce qui lui arrivait? Il ne pouvait tout de même pas devenir allergique à deux bestioles de carton! Cette pensée ridicule l'irrita. Pour la première fois, il avait été incapable de gérer son stress. Être à la merci d'une petite pompe frappait un dur coup à son orgueil! Sa grande peur que la vérité ait été découverte par Carole avait déclenché ce début de crise, il n'y avait aucun doute.

René leva les yeux et vit Carole approcher. Avec quelle élégance elle portait sa saharienne et un bermuda couleur limette! Ce coloris acidulé lui allait à ravir! Sa distinction naturelle, sa silhouette mince, sa démarche de mannequin, ses blonds cheveux tombant négligemment sur ses épaules, son visage angélique, elle avait tout pour faire tourner les têtes et elle semblait complètement inconsciente de l'effet qu'elle produisait.

Une fois installé au volant de son véhicule, René constata que sa jauge d'essence marquait une baisse considérable. Une idée lui traversa soudain l'esprit. Il se dirigea vers la station d'essence où travaillait Luc.

— Carole, lui dit-il, j'ai besoin d'essence et je voudrais te présenter Luc. Tu te souviens, je t'avais dit qu'il travaillait dans une station-service durant ses vacances.

Carole craignait cette première rencontre officielle. Elle avait aussi horreur qu'on lui impose ses volontés. Elle avait surtout peur que Luc se souvienne de l'avoir vue à deux reprises. La fois où elle avait cru voir le fantôme de son fils Bernard, elle s'était conduite comme une folle, freinant brusquement, tellement brusquement que le crissement des pneus de sa voiture avait fait relever la tête du garçon malgré le ronronnement de sa tondeuse à gazon. Son pied avait ensuite pressé l'accélérateur dans une fuite effrénée. Une autre fois, elle avait accompagné Philippe au poste d'essence. Il voulait à tout prix voir son fils dont il venait d'apprendre l'existence. René avait toujours ignoré qu'elle était venue avec Philippe. Plus la voiture approchait, plus son coeur palpitait. Ses mains s'agitaient en tremblotements agaçants. Elle les assujettit entre ses cuisses, prenant de grandes respirations. Un coin de rue et ils y étaient. Luc reconnut tout de suite la voiture de son père : son visage s'éclaira. Carole se racla la gorge. La ressemblance ahurissante de Luc avec ses deux amours la médusait encore. Elle se ressaisit lorsque René prononça son nom. Il l'avait reconnue, elle en était sûre. Le mouvement de ses yeux, fouillant, l'espace d'un instant, dans son hémisphère cérébral gauche, son froncement des sourcils ne laissèrent planer aucun doute.

— Ça me fait plaisir de vous connaître, madame, dit-il froidement, en lui offrant la main.

— Merci pour vos voeux de prompt rétablissement et les fleurs. J'ai beaucoup apprécié.

Il était clair que Luc n'avait jamais entendu parler de son séjour à l'hôpital et n'avait jamais signé la carte qui accompagnait la gerbe de fleurs. Même s'il n'avait pas dit un mot, son visage avait parlé. Ses yeux avaient rencontré ceux de René dont le malaise était éloquent. L'affluence des clients leur avait épargné une situation qui s'engluait dans le quiproquo.

— Excuse-moi, Carole. C'est moi qui ai signé la carte pour Luc. J'ai fait signer Hélène qui était à la maison, mais Luc n'était pas là, alors... J'aurais dû te le dire avant de venir ici.

Il lui prit la main et la porta à sa bouche.

— Ce n'est pas grave. Je comprends, s'entendit-elle dire, empathique.

En réalité, elle ne croyait pas qu'il aurait compris si elle lui avait exprimé sa grande déception. Elle se revoyait encore tracer avec son index les quatre lettres de son prénom, puis elle avait calqué le geste des dizaines de fois dans sa tête. C'était sa façon de s'approprier l'affection du demi-frère de Bernard. C'était aussi une caresse qu'elle donnait à Philippe comme pour implorer son pardon. Elle se sentait tellement coupable de lui avoir refusé une rencontre avec son fils Luc sur son lit de mort. Elle voulait compenser l'affection que Philippe n'avait pu lui donner. Telle une relique qu'on vénère, aussi précieuse qu'un trésor, sa signature était devenue le signe de son acceptation comme substitut paternel. Quant à Hélène, Carole avait compris que René avait usé d'autorité pour obtenir sa signature. Son rêve longtemps caressé de devenir une seconde mère pour les deux enfants de René s'avérait une utopie.

Une traînée de nuages effilochés rosissait l'horizon, contrastant joliment avec un ciel d'azur. Le temps chaud avait tiré les citadins et les touristes sur les trottoirs; l'atmosphère respirait la fête. Les gens circulaient lentement, s'attardant parfois aux menus des restaurants pour fixer leur choix. Empruntant le pas de deux flâneurs, Carole et René vagabondaient au gré des mouvements de la foule. L'affluence, loin d'être agaçante, était très agréable, car de ces badauds émanaient les voluptés de l'insouciance, une douce langueur qui épanouissait les visages d'un sourire communicatif.

Comme Carole et René s'apprêtaient à s'installer à la table du restaurant italien, une jeune femme, accompagnée d'une autre à peine plus âgée que Carole supposa être sa soeur tellement la ressemblance était frappante, salua René d'un sourire qui laissait planer un doute sur les relations qui les avaient liées ou les liaient encore. La gêne de René confirma les soupçons de Carole, qui était dotée d'un sixième sens pour détecter de semblables connivences. Il lui présenta alors Andréanne Lemieux comme la compagne de voyage d'Alain Crête à qui il avait dû annoncer le décès dernièrement. Un chien retenu par une laisse à la patte de la chaise de sa maîtresse manifestait sa présence par de joyeux jappements.

— Grispet, fit-elle en s'adressant à la bête, tu le reconnais? Calme-toi. Le monsieur a promis qu'il reviendrait te voir.

— Je vous présente Carole Alain, coupa sèchement René, feignant d'ignorer les insinuations d'Andréanne.

— Voulez-vous vous joindre à nous? demanda malicieusement Andréanne.

— Avec plaisir, s'empressa de répondre Carole.

Piégé par les deux femmes, René se soumit. Le repas qu'il voulait intime risquait d'être infernal. Ses deux tortionnaires affectaient une connivence, une civilité outrée. Il expérimentait la solidarité féminine à son meilleur! S'il n'avait pas tant tenu à Carole, il les aurait plantées là toutes les trois tellement il rageait intérieurement. Son cerveau fonctionnait à un rythme accéléré. Son travail lui avait appris que chaque problème avait sa solution. Parmi les avenues qui s'offraient à lui, l'attaque semblait la meilleure défense. Il dirigerait la conversation, elles n'auraient qu'à le suivre sur son terrain et ainsi il leur ferait oublier la raison de ce rapprochement.

Passé maître dans l'art de susciter l'intérêt de ses auditeurs, il relata des histoires scabreuses, y ajouta des détails croustillants, les ponctua d'humour truculent, maintenant le suspense jusqu'à la fin. Personne n'osait mettre en doute la véracité de ses dires puisque le héros qu'il personnifiait se métamorphosait souvent en un antihéros attachant et vulnérable. Grisées par les palpitants récits de René, par les vins capiteux qui avaient coulé en abondance et les fettuccine primavera reconnus comme les meilleurs de la capitale, les trois femmes suivaient les péripéties attentivement. La vendetta ne semblait plus être au menu, mais René avait quand même hâte de se retrouver seul avec Carole. Il se demandait de quel subterfuge il allait user pour quitter au plus vite Andréanne et sa soeur. Imposer sa décision s'avérait la plus mauvaise des tactiques; il ne voulait pas courir le risque de se priver de la complicité de Carole. La vue du chien à ses pieds lui insuffla l'idée de simuler une crise d'asthme, mais l'association d'idées, que ne manquerait de faire Andréanne en le ramenant avec elle dans le lit rempli du poil de ses bêtes, lui fit peur. Comme elle avait la répartie facile, il n'allait tout de même pas lui offrir la vengeance sur un plateau d'argent! Décidément, le vin ralentissait ses facultés intellectuelles! Un long et inquiétant silence coupa la conversation, alourdissant l'atmosphère. Andréanne promenait distraitement son regard sur les passants. René l'entendit soudain fredonner l'air de la chanson qui les avait réunis.

On dort les uns avec les autres
On dort les uns contre les autres
Mais au bout du compte

On se rend compte
Qu'on est toujours tout seul au monde

Il n'osa lever les yeux sur elle, parce qu'il l'aurait fusillée du regard et Carole s'en serait vite aperçu. Il se leva, se rendit aux toilettes. Avec son téléphone portable, il appela Hélène, à qui il résuma la situation, lui demandant de le rappeler dans cinq minutes, pas plus. Il n'avait pas hâte de retourner à sa table, craignant que la discussion n'ait dégénéré en perfides insinuations dont les femmes, à son avis, jouaient de main de maître.

À son retour, le silence lourd et agaçant planait toujours. René relata alors une histoire de toilettes de centre commercial fréquentées par un pédophile de soixante-quinze ans que des copains lui avaient racontée. La sonnerie du téléphone se fit enfin entendre.

— Allô!

— Monsieur Martin, j'ai un épouvantail à moineaux au bout du fil qui n'arrête pas de s'énerver parce qu'il a deux corneilles sur les bras, dit Hélène en s'esclaffant.

— Oui, Hélène... non. J'arrive tout de suite, dit René, s'évertuant à s'exprimer avec retenue.

— Carole, dit-il, mon père vient d'arriver à la maison. Ça fait des mois qu'on ne l'a pas vu. Est-ce que tu viens avec moi? J'aimerais ça te présenter à lui, mais je peux te reconduire chez toi si tu préfères.

— D'accord. Je vais faire un petit tour.

René régla l'addition et comme il revenait à la table y déposer son pourboire, Andréanne s'adressa directement à lui en le fixant froidement :

— Au plaisir de vous revoir, Monsieur Martin. Grispet et Chatouille seraient enchantés.

Un rictus gauchement esquissé mit fin à la discussion. Une fois sur le trottoir, René avoua à Carole que la visite de son père n'était qu'un prétexte pour se retrouver seul avec elle.

— Parle-moi de ton père.

— Il est décédé quand j'avais vingt ans.

Avec quelle facilité déconcertante cet homme mentait! Il avait même poussé l'indécence à utiliser — le mot n'était pas trop fort — son père décédé. Sans gêne, il avait usurpé la signature de son fils. Aussi n'était-il pas surprenant qu'il l'ait utilisée, elle aussi, comme appât pour attraper le violeur d'Hélène. Elle lisait dans ses pensées. Selon des rituels figés dans le temps, une partie de jambes en l'air devait nécessairement dédommager le généreux macho pour son bon souper. Son propre cynisme la glaça et elle se reprocha ensuite de lui prêter un égocentrisme éhonté.

Chapitre 24

Un autre sentiment, plus morbide encore, était réapparu depuis sa rencontre au restaurant. Sa jalousie maladive revenait encore la torturer. Fière, elle avait réussi à la dissimuler, mais insidieusement et depuis toujours, elle grugeait sa confiance en elle, la tenait sur la défensive. Lorsqu'elle n'était plus capable de simuler l'indifférence et manifestait vertement son sentiment, sa colère contre elle-même s'allumait et ravivait sa vieille peur d'être abandonnée, érigeant des barricades autour d'elle et l'ancrant davantage dans la solitude.

Elle consentit quand même à l'accompagner dans un bar pour prendre un digestif. Son besoin de s'épancher, toujours inassouvi, accentuait son désir de se livrer, mais sa peur d'être étiquetée de déséquilibrée, plus grande encore depuis sa tentative de suicide, lui dictait le silence. Elle se souvenait d'un premier essai au cours duquel elle avait vu dans ses yeux l'inquiétude et l'incompréhension alors qu'elle avait à peine entrebâillé la porte secrète de son âme. Elle se sentit recluse, malheureuse de s'encarcaner elle-même dans sa solitude, mais incapable de faire autrement. Sachant qu'elle ne portait pas l'alcool, elle sirota sa liqueur de menthe coupée avec un soda. Sa raison luttait pour gagner la bataille que lui livrait sa passion. Sauf Philippe, elle n'avait jamais connu un homme avec tant de charmes. Elle pouvait l'écouter des heures sans se lasser. Sa vivacité d'esprit, son humour, son aisance, son corps athlétique, tout en lui l'attirait. La beauté de son visage ne se démentait jamais, peu importaient ses expressions. Fatigué, endormi, figé ou enflammé par une discussion, toujours il était irrésistible. L'assurance de son amour exclusif aurait pu tout changer. Elle imaginait ses mains sur ses reins cambrés, ses lèvres qui fouillaient passionnément son corps, son rythme qu'il harmonisait au sien. Ses yeux, trop expressifs, trahissaient son désir, le même qu'elle lisait dans les siens. « J'ai envie de toi », murmura-t-il. Le temps qui les avait séparés si longtemps avait coloré le ciel de Carole de tant de grisailles! Le sentiment de déception que procuraient les plaisirs solitaires l'habitait. Au moment où la raison s'apprêtait à capituler, sa mémoire lui ramena l'image d'Andréanne et de René dans une position des plus inconfortables. Cette pensée lui donna des crampes à l'estomac. Sa fierté lui refusait de jouer les seconds violons, n'exigeant rien de moins qu'un abandon total, rien de moins que ce qu'elle acceptait de donner, une fidélité irréprochable. Elle était prête à surseoir à une jouissance passagère pour conserver sa dignité. Pour ne pas changer d'idée tellement la tentation était forte, elle s'empressa de prétexter un violent mal de tête. Aussitôt le prétexte annoncé, elle regretta son absence d'imagination et surtout son manque de force morale et de maturité pour affronter un échange qui aurait peut-être pu les rapprocher. Il la reconduisit à regret chez elle.

Dans sa chambre, un message l'attendait sur sa commode. Frank Miller, l'ami de Philippe chargé de liquider sa propriété d'Atlanta et son appartement à Paris, lui demandait de rappeler. Carole apprit qu'il avait trouvé un acheteur pour la maison de Philippe à Atlanta et le courtier qui avait été mandaté pour la vente de son pied-à-terre à Paris avait trouvé preneur. Sa présence ne s'avérait pas indispensable pour la ratification des deux ventes puisqu'il pouvait lui faire parvenir les contrats par la poste, mais avant de conclure les transactions, Frank avait insisté pour que Carole vienne voir où demeurait Philippe. Ainsi, elle pourrait lui donner son avis sur les offres d'achat. De plus, il était incapable de jeter les affaires personnelles de son ami, témoignage de son attachement à son fils et à elle. Sa délicatesse la toucha.

La liquidation des biens de Philippe, les indemnités des compagnies d'assurances et de son régime de retraite totalisaient une somme faramineuse qui dépassait le demi-million de dollars, somme qu'il avait léguée à son fils Luc sur son lit de mort. Carole se demandait comment elle s'y prendrait pour la lui remettre sans qu'il en découvre la provenance. Même si elle était sa légataire universelle, la pensée de tout garder ne l'effleura même pas. Elle réaliserait l'ultime désir du père. Le hasard voulait que le voyage à Paris qu'elle venait de refuser à René lui était proposé par Frank.

Sa décision était prise. Comme un pèlerin, elle irait marcher où son mari avait marché, voir l'environnement où il avait vécu, s'asseoir dans ses fauteuils, peut-être même coucher dans son lit. D'abord à Atlanta, puis elle se rendrait à Paris à la dérobée, comme un voleur entrebâillant une porte. Elle ne voulait pas que René apprenne qu'elle allait à Paris. Elle fit connaître sa décision à Frank et fit ses malles. Après avoir complété ses bagages avec mille précautions pour ne pas réveiller la maisonnée, elle se coucha. L'excitation qu'entraînait inévitablement un tel voyage chassa le sommeil. Elle conversa unilatéralement avec ses amours de l'invisible, mais contrairement à ses attentes, ses prières n'arrivaient pas à la calmer. Elle sentit ses battements cardiaques s'accélérer, puis une douleur aiguë au niveau de la poitrine l'inquiéta. Décidément, ses fettuccine primavera ne passaient pas. Elle prit un comprimé antiacide et s'étendit. Au bout de quelques minutes, son malaise diminua d'intensité, puis disparut.

Au petit matin, le roulement de la chaise de sa mère la réveilla. Elle lui fit part de son intention et ne fut pas surprise de ses reproches lorsqu'elle apprit qu'elle partait seule.

— Si tu ne veux pas y aller avec René, demande à Lyne ou à quelqu'un d'autre.

— Tu t'inquiètes pour rien. Frank et sa femme viennent me chercher à l'aéroport. Je demeure chez eux toute la semaine, puis je reviens. Je te téléphonerai tous les jours si tu veux. Si René téléphone, tu lui diras que je suis allée régler la vente de la maison de Philippe à Atlanta.

— Fais tes messages, Carole! J'en ai assez de mentir pour toi! Ça fait cent fois que je te répète ça!

— Mais c'est la stricte vérité, maman!

— Sauf que t'es pas capable de lui dire que tu ne veux pas qu'il vienne avec toi.

— Il ne serait sûrement pas intéressé à faire ce genre de voyage... à Atlanta en plus...

— Moi, je pense que oui. Tu veux parier?

— Qu'est-ce que tu en sais?

— Voyons, Carole, réveille. Quand t'étais à l'hôpital, il téléphonait tous les jours ici. Tu ne le vois pas quand il te regarde!

Cette révélation de sa mère l'attendrit au point de la faire hésiter quelques secondes. Elle se rappela l'attitude froide qu'avait sa mère dans ses relations avec Philippe et maintenant, elle prêchait pour René qui l'avait conquise dès la première rencontre. Sur l'échelle des âges de la vie, son charme irrésistible opérait également et cette constatation avait toujours suscité pour Carole un grand intérêt. Cet intérêt redoublait quand son charme opérait sur des enfants et elle l'avait constaté à quelques reprises. Carole aimait particulièrement les hommes qui aimaient les enfants, les vieillards et les animaux. La certitude qu'il ne s'était rien passé avec Andréanne aurait changé sa décision et lui aurait permis de faire un voyage extraordinaire, elle le savait, mais le doute qui la torturait prenait toute la place.

Dès l'ouverture de l'agence de voyages, elle réserva son billet pour Atlanta et de là pour Paris. Les escales à effectuer et la durée des arrêts l'indifférèrent, seul son désir de partir au plus vite primait. Sa décision, irrévocable, découlait d'une impression que la main de Philippe tenait fermement la sienne, que ce voyage constituait son ultime requête. Son seul regret était de ne pouvoir faire le voyage avec son fils Luc.

La mère de Carole demanda à François de conduire sa fille à l'aéroport. La lecture de son livre abrégea considérablement le temps des vols et des escales et quand ses yeux fatigués réclamaient un répit, elle visualisait un accueil chaleureux à Atlanta.

Frank et Joan, sa femme, l'accueillirent à bras ouverts. Ils l'invitèrent à séjourner chez eux, mais Carole insista pour se rendre directement à la maison de Philippe.

— Carole, je préférerais que tu attendes à demain, dit-il avec un fort accent américain. La femme qui est venue aux funérailles de Philippe déménage aujourd'hui. I am sorry, je ne pensais pas que tu viendrais si vite.

— C'est correct, Frank, dit-elle en essayant de cacher sa déception. Toutefois, je voudrais la rencontrer. Est-ce que ce sera possible?

— Surely.

À la sortie de l'aérogare, une bouffée de chaleur embrasait l'air. Le climatiseur allégea l'atmosphère, rendant le trajet plus agréable, malgré la compagnie de Joan que la communication en français réduisait au silence. Carole fit alors l'effort de dialoguer dans sa langue. Frank emprunta une allée où les maisons en retrait respiraient l'opulence. Les aménagements paysagers révélaient un respect scrupuleux des règles de l'esthétique. Des massifs de verdure côtoyaient des harmonies florales sous des arbustes déjà chargés de petits fruits. Les yeux de Carole auraient voulu ralentir le paysage qui défilait trop vite. Comme par magie, Frank réduisit sa vitesse, freina par à coups et lui indiqua la maison de Philippe.

Une lumière tamisée témoignait de la présence de la femme. L'imagination de Carole s'emballa comme un moteur à plein régime. D'abord, sa mémoire lui renvoya l'image de la femme digne et généreuse qu'elle avait vue aux obsèques de Bernard, au chevet de Philippe à Paris et à qui elle avait parlé à ses funérailles. Elle la voyait vivre et iriser de bonheur chaque pièce de cette maison : elle cuisinait des plats savoureux à son intention, attendait le retour de son pilote avec impatience, se blottissait dans ses bras amoureusement. Au moment où elle voulut observer davantage la maison et ses environs, son angle visuel était devenu trop restreint. Son attention se porta alors sur les maisons voisines et sur toutes celles qui bordaient l'allée et laissaient à la visiteuse une impression de beauté et de richesse, comme la maison de Philippe.

Quelques kilomètres plus loin, Frank gara sa voiture devant une grande maison de briques sable découpée d'une large fenêtre en baie. Les phares du véhicule éclairèrent un nombre incalculable de roses jaunes, certaines nouvellement écloses, d'autres sur le point de flétrir. Tout près de la haie, un doux parfum se répandait dans l'air.

— It's wonderful! s'exclama Carole en direction de Joan.

— Thank you. We are very proud of our hedge. Come in.

Le vestibule aéré, bien éclairé, donnait envie de voir les autres pièces. Joan dirigea Carole à sa chambre et l'invita à prendre un rafraîchissement sur la terrasse. Des projecteurs, braqués sur un jardin fleuri à l'arrière-plan, d'autres sur une piscine empruntant la forme d'un pas de géant à l'avant créaient l'illusion d'un lieu paradisiaque. Le gazouillis apaisant d'une cascatelle, le délicat parfum des pivoines, l'abondance et la variété des chrysanthèmes, tout sollicitait le plaisir des sens.

Le regard de Carole s'attarda à la forme de la piscine. Un pas de géant! Une connexion neuronale s'établit. Exactement la même forme qu'elle avait créée avec Bernard pour la plate-bande de chrysanthèmes à l'arrière de sa maison! Une paix indicible l'habita. Bernard et Philippe l'accompagnaient, elle en était sûre. Elle aurait voulu exprimer ses pensées à ses hôtes, mais ses vieilles peurs latentes l'en empêchèrent encore. Oui, ce voyage lui permettrait peut-être de faire un pas de géant, mais elle ne savait pas dans quelle direction.

Elle savoura son bien-être. Par considération pour Frank et Joan, elle fit de grands efforts pour participer à la conversation, mais son intérêt se situait à mille lieues des frais d'avocat, de ratification de vente, de clauses de contrat... La confiance totale que lui inspirait le grand ami de Philippe la dégageait de l'urgence d'être très attentive. Après un temps qui lui parut interminable, Frank lui confirma qu'elle pourrait rencontrer la femme qui vivait avec Philippe depuis un an. Prétextant le besoin d'un sommeil réparateur, elle se retira dans sa chambre.

Au petit matin, sur la pointe des pieds, Carole se rendit dans la cour. La magie des lieux opérait encore. Elle couvrit sa tête d'un bonnet et se glissa dans l'eau tiède et agréable de la piscine. Elle gonfla ses poumons d'air imprégné de parfums floraux et se laissa flotter sur le dos. Elle avait toujours eu une facilité déconcertante à se maintenir en surface sans même bouger les doigts. Un chardonneret traversa l'azur. Son coloris jaune vif avait criblé la voûte céleste comme une étoile filante. D'instinct, elle sacrifia le bien-être de son immobilité pour sa passion d'ornithologue amateur. Le clapotis le fit quitter son perchoir en déployant ses rémiges dans un vol onduleux. Elle reprit sa confortable position sur son lit d'eau, priant Bernard et Philippe de lui aider à trouver les mots justes, les bons gestes à poser avec Mary Gilpin.

Les voix de Joan et Frank la sortirent de sa méditation. De peur d'être involontairement indiscrète, elle signala illico sa présence. Après un copieux déjeuner, Joan les laissa pour se rendre à son travail tandis que Frank conduisit Carole à la maison de Philippe. En route, elle manifesta son désir de coucher dans cette maison au moins une fois.

La maison était tout aussi belle que celle de Frank. En entrant, Carole eut l'impression qu'elle était toujours habitée. Rien ne trahissait le vide laissé par Mary, sauf la garde-robe de la chambre. La vue des photos de Bernard l'ébranla. Un mur de la chambre en était tapissé! Bernard à tous les âges : Bernard dans ses bras, Bernard à bicyclette, Bernard, un gant et une balle à la main, Bernard en skis nautiques, Bernard au centre de la petite famille, une photo récente d'elle qu'il avait prise à son insu lors de son dernier voyage... Elle ne put empêcher les larmes de couler. Frank, visiblement mal à l'aise, lui dit, en l'entraînant visiter les autres pièces de la maison :

— Je ne sais pas si Philippe t'a raconté ça, Carole, mais on a bien ri. J'étais allé chez vous avec un copain. Philippe gardait Bernard pendant que tu étais allée chez ta mère. Bernard devait avoir deux ans à peu près. Mon copain lui demande : « C'est quoi ton nom? » Il a répondu : « Monstre. » Philippe riait comme un fou. On comprenait pas pourquoi. Mon ami n'avait rien compris de sa réponse. Moi non plus. Philippe nous a expliqué. Quand Bernard était très turbulent, il l'appelait mon p'tit monstre. Il nous a dit qu'à chaque fois, tu te choquais. Il nous a demandé de ne pas t'en parler. Est-ce que tu le savais?

— Non, dit-elle en souriant.

— Après ça, il nous a dit qu'il ne l'a plus jamais appelé mon p'tit monstre.

L'anecdote avait allégé l'atmosphère. Les autre pièces, décorées avec goût, dégageaient une paix indescriptible. Si elle avait accepté l'invitation de Philippe, elle aurait pu vivre ici et être heureuse. Le tragique assassinat ne se serait pas produit. Elle avait laissé son maudit orgueil lui dicter sa conduite. Pardon, Philippe, dit-elle dans une douloureuse supplique. Les mots de Frank glissaient, inutiles, sur une femme ravagée par les remords et le chagrin. Frank l'entraîna dans la chambre attenant à celle de Philippe. Trois boîtes joliment enrubannées trônaient sur la commode. Mary avait dû les oublier. Chacune était accompagnée d'une très petite carte. Le comble de la douleur survint quand elle lut le nom du destinataire. « À Bernard. Ton père Philippe. » Frank lui redit que Philippe avait toujours souffert de son absence et de celle de son fils.

— La semaine avant que Bernard décède, il lui avait acheté des cadeaux et avait tenté de le joindre au téléphone. Il voulait le voir absolument et tenter une réconciliation avec toi. Tu peux les ouvrir, Carole. Ils sont à toi.

L'instant était émouvant et peu banal. Elle ouvrirait le cadeau d'un mort à un autre mort! Elle souhaita que d'un quelconque ciel, ils la voient. Avec précaution, elle déballa la première boîte. Elle y découvrit un ordinateur portable. La deuxième contenait une caméra vidéo portative. Elle imagina une bague dans la troisième boîte si minuscule. Son intuition ne l'avait pas trompée, sauf que c'était une bague de femme ornée de trois saphirs. Sa surprise fut grande lorsqu'elle y lut : « À ma femme que j'ai toujours aimée. En guise de réconciliation. Ton mari, Philippe. » Les larmes aux yeux, elle la glissa à son annulaire qu'elle épousait parfaitement. Secouée par ses pleurs, elle articula gauchement la question qu'elle lui avait déjà posée. Elle voulait encore entendre la réponse :

— Pourquoi Frank? Pourquoi est-il venu aux funérailles avec cette femme?

— Il a téléphoné deux ou trois fois, je crois, et toujours une voix d'homme lui répondait. Il a cru que tu ne vivais plus seule. Quand il est retourné, tu as refusé sa proposition, mais il comptait te faire changer d'idée à Paris.

Carole se demanda de quelle voix d'homme il s'agissait. La seule réponse plausible qui lui vint en tête était la voix de François Chaque fois qu'il était à la maison, sa mère lui demandait de répondre au téléphone pour qu'elle n'ait pas à se déplacer en chaise roulante.

— Tu peux garder l'ordinateur portable et la caméra vidéo, Frank.

— Merci, Carole. J'ai déjà ces deux appareils.

— Je pourrais peut-être les donner à Mary. Qu'en penses-tu?

— Excellente idée. Je voulais aussi te parler de tous ces meubles. Moi, comme tu l'as vu, je n'en ai pas besoin. Tu sais, le prix de la vente ne comprend pas les meubles. J'ai pensé à Mary...

— Je suis entièrement d'accord. Je lui offrirai ce soir.

— Je pense que Philippe aurait aimé lui laisser sa voiture. Elle l'utilisait pour aller à son travail.

— Frank, tu es généreux. C'est à toi que j'avais donné les meubles et la voiture.

— Joan et moi avons chacun notre voiture tandis que Mary n'a rien.

— Cette femme doit être extraordinaire pour susciter de si nobles sentiments!

— Je ne la connais pas beaucoup, Carole, mais je sais qu'elle aimait beaucoup Philippe.

— Frank, j'ai une faveur à te demander. Laisse-moi ici, seule.

— D'accord. Je viens te prendre à quatorze heures pour la signature du contrat. Les clés de l'auto sont sur le comptoir de la cuisine.

— Merci, Frank. Merci beaucoup.

Enfin seule, Carole débuta son pèlerinage sur les lieux de son amour en exil. Elle verrouilla les portes, comme si ce qu'elle allait faire était inconvenant. Elle avait beau se convaincre que tout dans cette maison lui avait été légué par Philippe, elle se sentit quand même indiscrète. Son voyage sentimental lui permettrait de visiter chaque pièce, chaque penderie, chaque tiroir. Partout, elle chercherait l'ombre de sa propre présence. Avait-il conservé la cravate de soie aux motifs d'art abstrait qu'elle lui avait donnée dix ans auparavant? La chemise de soie brute à l'occasion de leur septième anniversaire de mariage? Le peignoir de ratine de velours couleur café au lait dans lequel il était beau comme un dieu grec?

Rien ne résista à ses recherches. Philippe avait effectivement gardé tout d'elle comme des reliques. Même démodée, l'étroite cravate trônait avec les autres. Le même sort avait été réservé à la chemise dont les coudes troués étaient camouflés dans les replis des manches. Quant au peignoir, même s'il résistait difficilement à l'usure du temps, ayant perdu l'éclat de sa coloration initiale, il était là D'autres trouvailles lui chavirèrent le coeur : des albums de photos qu'elle n'avait jamais vus, des vidéocassettes qu'elle n'avait jamais visionnées. Elle vécut les vacances de Bernard avec son père. En pleine projection, la sonnerie de la porte d'entrée tinta. Sa montre marquait treize heures et quarante-cinq minutes. Frank l'attendait. Comme elle avait hâte de revenir!

Les formalités de la vente, accélérées par son impatience à rentrer, n'exigeaient en fait que sa signature. La banque de Philippe vira la somme à son compte. Elle exigea toutefois que l'acheteur ne prenne possession de la maison que deux jours plus tard, le temps de permettre à Mary de déménager les meubles et les accessoires électriques. En route, Frank lui montra le restaurant où il avait donné rendez-vous à Mary Gilpin pour elle. Il avait eu la finesse de le choisir à deux rues de la maison.

Un coup d'oeil à sa montre la rassura. Il lui restait trois heures juste pour elle. Elle visionna de nouveau la vidéocassette de Bernard et mit dans sa malle les autres vidéocassettes et les deux albums de photos. Elle se fit couler un bain et pressa le bouton qui actionnait le tourbillon de l'eau. La rencontre avec Mary la stressait beaucoup. Sa connaissance de la langue anglaise, étant assez rudimentaire, lui permettrait-elle de nuancer ses sentiments? Elle débarquait après une dizaine d'années et s'accaparait de tout ce dont elle avait profité depuis un an. Elle avait tant de choses à lui dire, tant de questions à lui poser. La caresse de l'eau calma quelque peu ses appréhensions.

À l'heure fixée, elle se rendit au restaurant. À la réception, elle apprit que Mme Mary Gilpin l'attendait. Un garçon la conduisit à sa table. Carole tendit la main et engagea le dialogue dans un anglais qu'elle craignait fort d'écorcher.

— Madame Gilpin.

— Madame Alain, fit-elle en acceptant la main tendue.

Carole s'assit et lui dit :

— Je regrette de vous déloger.

— Je comprends. N'ayez aucun regret.

— Vous devez m'en vouloir?

— Comment pourrais-je en vouloir à la femme que Philippe aimait tant?

— Vous voulez un apéritif?

— Non merci.

— Frank vous a dit que le nouveau propriétaire prendra possession de la maison dans deux jours?

— Oui.

— Voulez-vous les meubles... et tout ce qu'elle contient?

— Je ne peux malheureusement pas me permettre de payer des meubles de cette valeur.

— Je vous les donne, Mary. Acceptez... Philippe nous regarde et sourit. Donnez-moi votre adresse et je vous les fais livrer demain.

— Je ne sais comment vous remercier.

— Vous avez besoin d'une voiture pour vous rendre à votre travail? Elle est à vous. Demain, nous effectuerons le transfert de propriété. Ça vous va?

Mary demeura bouche bée. Avait-elle bien compris? Carole estropiait passablement la langue anglaise pour la faire douter. Elle reprit :

— Vous m'offrez tout le contenu de la maison de Philippe et son auto pour rien?

— Oui.

— Vous savez que je n'ai pas un sou pour vous payer?

— Oui.

— Pourquoi?

— Parce que Philippe vous aimait. Et que vous l'aimiez aussi. Philippe vous a parlé des cadeaux qu'il avait achetés pour Bernard?

— Oui, bien sûr.

— Ils sont pour vous.

— Non, c'est trop!

— Vous avez un ordinateur portable et e caméra vidéo?

— Non.

— Alors ils sont à vous.

— Je ne sais comment vous remercier...

Une vive émotion gagna les deux femmes. Les yeux embués, Mary saisit dans ses deux mains celle de Carole. Son silence parlait.

— Vous voulez un apéritif? demanda Carole pour briser la trop grande intensité du moment.

— Avec plaisir, répondit-elle pour les mêmes raisons.

Les deux veuves éplorées bénirent le ciel pour cette soirée où chacune put parler tout son saoul de l'être aimé. Aucune animosité, aucune jalousie ne ternirent le plaisir de la conversation. Dans une sorte de symbiose, chacune reçut les confidences de l'autre comme un cadeau précieux que l'on fait à un grand ami. Carole eut l'impression, ce soir-là, qu'un ange avait été placé sur sa route et que cet être l'avait aidée à franchir son pas de géant. Elle avait aussi l'impression que quelqu'un, à son insu, avait ouvert pour elle la barrière de la langue, car elle avait pu communiquer de façon idéale dans la langue de Mary.

Le lendemain matin, Carole communiqua avec une entreprise de déménagement qui consentit à effectuer le transport l'après-midi même. Le responsable vint aussitôt évaluer le coût et Carole put défrayer le tout avant l'arrivée de Mary. Elle se pointa vers midi avec un pique-nique. Elle avait pris congé pour cuisiner des fajitas au poulet, des nachos au fromage et une charlotte à la mousse au citron.

— Philippe aimait beaucoup cela, dit-elle.

— Allons manger dehors.

— Oui, ce sera agréable dans le jardin.

Après le repas, Carole vida le réfrigérateur que Mary avait pris soin de garnir avant son arrivée. Le ronflement d'un moteur dans l'entrée signala la présence des camionneurs. Aucune tâche ne rebutait ces professionnels du déménagement! Des boîtes de toutes les dimensions, conçues expressément pour chaque catégorie d'objets, engloutirent avec une vitesse déconcertante et bizarrement un soin méticuleux le précieux butin pour Mary. Le hasard avait voulu que Mary, qui avait emporté ses pénates la veille chez sa mère, avait signé la semaine précédente le bail d'un logement qu'elle devait repeindre au cours de la semaine. Les meubles qu'elle devait acheter par la suite lui étaient tombés du ciel comme une manne. Carole signa un chèque qui couvrait le travail des peintres et le coût du logement pour un an. Surprise par ce cadeau inespéré qui s'ajoutait aux autres, Mary exprima d'abord un refus. L'émotion atteignit un point culminant qui s'exprima par des larmes difficilement contenues. Carole, pour la convaincre d'accepter, prit encore Philippe comme témoin de la scène. « Je suis certaine, dit-elle fermement ,que de là-haut, il tient absolument à ce que tu acceptes. » L'argument la convainquit.

Pendant que les déménageurs complétaient leur travail, elles se rendirent effectuer le transfert de propriété du joli cabriolet sport rouge écarlate. Carole lui tendit les clés et lui demanda de la conduire chez Frank et Joan. Elle aurait voulu l'aider à emménager, mais son vol pour Paris partait le lendemain. Cette femme venait de lui apprendre que recevoir était aussi important que de donner. Voilà un autre pas qu'il lui restait à franchir!

Frank et Joan, qui connaissaient bien Mary, accueillirent une femme radieuse. Elle était si triste depuis la mort de Philippe! Mary déposa Carole et se dépêcha de se rendre à son logement pour indiquer aux déménageurs l'emplacement des meubles. Elle offrit à Carole de la conduire à l'aéroport le lendemain et les quitta. Carole invita ses hôtes au restaurant pour les remercier de leur accueil. Quelques brasses comblèrent son besoin de délassement. Le lendemain, Carole laissa un chèque dans une enveloppe sur la table du salon, caché sous un énorme oeuf en céramique. Son besoin de donner restait aussi intense qu'une faim insatiable.

Fidèle au poste, Mary conduisit Carole à l'aéroport. Elle l'accompagna jusqu'au moment de prendre son vol. Avant de franchir la porte du terminal, elle lui tendit un sac dans lequel une boîte joliment emballée l'empêchait de satisfaire tout de go sa curiosité.

— Vous l'ouvrirez dans l'avion.

— Merci.

Après avoir pris possession de son siège, Carole ouvrit la boîte fébrilement, sans égard pour l'emballage. Elle y reconnut les photos qui couvraient un mur dans la chambre de Philippe, une montre-bracelet dont elle lui avait fait cadeau, la vieille cravate étroite, la chemise trouée, le peignoir usé et décoloré et sa bague de pilote. Elle ouvrit la carte et y lut :

Cher Carole,

Je comprendre pourquoi Philippe vouloir garder cet chose. Ils être empreintre de votre amour. Il aimer vous tellement beaucoup. Il vouloir pas les jeter. Il espérer toujours revenir avec vous. Vous être un femme extraordinaire. Si généreux. Merci pour tout. Phil être toujours présent avec moi aussi. Je garder beau souvenir de vous. Vous revenir ici. Moi, cela être mon plaisir. Excuser mon français. Je avoir un dictionnaire tant petit.

Votre ami toujours

Mary Gilpin

Carole essuya ses yeux avec la ratine de velours usée. Elle conjura Philippe et Bernard de l'aider à contenir sa peine, car les regards furtifs de ses voisins de siège trahissaient leur embarras. La réponse fut immédiate.

— Rhume de cerveau, fit-elle bruyamment en se mouchant, souriant sous cape en pensant à Bernard.

Tout petit, il disait que son nez était triste, que son nez pleurait lorsqu'il avait un rhume. Ses souvenirs la ramenèrent aussi à la même époque où Bernard avait demandé à Philippe devant le lac : « Papa, le lac, il est lué? » Philippe et Carole avait mis du temps avant de réaliser qu'il avait mal compris le mot pollué. Comme Carole craignit ensuite que ses voisins ne s'inquiètent de son sourire béat, elle sortit son livre et s'y plongea.

Carole quitta l'aéroport Charles-de-Gaulle, prit le train de banlieue et se rendit au studio de Philippe situé près de la Sorbonne, entre le Panthéon et la place Saint-Michel, lui avait-on dit. Averti par Frank, un voisin et ami de Philippe l'attendait pour lui remettre la clé. C'était à lui que Frank avait confié la responsabilité de trouver un courtier pour la vente du studio. Il informa Carole que l'acheteur, un jeune professeur d'université, viendrait la chercher le lendemain à neuf heures précises pour la signature de l'acte de vente.

Coquet, le studio était parfait pour une personne qui ne l'occupait qu'occasionnellement. Carole ouvrit la mini-chaîne stéréo et choisit d'écouter, parmi la vingtaine de disques compacts qui s'empilaient sur l'étagère, Les grandes chansons de Plamondon. Elle fit l'inventaire des autres et s'émut de retrouver quantité de pièces axées sur le saxophone. Leur amour pour cet instrument ne se démentait pas. La salle de bains, quoique exiguë, était très harmonieuse avec ses tuiles de céramique blanches et le papier peint aux délicats motifs floraux jaunes et verts.

Carole prit une douche, ouvrit le divan-lit et fureta partout dans l'espoir de retrouver quelque chose d'elle et de Bernard. Nulle trace! Amère déception! Elle commençait à ressentir les effets désagréables du décalage horaire. Elle éteignit la chaîne stéréo, régla le réveille-matin, s'assura que la porte était bien verrouillée, alluma la veilleuse et se coucha.

La sonnerie la réveilla à huit heures. Comme si elle avait vu un fantôme, elle écarquilla les yeux. Sur le téléviseur, la vue d'un livre qu'elle n'avait pas aperçu la veille la stupéfia. Le dos de la couverture blanc avec des lettres rouges! Elle se leva d'un trait. Elle avait bien lu : « Le hasard n'existe pas. » Elle l'ouvrit à la page marquée par un signet. Sur un brouillon, elle lut deux phrases écrites par Philippe. C'étaient les mêmes phrases qu'avait écrites Bernard sur la feuille qu'elle avait trouvée dans son livre de philosophie après sa mort.

Surexcitée par cette autre coïncidence étonnante, elle ouvrit nerveusement son sac à main et sortit d'une pochette la feuille de Bernard. Les mêmes phrases, mais dans un ordre différent s'y retrouvaient. La dernière fois où Bernard était venu en vacances à Paris datait de huit ans! Une foule de questions se chevauchaient dans sa tête. Quand Philippe avait-il écrit ces phrases? L'année d'édition du livre datait de 1956. Quand Bernard avait-il écrit ces phrases? Existait-il un appareil capable de détecter l'année où un texte est écrit comme celui qui permet de soumettre des objets à l'analyse du carbone 14? Les spécialistes de la calligraphie avaient-ils cette compétence? René pourrait répondre à ces questions. Du résultat dépendaient en grande partie ses croyances au destin. Qui ou quoi modelait le cours des événements de sa vie? Qui ou quoi l'avait poussée à acheter ce livre la semaine précédente? Qui ou quoi avait poussé Philippe à acheter le même livre?

Sa logique mit fin momentanément à la bousculade de questions qui excitaient son imagination. Elle imagina René lui dire : « Tu caresses des chimères, Carole. Tu veux tellement croire que Bernard et Philippe vivent encore quelque part que ton imagination se joue de toi. La vérité est si simple! Quand Bernard est venu il y a huit ans, il a lu les phrases, les a peut-être copiées ou juste retenues. Pour lui, parce qu'elles avaient été écrites par son père qu'il ne voyait qu'une fois par année, leur importance devenait très grande. Quant à toi, tu as acheté ce livre parce que le titre a accroché ton regard, étant donné que Bernard l'avait écrit sur sa feuille. " Élémentaire, mon cher Watson! " »

Malgré ce raisonnement logique, un doute subsistait dans la tête de Carole, un doute plus difficile à supporter que la certitude d'avoir tort. Il l'obligeait à poursuivre sa quête de vérité, à analyser chaque événement pour tenter d'en décortiquer la source. Aussi téléphona-t-elle à Atlanta pour apprendre que Mary ne se rappelait pas avoir vu ce livre dans le studio de Philippe à Paris.

Le temps lui rappela que la vie terre à terre poursuivait son cours. Pierre, l'ami de Philippe, avait pensé à tout. Elle brancha la cafetière et dégusta un croissant. Tout fin prête, elle frappa chez lui pour le remercier de ses délicatesses. Au même moment, l'acheteur se pointa. Les formalités de la vente furent remplies avec célérité. L'acquéreur accepta avec courtoisie de prendre possession du studio trois jours plus tard.

Pendant ces trois jours, Carole se balada dans Paris au gré de sa fantaisie, à un rythme ralenti par les ardeurs du soleil, affranchie de toute concession à faire, ouverte à la nouveauté. Le soir, après un succulent repas, elle réintégrait son oasis, lasse, mais la tête remplie des beautés de la ville qui avaient gommé sa tristesse. Sa malle étouffait de livres que les bouquinistes parqués sur les quais de la Seine offraient aux badauds. Après un bon bain de pieds pour détendre ses chevilles enflées, elle s'absorbait dans la lecture jusqu'à ce que ses yeux tombent de sommeil.

Chapitre 25

René retourna chez lui amèrement déçu. Sa déception se mua en colère quand il pensait à Andréanne. Elle avait tout gâché. Il avait passé sa rage sur le volant qu'il avait serré de toute la force de ses poings une bonne partie de trajet. Le lendemain, lorsqu'il apprit le départ de Carole pour Atlanta, alors qu'il lui avait signifié son désir d'effectuer un voyage à Paris en sa compagnie, il escompta ses chances bien minces de la reconquérir. Pourtant, l'espace d'un instant, la veille, il avait eu l'impression d'être en communion de sentiments. S'il ne s'agissait que d'une blessure d'amour-propre, il était prêt à toutes les bassesses pour lui faire oublier. Il avait manqué de temps pour communiquer vraiment avec elle. Le problème l'avait harcelé toute la semaine. Devait-il avouer son escapade avec Andréanne ou nier fermement si la question lui était posée?

Charles, son fidèle ami à qui il avait raconté ses déboires devant une table bien garnie de bières, lui avait conseillé de taire la vérité. Il fallait nier catégoriquement. Il parlait d'expérience. Une bêtise qui lui avait coûté son mariage. Après d'interminables palabres, ils s'étaient retrouvés dans un motel : René avec sa fidèle hôtesse des congrès et Charles, avec sa copine. Julie, il le savait, était la discrétion même. Il avait eu l'occasion de le vérifier.

Il avait consacré la plus grande partie de sa semaine à Hélène. Il avait véhiculé sa bande aux Expos, à La Ronde. Il les avait reconduits au cinéma, les avait accompagnés dans des établissements de restauration rapide. Pire encore, presque tous les soirs, il avait commandé des mets rapides dégoulinant de graisse, bref un menu plein de calories vides! Hélène avait promis de taire ces orgies lipidiques à sa mère. Il s'était aussi gavé d'émissions sportives le plus souvent ennuyeuses, de films décevants qui accentuaient sa solitude. Tout avait pris la couleur de sa tristesse. Ses vacances, qu'il avait rêvées merveilleuses, avaient pris un tournant plus que frustrant. À deux reprises, il avait téléphoné à Mme Alain avec qui Carole communiquait tous les deux jours. Il devinait que Mme Alain informait Carole et espérait ainsi un appel qui ne venait toujours pas. Dix jours après son départ, alors qu'il revenait de l'épicerie, Luc lui apprit que Carole Alain demandait de le rappeler. Son voeu était enfin exaucé.

Chapitre 25

Depuis son retour, une seule idée obsédait Carole. Elle devait savoir à tout prix à quel moment avaient été écrites les phrases de Bernard et celles de Philippe. Elle téléphona à chacune de ses amies, Lyne, Denise et Louise, qui lui confirmèrent que Philippe n'avait pas communiqué avec elles lors de son dernier voyage. Étant les seules avec René au courant de la feuille de Bernard, l'une d'elles aurait pu lui en parler. De retour à Paris, Philippe aurait simplement transcrit deux des phrases dont il se rappelait et aurait, par la suite, acheté le livre dont le titre lui rappelait une des phrases. Quant à René, elle savait que Philippe ne l'avait pas rencontré parce qu'il lui en aurait parlé. Elle s'était alors rendue dans un poste de police et avait demandé à parler à un enquêteur. Pour ne pas que René l'apprenne par hasard, elle avait changé son nom et avait inventé une situation où elle avait absolument besoin de ces renseignements pour l'écriture d'un roman. Le policier, très gentil, regrettait de ne pouvoir répondre à ses questions. Toutefois il lui avait donné le numéro de téléphone et l'adresse de la Direction des expertises judiciaires à Montréal. Au service de Chimie-Physique, on lui avait demandé de laisser son numéro de téléphone, qu'on la rappellerait. Elle avait poireauté des heures dans la maison, collée au téléphone comme une sangsue. Elle ne pouvait s'éloigner, craignant que sa mère ne réponde et demande des comptes. Même les cours de piano de Gabriel, qui n'avaient pas l'habitude de la déranger, l'agaçaient.

Pourtant, Mme Alain, qui n'était préoccupée que par son rôle de professeure de musique, s'extasiait devant le talent de son jeune prodige. Combien de temps passait-elle à l'observer attentivement durant ses leçons, à suivre le mouvement de ses yeux quand il déchiffrait une partition simple? « Gabriel a l'oeil d'un grand pianiste », disait-elle souvent à Mme Paradis. Comme une personne connaissant les techniques de lecture rapide, son regard se projetait toujours vers l'avant, ce qui lui permettait de deviner certaines notes. Très peu de va-et-vient oculaires qui ralentissent les premières lectures.

Le lendemain, comme l'appel tant attendu n'était toujours pas venu, elle avait composé de nouveau le numéro de la Direction des expertises judiciaires. Elle avait été déçue d'apprendre qu'on ne pouvait faire l'analyse de l'encre sur les feuilles de Bernard et Philippe. Le temps n'était pas l'unique facteur d'oxydation. D'autres conditions, comme le soleil ou la lumière du jour, pouvaient accélérer le processus. La tâche était pratiquement impossible, même avec des spécimens de comparaison, à moins de connaître la provenance de l'instrument utilisé pour écrire et de trouver ainsi l'année de fabrication de l'encre.

N'ayant pu se résigner à cette réponse négative, Carole avait acheté une loupe tellement forte que ses empreintes digitales donnaient l'impression d'être des courbes de niveau distantes d'au moins un millimètre et, comme elle écrivait toujours son nom et l'année de l'achat sur la première page de ses livres, elle avait pu ainsi comparer l'encre vieille de plus de vingt ans jusqu'à celle de la semaine précédente. Malheureusement, ses observations s'étaient avérées non concluantes. Parfois, l'encre plus récemment utilisée semblait s'être altérée plus rapidement que celle plus ancienne ou portait des faiblesses plus grandes. La pression plus ou moins forte de la main lors de l'écriture et la qualité de l'outil influaient sur la netteté des lettres et des chiffres. Même après plusieurs observations sur la feuille de Bernard et celle de Philippe, la loupe n'avait pas solutionné son problème.

La question, entière, l'obsédait toujours. Sa logique lui redisait que Bernard avait lu les phrases de Philippe lors de son dernier voyage à Paris, les avait retenues et copiées par la suite, mais son imagination en délire avait inventé un scénario où Bernard, dans son ciel, avait guidé Philippe sur un chemin où ces phrases auraient percuté son esprit. Ainsi, le hasard aurait pu être expliqué et elle aurait eu la certitude, encore une fois, que Bernard vivait. « Faut-il que sa présence me manque pour imaginer pareille scène! », s'était-elle dit.

Du lac à la maison, elle avait transporté sa solitude comme on revêt un vêtement trop étriqué. Son mal à l'âme était revenu la compresser, l'étouffer. Si Bernard et Philippe existaient au-delà des frontières du visible, comme elle voulait encore le croire, il lui avait fallu admettre qu'ils n'avaient peut-être pas le pouvoir d'intervenir dans sa vie. Plus elle y pensait, plus elle croyait que la liberté dont jouissaient les humains exigeait cette non-ingérence. Ce mot, tellement galvaudé par les politiciens, l'avait fait sourire. Cette pensée d'être un être humain libre l'avait rassérénée, mais elle avait quand même poursuivi sa communication avec Bernard et Philippe une bonne partie de la nuit. René avait aussi habité sa nuit, témoin muet de son insomnie.

Le lendemain, elle avait téléphoné chez René et Luc lui avait promis de faire le message à son père. Une quinzaine de minutes plus tard, René s'était manifesté. Elle lui fit part de son désir de le rencontrer. Il lui avait proposé un souper dans le Vieux-Québec. Il avait suggéré un restaurant où l'on servait des mets thaïlandais et vietnamiens délicieux. Elle avait acquiescé.

Chapitre 25

Le lendemain de son retour de voyage, Lyne était venue chez Carole. Elle avait manifesté son désir de se promener en pédalo. Le temps s'y prêtait admirablement, la végétation des rives se mirait sur le lac. Carole avait toujours voué une admiration sans bornes à son amie qui semblait vivre sur une planète différente de la sienne. Pour elle, tout était prétexte à rire, chaque moment de la vie, un cadeau. Elle était une artiste dans l'art de jouir de la vie. Aussi, Carole espérait-elle profiter de sa compagnie pour lui exposer ses problèmes qu'elle était la seule parmi ses amies à connaître plus profondément depuis leur voyage à Paris. Elle s'attendait à ce qu'elle l'écoute patiemment, mais au début de l'échange, la riposte était venue, foudroyante.

— Tu t'aimes pas beaucoup, Carole.

— Que veux-tu dire? fit Carole, vexée.

— T'aimes ça souffrir.

— C'est ridicule ce que tu dis.

— Arrête de vivre dans le passé. Les remords t'empoisonnent la vie.

— Facile à dire pour toi!

— Concentre-toi sur tout ce que tu fais. Cherche toujours à te faire plaisir. Les pieds sur la terre, Carole.

— Comment faire?

— Je vais te conter une anecdote. C'est une histoire vécue. Ça fait au moins dix ans de ça. Parmi tout le travail qu'on a à faire dans une maison, il y a toujours des choses qu'on déteste à mort. Moi, c'était plier le linge quand je le sortais de la sécheuse. Je le faisais quand même, mais enragée, à toute vapeur. C'était mal fait, tu le devines. Tu aurais dû voir mon armoire! J'en étais pas très fière. Un bon matin, je décide de me faire plaisir. Je prends une débarbouillette, je la plie en deux en étirant les coins pour que les quatre se superposent parfaitement, disait-elle en mimant les gestes. J'ai plié de nouveau le rectangle en deux, une partie bien rabattue sur l'autre. J'ai fait la même chose pour toutes les débarbouillettes, les serviettes, les « bobettes » en faisant des piles parfaitement alignées. Vois-tu, toute mon attention était centrée sur ce que je faisais. Tu devrais voir mes armoires maintenant. C'est sûr que ça m'a pris pas mal plus de temps les premières fois, mais quand on a du plaisir à faire quelque chose, le temps déboule. Autrement dit, je me suis fait plaisir. Je me suis organisée pour aimer ce que je faisais. Être heureux, c'est pas juste faire ce qu'on aime, c'est aussi aimer ce qu'on fait. J'ai donc choisi d'être heureuse, même quand les activités semblent au premier abord moins intéressantes.

— As-tu fait la même chose quand est venu le temps de laver la cuvette des toilettes?

— Oui. Là, le plaisir se retrouve moins dans les gestes à poser que dans le résultat de l'action. Quel plaisir de la voir nette, brillante pour accueillir les belles selles brun doré que je fais! fit Lyne dans un fou rire. Pendant ce temps-là... mon poignet travaille, ajouta-t-elle, sa phrase coupée par des rires.

— T'es folle! Moi, il y a rien qui m'intéresse.

— Je te le répète, tu vis trop dans le passé. Ton esprit est trop souvent ailleurs! Essaie mon truc avec ton jardin, par exemple. Si tu savais le temps que je prends pour prendre ma douche maintenant! Moi, je ne me lave plus, je me caresse. Les comptes d'électricité ont grimpé un peu, mais je m'en fiche. Ça vaut le coup.

— Encore une belle théorie!

— L'avantage, c'est que ça marche! Quand ta pensée s'égare ou retourne dans le passé, pense à ce que tu fais ou projette-la dans l'avenir, mais dans ce cas-là, imagine toujours le meilleur.

— C'est ce que tu fais?

— J'essaie. Mais si tu veux être malheureuse à tout prix, continue.

De retour près des rives du lac, Gabriel les avait accueillies, faisant cesser toute discussion. Après le départ de Lyne, Carole avait réfléchi aux paroles de son amie qui l'avaient d'abord choquée. Lyne ne pouvait comprendre, elle n'avait pas vécu son drame. Mme Paradis préparait le souper. Gabriel tournait autour d'elle, l'air affamé. Au moment où sa mère surveillait les oignons rissoler dans la poêle, il avait saisi une cuillère à soupe, l'avait comblée démesurément de beurre d'arachide et avait filé à l'extérieur. Carole s'était rappelé les croquants aux arachides dont Bernard raffolait. L'idée d'expérimenter ce que Lyne lui avait dit l'avait tentée. Elle avait sorti un vieux livre de recettes, s'était assurée d'avoir tous les ingrédients et avait entrepris le travail. Elle n'avait pas fait chauffer le four tout de suite pour ne pas se sentir pressée au cours de l'exécution. Tant pis si les biscuits n'étaient pas prêts pour le dessert! Avec un soin méticuleux, lentement, elle avait suivi les directives à la lettre, se concentrant sur chaque étape de la réalisation. Quand l'image de Bernard était venue la hanter, elle avait imaginé la miracle de la chimie alimentaire s'opérer. Elle créait des gourmandises délectables! Elle salivait à la pensée d'y goûter. Elle imaginait les yeux ronds de Gabriel devant sa surprise, ses exclamations lors de la dégustation, les quatre douzaines de biscuits bien rangées dans sa belle boîte de métal aux motifs aztèques. Peut-être en offrirait-elle une douzaine à Lyne? Oui, dans une boîte joliment emballée et enrubannée.

Avant de s'endormir, elle avait revécu point par point le plaisir que lui avait procuré la confection des biscuits. Lyne avait peut-être raison. Elle en avait assez d'être un pendule où son esprit tendu comme un fil oscillait toujours de l'extase à l'abattement. Elle avait décidé d'abandonner ses questionnements sur le monde invisible et de vivre le moment présent. D'un geste impulsif, elle avait pris le carnet dans lequel elle avait consigné ses expériences fascinantes et l'avait brûlé. Elle s'était ensuite rappelé combien elle avait été heureuse durant les trois jours où elle s'était baladée dans Paris, s'abandonnant au plaisir de la découverte.

Le lendemain, elle était descendue à Québec faire quelques achats en prévision de la rentrée des classes. Le temps avait nippé ses plus beaux atours. Le soleil était au rendez-vous, accompagné d'une légère brise qui en atténuait les ardeurs. Elle s'était bien promis de poursuivre l'apprentissage qu'elle avait amorcé la veille. Elle avait oublié le plaisir de s'offrir des vêtements à la dernière mode, de fureter dans les kiosques de revues, de dénicher la petite crème régénératrice de l'épiderme, de faire rafraîchir sa coupe de cheveux. Le temps avait déboulé, comme avait dit Lyne, et elle n'avait ressenti aucun signe de fatigue. En arrivant à la maison, elle avait plongé dans le lac. Elle avait savouré le plaisir de flotter sur le dos sans bouger. Elle avait apprécié le bien-être de l'eau qui épousait parfaitement ses formes et la supportait plus confortablement qu'un matelas pneumatique. Elle avait ensuite téléphoné à René qui l'avait invitée à souper.

La cuisine vietnamienne et thaïlandaise était divine. La présentation des mets, une oeuvre d'art. Les rouleaux de printemps aux artichauts, les médaillons de porc au gingembre, la couronne aux arachides (Tiens! Encore des arachides, s'était-elle dit.), les bouchées au miel, tout flattait l'oeil et le palais. Quand vint le temps de siroter un bon digestif, Carole amorça la discussion sur le sujet qui lui tenait à coeur.

— Je voudrais te dire quelque chose de très important. Laisse-moi parler, c'est très difficile.

— D'accord.

— Quand Philippe est venu à Québec, je lui ai demandé s'il avait eu une relation avec Maryse Dulude. Je t'avais promis de ne pas en parler à Luc ni à Maryse, mais pas à Philippe. « Oui, relation d'un soir, sans conséquence », qu'il m'a dit. Je lui ai dit qu'il avait un fils. Il voulait le voir, naturellement. On est allés à la station d'essence. Il s'est contenté de l'observer pendant qu'il faisait le plein. Il a voulu y retourner le lendemain avant de partir, mais j'ai refusé. J'ai refusé de donner l'adresse de Maryse, l'adresse de Luc. Il m'a promis sur la tête de Bernard de ne jamais faire de démarches pour les contacter, mais il m'a demandé de m'informer régulièrement de lui. Il m'a dit de compter sur lui si Luc avait besoin de quelque chose. À l'hôpital, deux fois il m'a demandé : « Je veux voir mon fils. » J'ai bien pensé qu'il parlait de Luc, mais je n'étais pas sûre la première fois. Peut-être avait-il dit : « Je vais voir mon fils ». Lyne n'était pas sûre d'avoir bien compris, elle aussi Juste avant de mourir, il a dit : « Luc, je veux voir... puis, je laisse tout ce...» Il n'a pas eu le temps de finir sa phrase. Tu sais ce qu'il voulait dire.

— Mais Carole, je pense...

— Laisse-moi finir. La semaine dernière, comme tu le sais, j'ai signé les contrats de vente de la maison de Philippe à Atlanta et de son studio à Paris. Avec les indemnités des compagnies d'assurance et de son régime de retraite, le solde de son compte bancaire, j'ai 512 428 $ pour Luc. C'est l'héritage de son père. Trouve la façon de lui remettre. Ma promesse de ne pas en parler à Maryse et Luc, je la tiendrai toujours, tu peux me faire confiance.

— Carole, cet argent t'appartient. Luc n'en a pas besoin. Sa mère et moi, on peut très bien s'en occuper. C'est juste bon qu'il travaille un peu pour gagner son argent de poche. Je n'aimerais pas qu'il se retrouve avec une somme pareille à son âge. Ça pourrait même compromettre ses rêves de devenir ingénieur en électronique.

— Je comprends. Ce n'est pas si urgent! En attendant, je vais faire fructifier cette somme si tu ne veux pas que je la lui donne tout de suite. Chose certaine, il aura cet argent. Je tiens absolument à respecter la dernière volonté de Philippe. Je me sens tellement coupable! Il voulait voir Luc avant de mourir et je n'ai rien fait. J'étais liée par la promesse que je t'avais faite. Je me déteste tellement de lui avoir refusé ça!

— Carole, tu sais très bien qu'il ne serait pas arrivé à temps! Tu n'as pas de reproches à te faire. Tout ce qui est arrivé, ce n'est pas de ta faute! C'est plutôt par ma faute. Une chance que tout ça est fini. Pour l'argent que tu veux donner à Luc, je sais que tu me comprends. Je ne suis pas capable d'imaginer le jour où je lui dirais que je ne suis pas son père, que son père biologique est mort sans qu'on lui ait donné la chance de le connaître, que Maryse, sa mère, m'a trompé, qu'il est juste la conséquence d'une relation d'un soir. Tu comprends, Carole, c'est au-delà de mes forces. Pour l'instant du moins.

— Je comprends. Donnons-nous du temps pour y penser.

— Merci, Carole. Merci beaucoup.

— Ce que j'aimerais le plus au monde, Carole, c'est qu'on vive ensemble... Tu ne dis rien?

— Moi aussi, j'ai besoin de temps. J'ai besoin de temps pour apprendre à vivre heureuse avec moi-même. Ne ris pas de ce que je vais te dire, mais j'ai besoin de temps pour tomber en amour avec moi. Apprendre à me faire plaisir, arrêter de vivre dans le passé. Après, je pourrai peut-être songer à vivre avec toi. Si je ne fais pas ça, je vais vivre les mêmes angoisses que j'ai vécues avec Philippe. Je vais toujours avoir peur d'être trompée, abandonnée. Je veux apprendre à être heureuse tout le temps, même quand tu n'es pas là pendant des semaines. Je ne veux pas être dépendante de ton affection. Je ne sais pas si tu comprends bien ce que je te dis. Quand tu serais là, ce serait un plus. Quand tu ne serais pas là, ce ne serait pas un moins. Plutôt un égal, disons. C'est le point de vue mathématique du problème, ajouta-t-elle en souriant.

— Oui, je comprends. Mais j'ai tellement besoin de toi. Toute la semaine, j'étais comme un lion en cage. Il n'y avait plus rien d'intéressant! Je pensais tout le temps à toi. J'avais peur de t'avoir perdue. J'ai encore peur. Quand tu me dis que tu as besoin de temps, j'ai peur que ce soit juste une façon déguisée de me dire que c'est fini entre nous.

— Je ne sais pas, René. Le temps va me donner une réponse. Donne-moi un mois.

— Tant que ça? fit René surpris.

— Oui. Dans un mois, on pourrait se revoir.

— Je trouve ça enfantin, Carole, inutile. Tous ces beaux moments perdus...

— Tu m'avais dit que tu comprenais!

— Oui, mais je trouve ça difficile. D'accord, parce que je t'aime plus que tout. J'ai quand même l'impression que ça ressemble plus à de l'indifférence ce que tu vises.

— Tu viens me reconduire?

— Déjà?

— Oui.

— Tu veux qu'on se laisse comme ça?

— Oui.

Carole s'était accordé le plaisir d'avoir été honnête. Elle était fière d'elle. La force qu'elle avait ressentie l'avait revigorée.

Trois semaines s'étaient écoulées depuis sa rupture temporaire avec René. Trois semaines durant lesquelles elle avait arpenté à grands pas la route du plaisir. L'apprentissage avait été si plaisant! De mémoire, elle ne se rappelait pas avoir été aussi heureuse.

Son jardin s'était métamorphosé en un lieu de délices. Elle avait ajouté à sa famille fleurie deux plants de sédum en pleine floraison, dont les fleurs d'un beau rose brillaient au soleil. Elle avait acheté de nouvelles revues d'horticulture pour apprendre davantage et ainsi rendre à chacun de ses plants qu'elle avait négligés au cours de l'été les soins qui leur étaient dus. Un beau matin, oh! suprême bonheur pour une ornithologue amateur, un cardinal rouge vif avait traversé son ciel. Sur une plate-forme qu'elle avait fabriquée, elle avait déposé du maïs concassé. Il venait régulièrement faire entendre son pot-pourri de sifflements. La rentrée des classes lui avait aussi apporté son lot de plaisirs. Ses quatre groupes d'élèves semblaient intéressés et intéressants comme elle n'en avait pas connus depuis longtemps.

Certes, plusieurs fois par jour, Bernard, Philippe, René et Luc avaient habité sa pensée, mais elle semblait délivrée de l'angoisse et des remords, délivrée aussi de ses obsessions. L'autodidacte avait finalement compris que la théorie de Bernard, qu'elle avait reléguée aux oubliettes le temps de ses nouvelles expérimentations, et celle de Lyne étaient complémentaires. Vivre le moment présent était simplement le chemin le plus facile pour ne pas projeter ses peurs dans sa vie future et ainsi faire advenir l'enfer dont parlait Bernard, l'esprit étant accaparé le plus souvent par l'action du moment.

Un après-midi, à la sortie des classes, Carole monta dans sa voiture, regarda dans son rétroviseur et, la voie étant libre, elle recula. Un jeune élève à bicyclette, probablement de la première secondaire, exécuta une manoeuvre d'évitement pour ne pas être frappé par la voiture de Carole. Sa précipitation l'avait fait culbuter. Carole freina brusquement et sortit en vitesse pour porter secours à l'enfant. Le garçon s'était relevé rapidement sans voir le sang qui coulait sur son genou droit. Elle sortit un mouchoir pour éponger le liquide. Gêné par le geste d'une enseignante devant ses amis, il lui dit, en ramassant trois livres éparpillés sur l'asphalte :

— C'est rien. Ça fait pas mal.

— Viens avec moi. On va aller dans l'école mettre un pansement adhésif.

— Pas besoin. Je reste pas loin. Juste au bout de la rue.

— Comment t'appelles-tu?

— Bernie.

Parmi les trois livres qu'il tenait dans ses mains, celui du centre accrocha son regard. Son dos blanc avec des lettres rouges! Son sang ne fit qu'un tour dans ses veines. Elle le lui arracha des mains. Ahurie, elle lut le titre deux fois. LE HASARD N'EXISTE PAS.

— Où as-tu pris ce livre? lui demanda-t-elle anxieuse.
— À la bibliothèque. C'est pour mon père.
— Comment il s'appelle ton père?
— Phil Gilpin.

Fin